Histoire d'un casse noisette

Alexandre Dumas

Edition : Culturea (culurea.fr), 34 Hérault
Contact : infos@culturea.fr
Impression : BOD, Norderstedt (Allemagne)
ISBN :9791041833139
Date de publication : juillet 2023
Mise en page et maquettage : https://reedsy.com/
Cet ouvrage a été composé avec la police Bauer Bodoni

Histoire D'un Casse-Noisette

HISTOIRE D'UN CASSE-NOISETTE

Le parrain Drosselmayer

Il y avait une fois, dans la ville de Nuremberg, un president fort considere qu'on appelait M. le president Silberhaus, ce qui veut dire *maison d'argent.*

Ce president avait un fils et une fille.

Le fils, age de neuf ans, s'appelait Fritz.

La fille, agee de sept ans et demi, s'appelait Marie.

C'etaient deux jolis enfants, mais si differents de caractere et de visage, qu'on n'eut jamais cru que c'etaient le frere et la soeur.

Fritz etait un bon gros garcon, joufflu, rodomont, espiegle, frappant du pied a la moindre contrariete, convaincu que toutes les choses de ce monde etaient creees pour servir a son amusement ou subir son caprice, et demeurant dans cette conviction jusqu'au moment ou le docteur, impatiente de ses cris et de ses pleurs, ou de ses trepignements, sortait de son cabinet, et, levant l'index de la main droite a la hauteur de son sourcil fronce, disait ces seules paroles:

—Monsieur Fritz!...

Alors Fritz se sentait pris d'une enorme envie de rentrer sous terre.

Quant a sa mere, il va sans dire qu'a quelque hauteur qu'elle levat le doigt ou meme la main, Fritz n'y faisait aucune attention.

Sa soeur Marie, tout au contraire, etait une frele et pale enfant, aux longs cheveux boucles naturellement et tombant sur ses petites epaules blanches, comme une gerbe d'or mobile et rayonnante sur un vase d'albatre. Elle etait modeste, douce, affable, misericordieuse a toutes les douleurs, meme a celles de ses poupees; obeissante au premier signe de madame la presidente, et ne donnant jamais un dementi meme a sa gouvernante, mademoiselle Trudchen; ce qui fait que Marie etait adoree de tout le monde.

Or, le 24 decembre de l'annee 17... etait arrive. Vous n'ignorez pas, mes petits amis, que le 24 decembre est la veille de la Noel, c'est-a-dire du jour ou l'enfant Jesus est ne dans une creche, entre un ane et un boeuf. Maintenant, je vais vous expliquer une chose.

Les plus ignorants d'entre vous ont entendu dire que chaque pays a ses habitudes, n'est-ce pas? et les plus instruits savent sans doute deja que Nuremberg est une ville d'Allemagne fort renommee pour ses joujoux, ses poupees et ses polichinelles, dont elle envoie de pleines caisses dans tous les autres pays du monde; ce qui fait que les enfants de Nuremberg doivent etre les plus heureux enfants de la terre, a moins qu'ils ne soient comme les habitants d'Ostende, qui n'ont des huitres que pour les regarder passer.

Donc, l'Allemagne, etant un autre pays que la France, a d'autres habitudes qu'elle. En France, le premier jour de l'an est le jour des etrennes, ce qui fait que beaucoup de gens desiraient fort que l'annee commencat toujours par le 2 janvier. Mais, en Allemagne, le jour des etrennes est le 24 decembre, c'est-a-dire la veille de la Noel. Il y a plus, les etrennes se donnent, de l'autre cote du Rhin, d'une facon toute particuliere: on plante dans le salon un grand arbre, on le place au milieu d'une table, et a toutes ses branches on suspend les joujoux que l'on veut donner aux enfants; ce qui ne peut pas tenir sur les branches, on le met sur la table; puis on dit aux enfants que c'est le bon petit Jesus qui leur envoie leur part des presents qu'il a recus des trois rois mages, et, en cela, on ne leur fait qu'un demi-mensonge, car, vous le savez, c'est de Jesus que nous viennent tous les biens de ce monde.

Je n'ai pas besoin de vous dire que, parmi les enfants favorises de Nuremberg, c'est-a-dire parmi ceux qui a la Noel recevaient le plus de joujoux de toutes facons, etaient les enfants du president Silberhaus; car, outre leur pere et leur mere qui les adoraient, ils avaient encore un parrain qui les adorait aussi et qu'ils appelaient parrain Drosselmayer.

Il faut que je vous fasse en deux mots le portrait de cet illustre personnage, qui tenait dans la ville de Nuremberg une place presque aussi distinguee que celle du president Silberhaus.

Parrain Drosselmayer conseiller de medecine, n'etait pas un joli garcon le moins du monde, tant s'en faut. C'etait un grand homme sec, de cinq pieds huit pouces, qui se tenait fort voute, ce qui faisait que, malgre ses longues jambes, il pouvait ramasser son mouchoir, s'il tombait a terre, presque sans se baisser. Il avait le visage ride comme une pomme de reinette sur laquelle a passe la gelee d'avril. A la place de son oeil droit etait un grand emplatre noir; il etait parfaitement chauve, inconvenient auquel il parait en portant une perruque gazonnante et frisee, qui etait un fort ingenieux morceau de sa composition fait en verre file; ce qui le forcait, par egard pour ce respectable couvre-chef, de porter sans cesse son chapeau sous le bras. Au reste, l'oeil qui lui restait etait vif et brillant, et semblait faire non seulement sa besogne, mais celle de son camarade absent, tant il roulait rapidement autour d'une chambre dont parrain Drosselmayer desirait d'un seul regard embrasser tous les details, ou s'arretait fixement sur les gens dont il voulait connaitre les plus profondes pensees.

Or, le parrain Drosselmayer qui, ainsi que nous l'avons dit, etait conseiller de medecine, au lieu de s'occuper, comme la plupart de ses confreres, a tuer correctement, et selon les regles, les gens vivants, n'etait preoccupe que de rendre, au contraire, la vie aux choses mortes, c'est-a-dire qu'a force d'etudier le corps des hommes et des animaux, il etait arriv connaitre tous les ressorts de la machine, si bien qu'il fabriquait des hommes qui marchaient, qui saluaient, qui faisaient des armes; des dames qui dansaient, qui jouaient du clavecin, de la harpe et de la viole; des chiens qui couraient, qui rapportaient et qui aboyaient; des oiseaux qui volaient, qui sautaient et qui chantaient; des poissons qui nageaient et qui mangeaient. Enfin, il en etait meme venu a faire prononcer aux poupees et aux polichinelles quelques mots peu compliques, il est vrai, comme papa, maman, dada; seulement, c'etait d'une voix monotone et criarde qui attristait, parce qu'on sentait bien que tout cela etait le resultat d'une combinaison automatique, et qu'une combinaison automatique n'est toujours, a tout prendre, qu'une parodie des chefs-d'oeuvre du Seigneur.

Cependant, malgre toutes ces tentatives infructueuses, parrain Drosselmayer ne desesperait point et disait fermement qu'il arriverait un jour a faire de vrais hommes, de vraies femmes, de vrais chiens, de vrais oiseaux et de vrais poissons. Il va sans dire que ses deux filleuls, auxquels il avait promis ses premiers essais en ce genre, attendaient ce moment avec une grande impatience.

On doit comprendre qu'arrive a ce degre de science en mecanique, parrain Drosselmayer etait un homme precieux pour ses amis. Aussi une pendule tombait-elle malade dans la maison du president Silberhaus, et, malgre le soin des horlogers ordinaires, ses aiguilles venaient-elles a cesser de marquer l'heure; son tic-tac, a s'interrompre; son mouvement, a s'arreter; on envoyait prevenir le parrain Drosselmayer, lequel arrivait aussitot tout courant, car c'etait un artiste ayant l'amour de son art, celui-la. Il se faisait conduire aupres de la morte qu'il ouvrait a l'instant meme, enlevant le mouvement qu'il placait entre ses deux genoux; puis alors, la langue passant par un coin de ses levres, son oeil unique brillant comme une escarboucle, sa perruque de verre posee a terre, il tirait de sa poche une foule de petits instruments sans nom, qu'il avait fabriques lui-meme et dont lui seul connaissait la propriete, choisissait les plus aigus, qu'il plongeait dans l'interieur de la pendule, acuponcture qui faisait grand mal a la petite Marie, laquelle ne pouvait croire que la pauvre horloge ne souffrit pas de ces operations, mais qui, an contraire, ressuscitait la gentille trepanee, qui, des qu'elle etait replacee dans son coffre, ou entre ses colonnes, ou sur son rocher, se mettait a vivre, battre et a ronronner de plus belle; ce qui rendait aussitot l'existence a l'appartement, qui semblait avoir perdu son ame en perdant sa joyeuse pensionnaire.

Il y a plus: sur la priere de la petite Marie, qui voyait avec peine le chien de la cuisine tourner la broche, occupation tres-fatigante pour le pauvre animal, le parrain Drosselmayer avait consenti a descendre des hauteurs de sa science pour fabriquer un chien automate, lequel tournait maintenant la broche sans aucune douleur ni aucune convoitise, tandis que Turc, qui, au metier qu'il avait fait depuis trois ans, etait devenu tres-frileux, se chauffait en veritable rentier le museau et les pattes, sans avoir autre chose a faire que de regarder son successeur, qui, une fois remonte, en avait pour une heure faire sa besogne gastronomique sans qu'on eut a s'occuper seulement de lui.

Aussi, apres le president, apres la presidente, apres Fritz et apres Marie, Turc etait bien certainement l'etre de la maison qui aimait et venerait le plus le parrain Drosselmayer, auquel il faisait grande fete toutes les fois qu'il le voyait arriver, annoncant meme quelquefois, par ses aboiements joyeux et par le fretillement de sa queue, que le conseiller de medecine etait en route pour venir, avant meme que le digne parrain eut touche le marteau de la porte.

Le soir donc de cette bienheureuse veille de Noel, au moment o le crepuscule commencait a descendre, Fritz et Marie, qui, de toute la journee, n'avaient pu entrer dans le grand salon d'apparat, se tenaient accroupis dans un petit coin de la salle manger.

Tandis que mademoiselle Trudchen, leur gouvernante, tricotait pres de la fenetre, dont elle s'etait approchee pour recueillir les derniers rayons du jour, les enfants etaient pris d'une espece de terreur vague, parce que, selon l'habitude de ce jour solennel, on ne leur avait pas apporte de lumiere; de sorte qu'ils parlaient bas comme on parle quand on a un petit peu peur.

—Mon frere, disait Marie, bien certainement papa et maman s'occupent de notre arbre de Noel; car, depuis le matin, j'entends un grand remue-menage dans le salon, ou il nous est defendu d'entrer.

—Et moi, dit Fritz, il y a dix minutes a peu pres que j'ai reconnu; a la maniere dont Turc aboyait, que le parrain Drosselmayer entrait dans la maison.

—O Dieu! s'ecria Marie en frappant ses deux petites mains l'une contre l'autre, que va-t-il nous apporter, ce bon parrain? Je suis sure, moi, que ce sera quelque beau jardin tout plant d'arbres, avec une belle riviere qui coulera sur un gazon brod de fleurs. Sur cette riviere, il y aura des cygnes d'argent avec des colliers d'or, et une jeune fille qui leur apportera des massepains qu'ils viendront manger jusque dans son tablier.

—D'abord, dit Fritz, de ce ton doctoral qui lui etait particulier, et que ses parents reprenaient en lui comme un de ses plus graves defauts, vous saurez, mademoiselle Marie, que les cygnes ne mangent pas de massepains.

—Je le croyais, dit Marie; mais, comme tu as un an et demi de plus que moi, tu dois en savoir plus que je n'en sais.

Fritz se rengorgea.

—Puis, reprit-il, je crois pouvoir dire que, si parrain Drosselmayer apporte quelque chose, ce sera une forteresse, avec des soldats pour la garder, des canons pour la defendre, et des ennemis pour l'attaquer; ce qui fera des combats superbes.

—Je n'aime pas les batailles, dit Marie. S'il apporte une forteresse, comme tu le dis ce sera donc pour toi; seulement, je reclame les blesses pour en avoir soin.

—Quelque chose qu'il apporte, dit Fritz, tu sais bien que ce ne sera ni pour toi ni pour moi, attendu que, sous le pretexte que les cadeaux de parrain Drosselmayer sont de vrais chefs-d'oeuvre, on nous les reprend aussitot qu'il nous les a donnes, et qu'on les enferme tout au haut de la grande armoire vitree ou papa seul peut atteindre, et encore en montant sur une chaise, ce qui fait, continua Fritz, que j'aime autant et meme mieux les joujoux que nous donnent papa et maman, et avec lesquels on nous laisse jouer au moins jusqu'a ce que nous les ayons mis en morceaux, que ceux que nous apporte le parrain Drosselmayer.

—Et moi aussi, repondit Marie; seulement, il ne faut pas repeter ce que tu viens de dire au parrain.

—Pourquoi?

—Parce que cela lui ferait de la peine que nous n'aimassions pas autant ses joujoux que ceux qui nous viennent de papa et de maman; il nous les donne, pensant nous faire grand plaisir, il faut donc lui laisser croire qu'il ne se trompe pas.

—Ah bah! dit Fritz.

—Mademoiselle Marie a raison, monsieur Fritz, dit mademoiselle Trudchen, qui, d'ordinaire, etait fort silencieuse et ne prenait la parole que dans les grandes circonstances.

—Voyons, dit vivement Marie pour empecher Fritz de repondre quelque impertinence a la pauvre gouvernante, voyons, devinons ce que nous donneront nos parents. Moi, j'ai confie a maman, mais la condition qu'elle ne la gronderait pas, que mademoiselle Rose, ma poupee, devenait de plus en plus maladroite, malgre les sermons que je lui fais sans cesse, et n'est occupee qu'a se laisser tomber sur le nez, accident qui ne s'accomplit jamais sans laisser des traces tres desagreables sur son visage; de sorte qu'il n'y a plus a penser a la conduire dans le monde, tant sa figure jure maintenant avec ses robes.

—Moi, dit Fritz, je n'ai pas laisse ignorer a papa qu'un vigoureux cheval alezan ferait tres-bien dans mon ecurie; de meme que je l'ai prie d'observer qu'il n'y a pas d'armee bien organisee sans cavalerie legere, et qu'il manque un escadron de hussards pour completer la division que je commande.

A ces mots, mademoiselle Trudchen jugea que le moment convenable etait venu de prendre une seconde fois la parole.

—Monsieur Fritz et mademoiselle Marie, dit-elle, vous savez bien que c'est l'enfant Jesus qui donne et benit tous ces beaux joujoux qu'on vous apporte. Ne designez donc pas d'avance ceux que vous desirez, car il sait mieux que vous-memes ceux qui peuvent vous etre agreables.

—Ah! oui, dit Fritz, avec cela que, l'annee passee, il ne m'a donne que de l'infanterie quand, ainsi que je viens de le dire, il m'eut ete tres agreable d'avoir un escadron de hussards.

—Moi, dit Marie, je n'ai qu'a le remercier, car je ne demandais qu'une seule poupee, et j'ai encore eu une jolie colombe blanche avec des pattes et un bec roses.

Sur ces entrefaites, la nuit etant arrivee tout a fait, de sorte que les enfants parlaient de plus bas en plus bas, et qu'ils se tenaient toujours plus rapproches l'un de l'autre, il leur semblait autour d'eux sentir les battements d'ailes de leurs anges gardiens tout joyeux, et entendre dans le lointain une musique douce et melodieuse comme celle d'un orgue qui eut chante, sous les sombres arceaux d'une cathedrale, la nativite de Notre-Seigneur. Au meme instant, une vive lueur passa sur la muraille, et Fritz et Marie comprirent que c'etait l'enfant Jesus qui, apres avoir depose leurs joujoux dans le salon, s'envolait sur un nuage d'or vers d'autres enfants qui l'attendaient avec la meme impatience qu'eux.

Aussitot une sonnette retentit, la porte s'ouvrit avec fracas, et une telle lumiere jaillit de l'appartement, que les enfants demeurerent eblouis, n'ayant que la force de crier:

—Ah! ah! ah!

Alors le president et la presidente vinrent sur le seuil de la porte, prirent Fritz et Marie par la main.

—Venez voir, mes petits amis, dirent-ils, ce que l'enfant Jesus vient de vous apporter.

Les enfants entrerent aussitot dans le salon, et mademoiselle Trudchen, ayant pose son tricot sur la chaise qui etait devant elle, les suivit.

L'arbre de Noel

Mes chers enfants, il n'est pas que vous ne connaissiez Susse et Giroux, ces grands entrepreneurs du bonheur de la jeunesse; on vous a conduits dans leurs splendides magasins, et l'on vous a dit, en vous ouvrant un credit illimite: <<Venez, prenez, choisissez.>> Alors vous vous etes arretes haletants, les yeux ouverts, la bouche beante, et vous avez eu un de ces moments d'extase que vous ne retrouverez jamais dans votre vie, meme le jour ou vous serez nommes academiciens, deputes ou pairs de France. Eh bien, il en fut ainsi que de vous de Fritz et de Marie, quand ils entrerent dans le salon et qu'ils virent l'arbre de Noel qui semblait sortir de la grande table couverte d'une nappe blanche, et tout charge, outre ses pommes d'or, de fleurs en sucre au lieu de fleurs naturelles, et de dragees et de pralines au lieu de fruits; le tout etincelant au feu de cent bougies cachees dans son feuillage, et qui le rendaient aussi eclatant que ces grands ifs d'illuminations que vous voyez les jours de fetes publiques. A cet aspect, Fritz tenta plusieurs entrechats qu'il accomplit de maniere a faire honneur M. Pochette, son maitre de danse, tandis que Marie n'essayait pas meme de retenir deux grosses larmes de joie, qui, pareilles a des perles liquides, roulaient sur son visage epanoui comme sur une rose de mai.

Mais ce fut bien pis encore quand on passa de l'ensemble aux details, que les deux enfants virent la table couverte de joujoux de toute espece, que Marie trouva une poupee double de grandeur de mademoiselle Rose, et une petite robe charmante de soie suspendue a une patere, de maniere qu'elle en put faire le tour, et que Fritz decouvrit, range sur la table, un escadron de hussards vetus de pelisses rouges avec des ganses d'or, et montes sur des chevaux blancs, tandis qu'au pied de la meme table etait attache le fameux alezan qui faisait un si grand vide dans ses ecuries; aussi, nouvel Alexandre, enfourcha-t-il aussitot le brillant Bucephale qui lui etait offert tout selle et tout bride, et, apres lui avoir fait faire au grand galop trois ou quatre fois le tour de l'arbre de Noel, declara-t-il, en remettant pied a terre, que, quoique ce fut un animal tres sauvage et on ne peut plus retif, il se faisait fort de le dompter de telle facon qu'avant un mois il serait doux comme un agneau.

Mais, au moment ou il mettait pied a terre, et ou Marie venait de baptiser sa nouvelle poupee du nom de mademoiselle Clarchen, qui correspond en francais au nom de Claire, comme celui de Roschen correspond en allemand a celui de Rose, on entendit pour la seconde fois le bruit argentin de la sonnette; les enfants se retournerent du cote ou venait ce bruit, c'est-a-dire vers un angle du salon.

Alors ils virent une chose a laquelle ils n'avaient pas fait attention d'abord, attires qu'ils avaient ete par le brillant arbre de Noel qui tenait le beau milieu de la chambre: c'est que cet angle du salon etait coupe par un paravent chinois, derriere lequel il se faisait un certain bruit et une certaine musique qui prouvaient qu'il se passait en cet endroit de l'appartement quelque chose de nouveau et d'inaccoutume. Les enfants se souvinrent alors en meme temps qu'ils n'avaient pas encore apercu le conseiller de medecine, et d'une meme voix ils s'ecrierent:

—Ah! parrain Drosselmayer!

A ces mots, et comme si, en effet, il n'eut attendu que cette exclamation pour faire ce mouvement, le paravent se replia sur lui-meme et laissa voir non seulement parrain Drosselmayer, mais encore! ...

Au milieu d'une prairie verte et emaillee de fleurs, un magnifique chateau avec une quantite de fenetres en glaces sur sa facade et deux belles tours dorees sur ses ailes. Au meme moment, une sonnerie interieure se fit entendre, les portes et les fenetres s'ouvrirent, et l'on vit, dans les appartements eclaires de bougies hautes d'un demi-pouce, se promener de petits messieurs et de petites dames: les messieurs, magnifiquement vetus d'habits brodes, de vestes et de culottes de soie, ayant l'epee au cote et le chapeau sous le bras; les dames splendidement habillees de robes de brocart avec de grands paniers, coiffees en racine droite et tenant a la main des eventails, avec lesquels elles se rafraichissaient le visage comme si elles etaient accablees de chaleur. Dans le salon du milieu, qui semblait tout en feu a cause d'un lustre de cristal charge de bougies, dansaient au bruit de cette sonnerie une foule d'enfants: les garcons, en veste ronde; les filles, en robe courte. En meme temps, a la fenetre d'un cabinet attenant, un monsieur, enveloppe d'un manteau de fourrure, et qui bien certainement ne pouvait etre qu'un personnage ayant droit an moins au titre de sa transparence, se montrait, faisait des signes et disparaissait, et cela tandis que le parrain Drosselmayer lui-meme, vetu de sa redingote jaune, avec son emplatre sur l'oeil et sa perruque de verre, ressemblant a s'y meprendre, mais haut de trois pouces a peine, sortait et rentrait comme pour inviter les promeneurs a entrer chez lui.

Le premier moment fut pour les deux enfants tout a la surprise et a la joie; mais, apres quelques minutes de contemplation, Fritz, qui se tenait les coudes appuyes sur la table, se leva, et, s'approchant impatiemment:

—Mais, parrain Drosselmayer, lui dit-il, pourquoi entres-tu et sors-tu toujours par la meme porte? Tu dois etre fatigu d'entrer et de sortir toujours par le meme endroit. Tiens, va-t'en par celle qui est la-bas, et tu rentreras par celle-ci.

Et Fritz lui montrait de la main les portes des deux tours.

—Mais cela ne se peut pas, repondit le parrain Drosselmayer.

—Alors, reprit Fritz, fais-moi le plaisir de monter l'escalier, de te mettre a la fenetre a la place de ce monsieur, et de dire ce monsieur d'aller a la porte a ta place.

—Impossible, mon cher petit Fritz, dit encore le conseiller de medecine.

—Alors les enfants ont danse assez; il faut qu'ils se promenent tandis que les promeneurs danseront a leur tour.

—Mais tu n'es pas raisonnable, eternel demandeur! s'ecria le parrain qui commencait a se facher; comme la mecanique est faite, il faut qu'elle marche.

—Alors, dit Fritz, je veux entrer dans le chateau.

—Ah! pour cette fois, dit le president, tu es fou, mon cher enfant; tu vois bien qu'il est impossible que tu entres dans ce chateau, puisque les girouettes qui surmontent les plus hautes tours vont a peine a ton epaule.

Frite se rendit a cette raison et se tut; mais, au bout d'un instant, voyant que les messieurs et les dames se promenaient sans cesse, que les enfants dansaient toujours, que le monsieur au manteau de fourrures se montrait et disparaissait intervalles egaux, et que le parrain Drosselmayer ne quittait pas sa porte, il dit d'un ton fort desillusionne:

—Parrain Drosselmayer, si toutes tes petites figures ne savent pas faire autre chose que ce qu'elles font et recommencent toujours a faire la meme chose, demain tu peux les reprendre, car je ne m'en soucie guere, et j'aime bien mieux mon cheval, qui court a ma volonte, mes hussards, qui manoeuvrent a mon commandement, qui vont a droite et a gauche, en avant, en arriere, et qui ne sont enfermes dans aucune maison, que tous tes pauvres petits bonshommes qui sont obliges de marcher comme la mecanique veut qu'ils marchent.

Et, a ces mots, il tourna le dos a parrain Drosselmayer et a son chateau, s'elanca vers la table, et rangea en bataille son escadron de hussards.

Quant a Marie, elle s'etait eloignee aussi tout doucement; car le mouvement regulier de toutes les petites poupees lui avait paru fort monotone. Seulement, comme c'etait une charmante enfant, ayant tous les instincts du coeur, elle n'avait rien dit, de peur d'affliger le parrain Drosselmayer. En effet, a peine Fritz eut-il le dos tourne, que, d'un air pique, le parrain Drosselmayer dit an president et a la presidente:

—Allons, allons, un pareil chef-d'oeuvre n'est pas fait pour des enfants, et je m'en vais remettre mon chateau dans sa boite et le remporter.

Mais la presidente s'approcha de lui, et, reparant l'impolitesse de Fritz, elle se fit montrer dans de si grands details le chef-d'oeuvre du parrain, se fit expliquer si categoriquement la mecanique, loua si ingenieusement ses ressorts compliques, que non-seulement elle arriva a effacer dans l'esprit du conseiller de medecine la mauvaise impression produite, mais encore que celui-ci tira des poches de sa redingote jaune une multitude de petits hommes et de petites femmes a peau brune, avec des yeux blancs et des pieds et des mains dores. Outre leur merite particulier, ces petits hommes et ces petites femmes avaient une excellente odeur, attendu qu'ils etaient en bois de cannelle.

En ce moment, mademoiselle Trudchen appela Marie pour lui offrir de lui passer cette jolie petite robe de soie qui l'avait si fort emerveillee en entrant, qu'elle avait demande s'il lui serait permis de la mettre; mais Marie, malgre sa politesse ordinaire, ne repondit pas a mademoiselle Trudchen, tant elle etait preoccupee d'un nouveau personnage qu'elle venait de decouvrir parmi ses joujoux, et sur lequel, mes chers enfants, je vous prie de concentrer toute votre attention, attendu que c'est le heros principal de cette tres-veridique histoire, dont mademoiselle Trudchen, Marie, Fritz, le president, la presidente et meme le parrain Drosselmayer ne sont que les personnages accessoires.

Le petit homme au manteau de bois

Marie, disons-nous, ne repondait pas a l'invitation de mademoiselle Trudchen, parce qu'elle venait de decouvrir l'instant meme un nouveau joujou qu'elle n'avait pas encore apercu.

En effet, en faisant tourner, virer, volter ses escadrons, Fritz avait demasque, appuye melancoliquement au tronc de l'arbre de Noel, un charmant petit bonhomme qui, silencieux et plein de convenance, attendait que son tour vint d'etre vu. Il y aurait bien eu quelque chose a dire sur la taille de ce petit bonhomme, auquel nous sommes peut-etre trop presse de donner l'epithete de charmant; car, outre que son buste, trop long et trop developpe, ne se trouvait plus en harmonie parfaite avec ses petites jambes greles, il avait la tete d'une grosseur si demesuree, qu'elle sortait de toutes les proportions indiquees non seulement par la nature, mais encore par les maitres de dessin, qui en savent la-dessus bien plus que la nature.

Mais, s'il y avait quelque defectuosite dans sa personne, cette defectuosite etait rachetee par l'excellence de sa toilette, qui indiquait a la fois un homme d'education et de gout: il portait une polonaise en velours violet avec une quantite de brandebourgs et de boutons d'or, des culottes pareilles, et les plus charmantes petites bottes qui se soient jamais vues aux pieds d'un etudiant, et meme d'un officier, car elles etaient tellement collantes, qu'elles semblaient peintes. Mais deux choses etranges pour un homme qui paraissait avoir en fashion des gouts si superieurs, c'etait d'avoir un laid et etroit manteau de bois, pareil a une queue qu'il s'etait attachee au bas de la nuque et qui retombait au milieu de son dos, et un mauvais petit bonnet de montagnard qu'il s'etait ajuste sur la tete. Mais Marie, en voyant ces deux objets, qui formaient avec le reste du costume une si grande disparate, avait reflechi que le parrain Drosselmayer portait lui-meme, par-dessus sa redingote jaune, un petit collet qui n'avait guere meilleure facon que le manteau de bois du bonhomme a la polonaise, et qu'il couvrait parfois son chef d'un affreux et fatal bonnet, pres duquel tous les bonnets de la terre ne pouvaient souffrir aucune comparaison, ce qui n'empechait pas le parrain Drosselmayer de faire un excellent parrain. Elle se dit meme a part soi que, le parrain Drosselmayer modelat-il entierement sa toilette sur celle du petit homme au manteau de bois, il serait encore bien loin d'etre aussi gentil et aussi gracieux que lui.

On concoit que toutes ces reflexions de Marie ne s'etaient pas faites sans un examen approfondi du petit bonhomme qu'elle avait pris en amitie des la premiere vue; or, plus elle l'examinait, plus Marie sentait combien il y avait de douceur et de bonte dans sa physionomie. Ses yeux vert clair, auxquels on ne pouvait faire d'autre reproche que d'etre un peu trop a fleur de tete, n'exprimaient que la serenite et la bienveillance. La barbe de coton blanc frise, qui s'etendait sur tout son menton, lui allait particulierement bien, en ce qu'elle faisait valoir le charmant sourire de sa bouche, un peu trop fendue peut-etre, mais rouge et brillante. Aussi, apres l'avoir considere avec une affection croissante, pendant plus de dix minutes, sans oser le toucher:

—Oh! s'ecria la jeune fille, dis-moi donc, bon pere, a qui appartient ce cher petit bonhomme qui est adosse la, contre l'arbre de Noel.

—A personne en particulier; a vous tous ensemble, repondit le president.

—Comment cela, bon pere? Je ne te comprends pas.

—C'est le travailleur commun, reprit le president; c'est celui qui est charge a l'avenir de casser pour vous toutes les noisettes que vous mangerez; et il appartient aussi bien a Fritz qu'a toi, et a toi qu'a Fritz.

Et, en disant cela, le president l'enleva avec precaution de la place ou il etait pose, et, soulevant son etroit manteau de bois, il lui fit, par un jeu de bascule des plus simples, ouvrir sa bouche, qui, en s'ouvrant, decouvrit deux rangs de dents blanches et pointues. Alors Marie, sur l'invitation de son pere, y fourra une noisette; et, knac! knac! le petit bonhomme cassa la noisette avec tant d'adresse, que la coquille brisee tomba en mille morceaux, et que l'amande intacte resta dans la main de Marie. La petite fille alors comprit que le coquet petit bonhomme etait un descendant de cette race antique et veneree des casse-noisettes dont l'origine, aussi ancienne que celle de la ville de Nuremberg, se perd avec elle dans la nuit des temps, et qu'il continuait a exercer l'honorable et philanthropique profession de ses ancetres: et Marie, enchantee d'avoir fait cette decouverte, se prit a sauter de joie. Sur quoi, le president lui dit:

—Eh bien, ma bonne petite Marie, puisque le casse-noisette te plait tant, quoiqu'il appartienne egalement a Fritz et a toi, c'est toi qui seras particulierement chargee d'en avoir soin. Je le place donc sous ta protection.

Et, a ces mots, le president remit le petit bonhomme a Marie, qui le prit dans ses bras et se mit aussitot a lui faire exercer son metier, tout en choisissant cependant, tant c'etait un bon coeur que celui de cette charmante enfant, les plus petites noisettes, afin que son protege n'eut pas besoin d'ouvrir demesurement la bouche, ce qui ne lui seyait pas bien, et donnait une expression ridicule a sa physionomie. Alors mademoiselle Trudchen s'approcha pour jouir a son tour de la vue du petit bonhomme, et il fallut que, pour elle aussi, le casse-noisette remplit son office, ce qu'il fit gracieusement et sans rechigner le moins du monde, quoique mademoiselle Trudchen, comme on le sait, ne fut qu'une suivante.

Mais, tout en continuant de dresser son alezan et de faire manoeuvrer ses hussards, Fritz avait entendu le *knac! knac! knac!* et, a ce bruit vingt fois repete, il avait compris qu'il se passait quelque chose de nouveau. Il avait donc leve la tete, et avait tourne ses grands yeux interrogateurs vers le groupe compose du president, de Marie et de mademoiselle Trudchen, et, dans les bras de sa soeur, il avait apercu le petit bonhomme an manteau de bois; alors il etait descendu de cheval, et, sans se donner le temps de reconduire l'alezan a l'ecurie, il etait accouru aupres de Marie, et avait revele sa presence par un joyeux eclat de rire que lui avait inspire la grotesque figure que faisait le petit bonhomme en ouvrant sa grande bouche. Alors Fritz reclama sa part des noisettes que cassait le petit bonhomme, ce qui lui fut accorde; puis le droit de les lui faire casser lui-meme, ce qui lui fut accorde encore, comme proprietaire par moitie. Seulement, tout au contraire de sa soeur, et malgre ses observations, Fritz choisit aussitot, pour les lui fourrer dans la bouche, les noisettes les plus grosses et les plus dures, ce qui fit qu'a la cinquieme ou sixieme noisette fourree ainsi par Fritz dans la bouche du petit bonhomme, on entendit tout a coup: Carrac! et que trois petites dents tomberent des gencives du casse-noisette, dont le menton, demantibule, devint a l'instant meme debile et tremblotant comme celui d'un vieillard.

—Ah! mon pauvre cher casse-noisette! s'ecria Marie en arrachant le petit bonhomme des mains de Fritz.

—En voila un stupide imbecile! s'ecria celui-ci; ca veut etre casse-noisette, et cela a une machoire de verre: c'est un faux casse-noisette, et qui n'entend pas son metier. Passe-le-moi, Marie; il faut qu'il continue de m'en casser, dut-il y perdre le reste de ses dents, et dut son menton se disloquer tout a fait. Voyons, quel interet prends-tu a ce paresseux?

—Non, non, non! s'ecria Marie en serrant le petit bonhomme entre ses bras; non, tu n'auras plus mon pauvre casse-noisette, Vois donc comme il me regarde d'un air malheureux en me montrant sa pauvre machoire blessee. Fi! tu es un mauvais coeur, tu bats tes chevaux, et, l'autre jour encore, tu as fait fusiller un de tes soldats.

—Je bats mes chevaux quand ils sont retifs, repondit Fritz de son air le plus fanfaron; et, quant au soldat que j'ai fait fusiller l'autre jour, c'etait un miserable vagabond dont je n'avais pu rien faire depuis un an qu'il etait a mon service, et qui avait fini un beau matin par deserter avec armes et bagages, ce qui, dans tous les pays du monde, entraine la peine de mort. D'ailleurs, toutes ces choses sont affaires de discipline qui ne regardent pas les femmes. Je ne t'empeche pas de fouetter tes poupees, ne m'empeche donc pas de battre mes chevaux et de faire fusiller mes militaires. Maintenant je veux le casse-noisette.

—O bon pere! a mon secours! dit Marie enveloppant le petit bonhomme dans son mouchoir de poche, a mon secours! Fritz veut me prendre le casse-noisette.

Aux cris de Marie, non-seulement le president se rapprocha du groupe des enfants dont il s'etait eloigne, mais encore la presidente et le parrain Drosselmayer accoururent. Les deux enfants expliquerent chacun leurs raisons: Marie, pour garder le casse-noisette, et Fritz, pour le reprendre; et, au grand etonnement de Marie, le parrain Drosselmayer, avec un sourire qui parut feroce a la petite fille, donna raison a Fritz. Heureusement pour le pauvre casse-noisette que le president et la presidente se rangerent a l'avis de Marie.

—Mon cher Fritz, dit le president, j'ai mis le casse-noisette sous la protection de votre soeur, et, autant que mon peu de connaissance en medecine me permet d'en juger en ce moment, je vois que le pauvre malheureux est fort endommage et a grand besoin de soins; j'accorde donc, jusqu'a sa parfaite convalescence, plein pouvoir a Marie, et cela, sans que personne ait rien a y redire. D'ailleurs, toi qui es fort sur la discipline militaire, ou as-tu jamais vu qu'un general fasse retourner au feu un soldat blesse a son service? Les blesses vont a l'hopital jusqu'a ce qu'ils soient gueris, et, s'ils restent estropies de leurs blessures, ils ont droit aux Invalides.

Fritz voulut insister; mais le president leva son index a la hauteur de l'oeil droit, et laissa echapper ces deux mots:

—Monsieur Fritz!

Nous avons deja dit quelle influence ces deux mots avaient sur le petit garcon; aussi, tout honteux de s'etre attire cette mercuriale, se glissa-t-il, doucement et sans souffler le mot; du cote de ta table ou etaient les hussards, qui, apres avoir pos leurs sentinelles perdues et etabli leurs avant-postes, se retirerent silencieusement dans leurs quartiers de nuit.

Pendant ce temps, Marie ramassait les petites dents du casse-noisette, qu'elle continuait de tenir enveloppe dans son mouchoir, et dont elle avait soutenu le menton avec un joli ruban blanc detache de sa robe de soie. De son cote, le petit bonhomme, tres-pale et tres-effraye d'abord, paraissait confiant dans la bonte de sa protectrice, et se rassurait peu a peu, en se sentant tout doucement berce par elle. Alors Marie s'apercut que le parrain Drosselmayer regardait d'un air moqueur les soins maternels qu'elle donnait au manteau de bois, et il lui sembla meme que l'oeil unique du conseiller de medecine avait pris une expression de malice et de mechancete qu'elle n'avait pas l'habitude de lui voir. Cela fit qu'elle voulut s'eloigner de lui.

Alors le parrain Drosselmayer se mit a rire aux eclats en disant:

—Pardieu! ma chere filleule, je ne comprends pas comment une jolie petite fille comme toi peut etre aussi aimable pour cet affreux petit bonhomme.

Alors Marie se retourna; et, comme, dans son amour du prochain, le compliment que lui faisait son parrain n'etablissait pas une compensation suffisante avec l'injuste attaque adressee a son casse-noisette, elle se sentit, contre son naturel; prise d'une grande colere, et cette vague comparaison qu'elle avait dej faite de son parrain avec le petit homme au manteau de bois lui revenant a l'esprit:

—Parrain Drosselmayer, dit-elle, vous etes injuste envers mon pauvre petit casse-noisette, que vous appelez un affreux petit bonhomme; qui sait meme si vous aviez sa jolie petite polonaise, sa jolie petite culotte et ses jolies petites bottes, qui sait si vous auriez aussi bon air que lui?

A ces mots, les parents de Marie se mirent a rire, et le nez du conseiller de medecine s'allongea prodigieusement.

Pourquoi le nez du conseiller de medecine s'etait-il allong ainsi, et pourquoi le president et la presidente avaient-ils eclate de rire? C'est ce dont Marie, etonnee de l'effet que sa reponse avait produit, essaya vainement de se rendre compte.

Or, comme il n'y a pas d'effet sans cause, cet effet se rattachait sans doute a quelque cause mysterieuse et inconnue qui nous sera expliquee par la suite.

Choses merveilleuses.

Je ne sais, mes chers petits amis, si vous vous rappelez que je vous ai dit un mot de certaine grande armoire vitree dans laquelle les enfants enfermaient leurs joujoux. Cette armoire se trouvait a droite en entrant dans le salon du president. Marie etait encore au berceau, et Fritz marchait a peine seul quand le president avait fait faire cette armoire par un ebeniste fort habile, qui l'orna de carreaux si brillants, que les joujoux paraissaient dix fois plus beaux, ranges sur les tablettes, que lorsqu'on les tenait dans les mains. Sur le rayon d'en haut, que ni Marie ni meme Fritz ne pouvaient atteindre, on mettait les chefs-d'oeuvre du parrain Drosselmayer. Immediatement au-dessous etait le rayon des livres d'images; enfin, les deux derniers rayons etaient abandonnes a Fritz et a Marie, qui les remplissaient comme ils l'entendaient. Cependant il arrivait presque toujours, par une convention tacite, que Fritz s'emparait du rayon superieur pour en faire le cantonnement de ses troupes, et que Marie se reservait le rayon d'en bas pour ses poupees, leurs menages et leurs lits. C'est ce qui etait encore arrive le jour de la Noel; Fritz rangea ses nouveaux venus sur la tablette superieure, et Marie, apres avoir relegue mademoiselle Rose dans un coin, avait donne sa chambre a coucher et son lit mademoiselle Claire, c'etait le nom de la nouvelle poupee, et s'etait invitee a passer chez elle une soiree de sucreries. Au reste, Mademoiselle Claire, en jetant les yeux autour d'elle, en voyant son menage bien range sur les tablettes, sa table chargee de bonbons et de pralines, et surtout son petit lit blanc avec son couvre-pieds de satin rose si frais et si joli, avait paru fort satisfaite de son nouvel appartement.

Pendant tous ces arrangements, la soiree s'etait fort avancee; il allait etre minuit, et le parrain Drosselmayer etait deja parti depuis longtemps; qu'on n'avait pas encore pu arracher les enfants devant leur armoire.

Contre l'habitude, ce fut Fritz qui rendit le premier aux raisonnements de ses parents, qui lui faisaient observer qu'il etait temps de se coucher.

—Au fait, dit-il, apres l'exercice qu'ils ont fait toute 1 soiree, mes pauvres diables de hussards doivent etre fatigues; or, je les connais, ce sont de braves soldats qui connaissent leur devoir envers moi; et comme, tant que je serai la; il n'y en aurait pas un qui se permettrait de fermer l'oeil, je vais me retirer.

Et, a ces mots; apres leur avoir donne le mot d'ordre pour qu'ils ne fussent pas surpris par quelque patrouille ennemie, Fritz se retira effectivement.

Mais il n'en fut pas ainsi de Marie; et comme la presidente, qui avait hate de rejoindre son mari qui etait deja passe dans sa chambre, l'invitait a se separer de sa chere armoire:

—Encore un instant, un tout petit instant; chere maman, dit-elle, laisse-moi finir mes affaires; j'ai encore une foule de choses importantes a terminer; et, des que j'aurai fini, je te promets que j'irai me coucher.

Marie demandait cette grace d'une voix si suppliante, d'ailleurs c'etait une enfant a la fois si obeissante et si sage, que sa mere ne vit aucun inconvenient a lui accorder ce qu'elle desirait; cependant, comme mademoiselle Trudchen etait dej remontee pour preparer le coucher de la petite fille, de peur que celle-ci, dans la preoccupation que lui inspirait la vue de ses nouveaux joujoux, n'oubliat de souffler les bougies, la presidente s'acquitta elle-meme de ce soin, ne laissant bruler que la lampe du plafond, laquelle repandait dans la chambre une douce et pale lumiere, et se retira a son tour en disant:

—Rentre bientot, chere petite Marie, car, si tu restais trop tard, tu serais fatiguee, et peut-etre ne pourrais-tu plus te lever demain.

Et, a ces mots, la presidente sortit du salon et ferma la porte derriere elle.

Des que Marie se trouva seule, elle en revint a la pensee qui la preoccupait avant toutes les autres, c'est-a-dire a son pauvre petit casse-noisette, qu'elle avait toujours continue de porter sur son bras, enveloppe dans son mouchoir de poche. Elle le deposa doucement sur la table, le demaillotta et visita ses blessures. Le casse-noisette avait l'air de beaucoup souffrir, et paraissait fort mecontent.

—Ah! cher petit bonhomme, dit-elle bien bas, ne sois pas en colere, je t'en prie, de ce que mon frere Fritz t'a fait tant de mal; il n'avait pas mauvaise intention, sois-en bien sur; seulement, ses manieres sont devenues un peu rudes, et son coeur s'est tant soit peu endurci dans sa vie de soldat. C'est, du reste, un fort bon garcon, je puis te l'assurer, et je suis convaincue que, lorsque tu le connaitras davantage, tu lui pardonneras. D'ailleurs, par compensation du mal que mon frere t'a fait, moi, je vais te soigner si bien et si attentivement, que, d'ici a quelques jours, tu seras redevenu joyeux et bien portant. Quant a te replacer les dents et a te rattacher le menton, c'est l'affaire du parrain Drosselmayer, qui s'entend tres bien a ces sortes de choses.

Mais Marie ne put achever son petit discours. Au moment ou elle prononcait le nom du parrain Drosselmayer, le casse-noisette, auquel ce discours s'adressait, fit une si atroce grimace, et il sortit de ses deux yeux verts un double eclair si brillant, que la petite fille, tout effrayee, s'arreta et fit un pas en arriere. Mais, comme aussitot la casse-noisette reprit sa bienveillante physionomie et son melancolique sourire, elle pensa qu'elle avait ete le jouet d'une illusion, et que la flamme de la lampe, agitee par quelque courant d'air, avait defigure ainsi le petit bonhomme.

Elle en vint meme a se moquer d'elle-meme et a se dire:

—En verite, je suis bien sotte d'avoir pu croire un instant que cette figure de bois etait capable de me faire des grimaces. Allons, rapprochons-nous de lui et soignons-le comme son etat l'exige.

Et, a la suite de ce monologue interieur, Marie reprit son protege entre ses bras, set rapprocha de l'armoire vitree, frappa a la porte qu'avait fermee Fritz, et dit a la poupee neuve:

—Je t'en prie, mademoiselle Claire, abandonne ton lit a mon casse-noisette qui est malade, et, pour une nuit, accommode-toi du sofa; songe que tu te portes a merveille et que tu es pleine de sante, comme le prouvent tes joues rouges et rebondies. D'ailleurs, une nuit est bientot passee; le sofa est bon, et il n'y aura pas encore a Nuremberg beaucoup de poupees aussi bien couchees que toi.

Mademoiselle Claire, comme on le pense bien, ne souffla pas le mot; mais il sembla a Marie qu'elle prenait un air fort pince et fort maussade. Mais Marie, qui trouvait, dans sa conscience, qu'elle avait pris avec mademoiselle Claire tous les menagements convenables, ne fit pas davantage de facons avec elle, et, tirant le lit a elle, elle y coucha avec beaucoup de soin le casse-noisette malade, lui ramenant les draps jusqu'au menton. Alors elle reflechit qu'elle ne connaissait pas encore le fond du caractere de mademoiselle Claire, puisqu'elle l'avait depuis quelques heures seulement; qu'elle avait paru de fort mauvaise humeur quand elle lui avait emprunte son lit, et qu'il pourrait arriver malheur au blesse, si elle le laissait a la portee de cette impertinente personne. En consequence, elle placa le lit et le casse-noisette sur le rayon superieur, tout contre le beau village ou la cavalerie de Fritz etait cantonnee; puis, ayant pose mademoiselle Claire sur son sofa, elle ferma l'armoire, et s'appretait a aller rejoindre mademoiselle Trudchen dans sa chambre a coucher, lorsque, dans toute la chambre, autour de la pauvre enfant, commencerent a se faire entendre une foule de petits bruits sourds derriere les fauteuils, derriere le poele, derriere les armoires. La grande horloge attachee au mur, et que surmontait, au lieu du coucou traditionnel, une grosse chouette doree, ronronnait au milieu de tout cela de plus fort en plus fort, sans cependant se decider a sonner. Marie alors jeta les yeux sur elle, et vit que la grosse chouette doree avait abattu ses ailes de maniere a couvrir entierement l'horloge, et qu'elle avancait tant qu'elle pouvait sa hideuse tete de chat aux yeux ronds et au bec recourbe; et alors le ronronnement, devenant plus fort encore, se changea en un murmure qui ressemblait a une voix, et l'on put distinguer ces mots qui semblaient sortir du bec de la chouette:

—Horloges, horloges, ronronnez toutes bien bas: le roi des souris a l'oreille fine. Boum, boum, boum, chantez seulement, chantez-lui sa vieille chanson. Boum, boum, boum, sonnez, clochettes, sonnez sa derniere heure, car bientot ce sera fait de lui.

Et, boum, boum, boum, on entendit retentir douze coups sourds et enroues.

Marie avait tres peur. Elle commencait a frissonner des pieds la tete, et elle allait s'enfuir, quand elle apercut le parrain Drosselmayer assis sur la pendule a la place de la chouette, et dont les deux pans de la redingote jaune avaient pris la place des deux ailes pendantes de l'oiseau de nuit. A cette vue, elle s'arreta clouee a sa place par l'etonnement, et elle se mit crier en pleurant:

—Parrain Drosselmayer, que fais-tu la-haut? Descends pres de moi, et ne m'epouvante pas ainsi, mechant parrain Drosselmayer.

Mais, a ces paroles, commencerent a la ronde un sifflement aigu et un ricanement enrage; puis bientot on entendit des milliers de petits pieds trotter derriere les murs, puis on vit des milliers de petites lumieres qui scintillaient a travers les fentes des cloisons; quand je dis des milliers de petites lumieres, je me trompe, c'etaient des milliers de petits yeux brillants. Et Marie s'apercut que de tous cotes il y avait une population de souris qui s'appretait a entrer. En effet, au bout de cinq minutes, par les jointures des portes, par les fentes du plancher, des milliers de souris penetrerent dans la chambre, et trott, trott, trott, hopp, hopp, hopp, commencerent a galoper deca, dela, et bientot se mirent en rang de la meme facon que Fritz avait l'habitude de disposer ses soldats pour la bataille. Ceci parut fort plaisant a Marie; et, comme elle ne ressentait pas pour les souris cette terreur naturelle et puerile qu'eprouvent les autres enfants, elle allait s'amuser sans doute infiniment a ce spectacle, lorsque tout a coup elle entendit un sifflement si terrible, si aigu et si prolonge, qu'un froid glacial lui passa sur le dos. Au meme instant, a ses pieds, le plancher se souleva, et, pousse par une puissance souterraine, le roi des souris, avec ses sept tetes couronnees, apparut a ses pieds, au milieu du sable, du platre et de la terre broyee, et chacune de ces sept tetes commenca a siffloter et a grignoter hideusement, pendant que le corps auquel appartenaient ces sept tetes sortait a son tour. Aussitot toute l'armee s'elanca au-devant de son roi, en couicant trois fois en choeur; puis aussitot, tout en gardant leurs rangs, les regiments de souris se mirent a courir par la chambre, se dirigeant vers l'armoire vitree, contre laquelle Marie, enveloppee de tous cotes, commenca a battre en retraite. Nous l'avons dit, ce n'etait cependant pas une enfant peureuse; mais, quand elle se vit entouree de cette foule innombrable de souris, commandee par ce monstre a sept tetes, la frayeur s'empara d'elle, et son coeur commenca de battre si fort, qu'il lui sembla qu'il voulait sortir de sa poitrine. Puis toute coup son sang parut s'arreter, la respiration lui manqua; a demi evanouie, elle recula en chancelant; enfin, kling, kling, prrrr! et la glace de l'armoire vitree, enfoncee par son coude, tomba sur le parquet, brisee en mille morceaux. Elle ressentit bien au moment meme une vive douleur au bras gauche; mais, en meme temps, son coeur se retrouva plus leger, car elle n'entendit plus ces horribles couics, couics, qui l'avaient si fort effrayee; en effet, tout etait redevenu tranquille autour d'elle, les souris avaient disparu, et elle crut que, effrayees du bruit qu'avait fait la glace en se brisant, elles s'etaient refugiees dans leurs trous.

Mais voila que, presque aussitot, succedant a ce bruit, commenca dans l'armoire une rumeur etrange, et que de toutes petites voix aigues criaient de toutes leurs faibles forces: <<Aux armes! aux armes! aux armes!>> Et, en meme temps, la sonnerie du chateau se mit a sonner, et l'on entendait murmurer de tous cotes: <<Allons, alerte, alerte! levons-nous: c'est l'ennemi. Bataille, bataille, bataille!

Marie se retourna. L'armoire etait miraculeusement eclairee, et il s'y faisait un grand remue-menage: tous les arlequins, les pierrots, les polichinelles et les pantins s'agitaient, couraient deca, dela, s'exhortant les uns les autres, tandis que les poupees faisaient de la charpie et preparaient des remedes pour les blesses. Enfin, casse-noisette lui-meme rejeta tout a coup ses couvertures et sauta a bas au lit sur ses deux pieds a la fois, en criant:

—Knac! knac! knac! Stupide tas de souris, rentrez dans vos trous, ou, a l'instant meme, vous allez avoir affaire a moi.

Mais, a cette menace, un grand sifflement retentit, et Marie s'apercut que les souris n'etaient pas rentrees dans leurs trous, mais bien qu'elles s'etaient, effrayees par le bruit du verre casse, refugiees sous les tables et sous les fauteuils; d'o elles commencaient a sortir.

De son cote, casse-noisette, loin d'etre effraye par le sifflement, parut redoubler de courage.

—Ah! miserable roi des souris, s'ecria-t-il; c'est donc toi; tu acceptes enfin le combat que je t'offre depuis si longtemps. Viens donc; et que cette nuit decide de nous deux. Et vous, mes bons amis, mes compagnons, mes freres, s'il est vrai que nous nous sommes lies de quelque tendresse dans la boutique de Zacharias, soutenez-moi dans ce rude combat. Allons, en avant! et qui m'aime me suive!

Jamais proclamation ne fit un effet pareil: deux arlequins, un pierrot, deux polichinelles et trois pantins s'ecrierent a haute voix:

—Oui, seigneur, comptez sur nous, a la vie, a la mort! Nous vaincrons sous vos ordres, ou nous perirons avec vous.

A ces paroles, qui lui prouvaient qu'il y avait de l'echo dans le coeur de ses amis, casse-noisette se sentit tellement electrise, qu'il tira son sabre, et, sans calculer la hauteur effrayante o il se trouvait, il s'elanca du deuxieme rayon. Marie, en voyant ce saut perilleux, jeta un cri, car casse-noisette ne pouvait manquer de se briser; lorsque mademoiselle Claire, qui etait dans le rayon inferieur, s'elanca de son sofa, et recut casse-noisette entre ses bras.

—Ah! chere et bonne petite Claire, s'ecria Marie en joignant ses deux mains avec attendrissement, comme je t'ai meconnue!

Mais mademoiselle Claire, tout entiere a la situation, disait au casse-noisette:

—Comment, blesse et souffrant deja comme vous l'etes, Monseigneur, vous risquez-vous dans de nouveaux dangers? Contentez-vous de commander; laissez les antres combattre. Votre courage est connu, et ne peut rien gagner a fournir de nouvelles preuves.

Et, en disant ces paroles, mademoiselle Claire essayait de retenir le valeureux casse-noisette en le pressant contre son corsage de satin; mais celui-ci se mit a gigotter et a gambiller de telle sorte, que mademoiselle Claire fut forcee de le laisser echapper; il glissa donc de ses bras, et, tombant sur ses pieds avec une grace parfaite, il mit un genou en terre, et lui dit:

—Princesse, soyez sure que, quoique vous ayez a une certaine epoque ete injuste envers moi, je me souviendrai toujours de vous, meme au milieu de la bataille.

Alors mademoiselle Claire se pencha le plus qu'elle put, et, le saisissant par son petit bras, elle le forca de se relever; puis, detachant avec vivacite sa ceinture tout etincelante de paillettes, elle en fit une echarpe qu'elle voulut passer au cou du jeune heros; mais celui-ci recula de deux pas, et, tout en s'inclinant en temoignage de sa reconnaissance pour une si grande faveur, il detacha le petit ruban blanc avec lequel Marie l'avait panse, le porta a ses levres, et, s'en etant ceint le corps, leger et agile comme un oiseau, il sauta en brandissant son petit sabre du rayon ou il etait sur le plancher. Aussitot les couics et les piaulements recommencerent plus feroces que jamais, et le roi des souris, comme pour repondre au defi de casse-noisette, sortit de dessous la grande table du milieu avec son corps d'armee, tandis qu'a droite et a gauche, les deux ailes commencaient a deborder les fauteuils ou elles s'etaient retranchees.

La bataille

—Trompettes, sonnez la charge! Tambours, battez la generale! cria Casse-noisette.

Et aussitot les trompettes du regiment de hussards de Fritz se mirent a sonner, tandis que les tambours de son infanterie commencaient a battre et qu'on entendait le bruit sourd et rebondissant des canons sautant sur leurs affuts. En meme temps, un corps de musiciens s'organisa: c'etaient des figaros avec leurs guitares, des piferaris avec leurs musettes, des bergers suisses avec leurs cors, des negres avec leurs triangles, qui, quoiqu'ils ne fussent aucunement convoques par Casse-noisette, ne commencerent pas moins comme volontaires a descendre d'un rayon l'autre en jouant la marche des Samnites. Cela, sans doute, monta la tete aux bonshommes les plus pacifiques, et, a l'instant meme, une espece de garde nationale commandee par le suisse de la paroisse, et dans les rangs de laquelle se rangerent les arlequins, les polichinelles, les pierrots et les pantins, s'organisa, et, en un instant, s'armant de tout ce qu'elle put trouver, fut prete pour le combat. Il n'y eut pas jusqu'a un cuisinier qui, quittant son feu, ne descendit avec sa broche, laquelle etait deja passe un dindon a moitie roti, et, n'allat prendre sa place dans les rangs. Casse-noisette se mit a la tete de ce vaillant bataillon, qui, a la honte des troupes reglees, se trouva le premier pret.

Il faut tout dire aussi, car on croirait que notre sympathie pour l'illustre milice citoyenne dont nous faisons partie nous aveugle: ce n'etait pas la faute des hussards et des fantassins de Fritz s'ils n'etaient pas en mesure aussi rapidement que les autres. Fritz, apres avoir place les sentinelles perdues et les postes avances, avait caserne le reste de son armee dans quatre boites qu'il avait refermees sur elle. Les malheureux prisonniers avaient donc beau entendre le tambour et la trompette qui les appelaient a la bataille, ils etaient enfermes et ne pouvaient sortir. On les entendait dans leurs boite grouiller comme des ecrevisses dans un panier; mais, quels que fussent leurs efforts, ils ne pouvaient sortir. Enfin les grenadiers, moins bien enfermes que les autres, parvinrent a soulever le couvercle de leur boite, et preterent main-forte aux chasseurs et aux voltigeurs. En un instant tous furent sur pied, et alors, sentant de quelle utilite leur serait la cavalerie, ils allerent delivrer les hussards, qui se mirent aussitot a caracoler sur les flancs et a se ranger quatre par quatre.

Mais, si les troupes reglees etaient en retard de quelques minutes, grace a la discipline dans laquelle Fritz les avait maintenues, elles eurent bientot repare le temps perdu, et fantassins, cavaliers, artilleurs se mirent a descendre, pareils a une avalanche, au milieu des applaudissements de mademoiselle Rose et de mademoiselle Claire, qui battaient des mains en les voyant passer, et les excitaient du geste et de la voix, comme faisaient autrefois les belles chatelaines dont sans doute elles descendaient.

Cependant le roi des souris avait compris que c'etait une armee tout entiere a laquelle il allait avoir affaire. En effet, au centre etait Casse-Noisette avec sa vaillante garde civique; gauche, le regiment de hussards qui n'attendait que le moment de charger; a droite, une infanterie formidable; tandis que, sur un tabouret qui dominait tout le champ de bataille, venait de s'etablir une batterie de dix pieces de canon; en outre, une puissante reserve, composee de bonshommes de pain d'epice et de chevaliers en sucre de toutes couleurs, etait demeuree dans l'armoire et commencait a s'agiter a son tour. Mais il etait trop avance pour reculer; il donna le signal par un *couic* qui fut repete en choeur par toute son armee.

En meme temps, une bordee d'artillerie, partie du tabouret, repondit en envoyant au milieu des masses souriquoises une volee de mitraille.

Presque au meme instant, tout le regiment de hussards s'ebranla pour charger; de sorte que, d'un cote, la poussiere qui s'elevait sous les pieds des chevaux; de l'autre, la fumee des canons qui s'epaississait de plus en plus, deroberent a Marie la vue du champ de bataille.

Mais, au milieu du bruit des canons, des cris des combattants, du rale des mourants, elle continuait d'entendre la voix de Casse-Noisette dominant tout le fracas.

—Sergent Arlequin, criait-il, prenez vingt hommes, et jetez-vous en tirailleur sur le flanc de l'ennemi. Lieutenant Polichinelle, formez-vous en carre. Capitaine Paillasse, commandez des feux de peloton. Colonel des hussards, chargez par masses, et non par quatre, comme vous faites. Bravo! messieurs les soldats de plomb, bravo! Que tout le monde fasse son devoir comme vous le faites, et la journee est a nous!

Mais, par ces encouragements memes, Marie comprenait que la bataille etait acharnee et la victoire indecise. Les souris, refoulees par les hussards, decimees par les feux de peloton, culbutees par les volees de mitraille, revenaient sans cesse plus pressees, mordant et dechirant tout ce qu'elles rencontraient; c'etait, comme les melees du temps de la chevalerie, une affreuse lutte corps a corps, dans laquelle chacun attaquait et se defendait sans s'inquieter de son voisin. Casse-Noisette voulait inutilement dominer l'ensemble des mouvements et proceder par masses. Les hussards, ramenes par un corps considerable de souris, s'etaient eparpilles et tentaient inutilement de se reunir autour de leur colonel; un gros bataillon de souris les avait coupes du corps d'armee et debordait la garde civique, qui faisait des merveilles. Le suisse de la paroisse se demenait avec sa hallebarde comme un diable dans un benitier; le cuisinier enfilait des rangs tout entiers de souris avec sa broche; les soldats de plomb tenaient comme des murailles; mais Arlequin, avec ses vingt hommes, avait ete repousse, et etait venu se mettre sous la protection de la batterie; mais le carre du lieutenant Polichinelle avait ete enfonce, et ses debris, en s'enfuyant, avaient jete du desordre dans la garde civique; enfin le capitaine Paillasse, sans doute par manque de cartouches, avait cesse son feu et se retirait pas a pas, mais enfin se retirait. Il resulta de ce mouvement retrograde, opere sur toute la ligne, que la batterie de canons se trouva a decouvert. Aussitot le roi des souris, comprenant que c'etait de la prise de cette batterie que dependait pour lui le succes de la bataille, ordonna a ses troupes les plus aguerries de charger dessus. En un instant le tabouret fut escalade; les canonniers se firent tuer sur leurs pieces. L'un d'eux mit meme le feu a son caisson, et enveloppa dans sa mort heroique une vingtaine d'ennemis. Mais tout ce courage fut inutile contre le nombre, et bientot une volee de mitraille, tiree par ses propres pieces, et qui frappa en plein dans le bataillon que commandait Casse-Noisette, lui apprit que la batterie du tabouret etait tombee au pouvoir de l'ennemi.

Des lors la bataille fut perdue, et Casse-Noisette ne s'occupa plus que de faire une retraite honorable; seulement, pour donner quelque relache a ses troupes, il appela a lui la reserve.

Aussitot les bonshommes de pain d'epice et le corps de bonbons en sucre descendirent de l'armoire et donnerent a leur tour. C'etaient des troupes fraiches, il est vrai, mais peu experimentees: les bonshommes de pain d'epice surtout etaient fort maladroits, et, frappant a tort et a travers, estropiaient aussi bien les amis que les ennemis; le corps des bonbons tenait ferme; mais il n'y avait entre les combattants aucune homogeneite: c'etaient des empereurs, des chevaliers, des Tyroliens, des jardiniers, des cupidons, des singes, des lions et des crocodiles, de sorte qu'ils ne pouvaient combiner leurs mouvements, et n'avaient de puissance que comme masse. Cependant leur concours produisit un utile resultat: a peine les souris eurent-elles goute des bonshommes de pain d'epice et entame le corps de bonbons, qu'elles abandonnerent les soldats de plomb, dans lesquels elles avaient grand'peine a mordre, et les polichinelles, les paillasses, les arlequins, les suisses et les cuisiniers, qui etaient simplement rembourres d'etoupe et de son, pour se ruer sur la malheureuse reserve, qui, en un instant, fut entouree par des milliers de souris, et, apres une defense heroique, fut devoree avec armes et bagages.

Casse-Noisette avait voulu profiter de ce moment de repos pour rallier son armee; mais le terrible spectacle de la reserve aneantie avait glace les plus fiers courages. Paillasse etait pale comme la mort; Arlequin avait son habit en lambeaux; une souris avait penetre dans la bosse de Polichinelle, et, comme le renard du jeune Spartiate, lui devorait les entrailles; enfin le colonel des hussards etait prisonnier avec une partie de son regiment, et, grace aux chevaux des malheureux captifs, un corps de cavalerie souriquoise venait de s'organiser.

Il ne s'agissait donc plus, pour l'infortune Casse-Noisette, de victoire; il ne s'agissait meme plus de retraite, il ne s'agissait que de mourir. Casse-Noisette se mit a la tete d'un petit groupe d'hommes, decides comme lui a vendre cherement leur vie.

Pendant ce temps, la desolation regnait parmi les poupees: mademoiselle Claire et mademoiselle Rose se tordaient les bras, et jetaient les hauts cris.

—Helas! disait mademoiselle Claire, me faudra-t-il mourir a la fleur de l'age, moi, fille de roi, destinee a un si bel avenir?

—Helas! disait mademoiselle Rose, me faudra-t-il tomber vivante au pouvoir de l'ennemi; et ne me suis-je si bien conservee que pour etre rongee par d'immondes souris?

Les autres poupees couraient eplorees, et leurs cris se melaient aux lamentations des deux poupees principales.

Pendant ce temps, les affaires allaient de plus mal en plus mal pour Casse-Noisette: il venait d'etre abandonne du peu d'amis qui lui etaient restes fideles. Les debris de l'escadron de hussards s'etaient refugies dans l'armoire; les soldats de plomb etaient entierement tombes an pouvoir de l'ennemi; il y avait longtemps que les artilleurs etaient trepasses; la garde civique etait morte comme les trois cents Spartiates, sans reculer d'un pas. Casse-Noisette etait accole contre le rebord de l'armoire, qu'il tentait en vain d'escalader: il lui eut fallu pour cela l'aide de mademoiselle Claire ou de mademoiselle Rose mais toutes deux avaient pris le parti de s'evanouir. Casse-Noisette fit un dernier effort, rassembla tous ses moyens, et cria, dans l'agonie du desespoir:

—Un cheval! un cheval! ma couronne pour un cheval!

Mais, comme la voix de Richard III, sa voix resta sans echo, ou plutot elle le denonca a l'ennemi. Deux tirailleurs se precipiterent sur lui et le saisirent par son manteau de bois. Au meme instant, on entendit la voix du roi des souris, qui criait par ses sept gueules:

—Sur votre tete, prenez-le vivant! Songez que j'ai ma mere venger. Il faut que son supplice epouvante les Casse-Noisettes venir!

Et, en meme temps, le roi se precipita vers le prisonnier.

Mais Marie ne put supporter plus longtemps cet horrible spectacle.

—O mon pauvre Casse-Noisette! s'ecria-t-elle en sanglotant; mon pauvre Casse-Noisette, que j'aime de tout mon coeur, te verrai-je donc perir ainsi!

Et, en meme temps, d'un mouvement instinctif, sans se rendre compte de ce qu'elle faisait, Marie detacha son soulier de son pied, et, de toutes ses forces, elle le jeta au milieu de la melee, et cela si adroitement, que le terrible projectile atteignit le roi des souris, qui roula dans la poussiere. Au meme instant, roi et armee, vainqueurs et vaincus, disparurent comme aneantis. Marie ressentit a son bras blesse une douleur plus vive que jamais; elle voulut gagner un fauteuil pour s'asseoir; mais les forces lui manquerent, et elle tomba evanouie.

La maladie

Lorsque Marie se reveilla de son sommeil lethargique, elle etait couchee dans son petit lit, et le soleil penetrait radieux et brillant a travers ses carreaux couverts de givre. A cote d'elle etait assis un etranger qu'elle reconnut bientot pour le chirurgien Wandelstern, et qui dit tout bas, aussitot qu'elle eut ouvert les yeux:

—Elle est eveillee!

Alors la presidente s'avanca et considera sa fille d'un regard inquiet et effraye.

—Ah! chere maman, s'ecria la petite Marie en l'apercevant, toutes ces affreuses souris sont-elles parties, et mon pauvre Casse-Noisette est-il sauve?

—Pour l'amour du ciel! ma chere Marie, ne dis plus ces sottises. Qu'est-ce que les souris, je te le demande, ont faire avec le casse-noisette? mais toi, mechante enfant, tu nous as fait a tous grand-peur. Et tout cela arrive cependant quand les enfants sont volontaires et ne veulent pas obeir a leurs parents. Tu as joue hier fort avant dans la nuit avec tes poupees; tu t'es probablement endormie, et il est possible qu'une petite souris t'ait effrayee; enfin, dans ta terreur, tu as donn du coude dans l'armoire a glace, et tu t'es tellement coupe le bras, que M. Wandelstern, qui vient de retirer les fragments de verre qui etaient restes dans ta blessure, pretend que tu as couru risque de te trancher l'artere et de mourir de la perte du sang. Dieu soit beni que je me sois reveillee, je ne sais quelle heure, et que, me rappelant que je t'avais laissee au salon, j'y sois rentree. Pauvre enfant, tu etais etendue par terre, pres de l'armoire, et tout autour de toi, en desordre, les poupees, les pantins, les polichinelles, les soldats de plomb, les bonshommes de pain d'epice et les hussards de Fritz etendus pele-mele; tandis que, sur ton bras sanglant, tu tenais Casse-Noisette. Mais, d'ou vient que tu etais dechaussee du pied gauche, et que ton soulier etait a trois ou quatre pas de toi?

—Ah! petite mere, petite mere, repondit Marie en frissonnant encore a ce souvenir, c'etait, vous le voyez bien, les traces de la grande bataille qui avait eu lieu entre les poupees et les souris; et, ce qui m'a tant effrayee, c'est de voir que les souris, victorieuses, allaient faire prisonnier le pauvre Casse-Noisette, qui commandait l'armee des poupees. C'est alors que je lancai mon soulier au roi des souris; puis je ne sais plus ce qui s'est passe.

Le chirurgien fit des yeux un signe a la presidente, et celle-ci dit doucement a Marie:

—Oublie tout cela, mon enfant, et tranquillise-toi. Toutes les souris sont parties, et le petit Casse-Noisette est dans l'armoire vitree, joyeux et bien portant.

Alors le president entra a son tour dans la chambre, et causa longtemps avec le chirurgien. Mais, de toutes ses paroles, Marie ne put entendre que celle-ci:

—C'est du delire.

A ces mots, Marie devina que l'on doutait de son recit, et comme, elle-meme, maintenant que le jour etait revenu, comprenait parfaitement que l'on prit tout ce qui lui etait arrive pour une fable, elle n'insista pas davantage, se soumettant a tout ce qu'on voulait; car elle avait hate de se lever pour faire une visite a son pauvre Casse-Noisette; mais elle savait qu'il s'etait retire sain et sauf de la bagarre, et, pour le moment, c'etait tout ce qu'elle desirait savoir.

Cependant Marie s'ennuyait beaucoup: elle ne pouvait pas jouer, cause de son bras blesse, et, quand elle voulait lire ou feuilleter ses livres d'images, tout tournait si bien devant ses yeux, qu'il fallait bientot qu'elle renoncat a cette distraction. Le temps lui paraissait donc horriblement long, et elle attendait avec impatience le soir, parce que, le soir, sa mere venait s'asseoir pres de son lit et lui racontait ou lui lisait des histoires.

Or, un soir, la presidente venait justement de raconter la delicieuse histoire du prince Facardin, quand la porte s'ouvrit, et que le parrain Drosselmayer passa sa tete en disant:

—Il faut pourtant que je voie par mes yeux comment va la pauvre malade.

Mais, des que Marie apercut le parrain Drosselmayer avec sa perruque de verre, son emplatre sur l'oeil et sa redingote jaune, le souvenir de cette nuit, ou Casse-Noisette perdit la fameuse bataille contre les souris, se presenta si vivement a son esprit, qu'involontairement elle cria au conseiller de medecine.

—Oh! parrain Drosselmayer, tu as ete horrible! je t'ai bien vu, va, quand tu etais a cheval sur la pendule, et que tu la couvrais de tes ailes pour que l'heure ne put pas sonner; car le bruit de l'heure aurait fait fuir les souris. Je t'ai bien entendu appeler le roi aux sept tetes. Pourquoi n'es-tu pas venu au secours de mon pauvre Casse-Noisette, affreux parrain Drosselmayer? Helas! en ne venant pas, tu es cause que je suis blessee et dans mon lit!

La presidente ecoutait tout cela avec de grands yeux effares; car elle croyait que la pauvre enfant retombait dans le delire. Aussi elle lui demanda tout epouvantee:

—Mais que dis-tu donc la, chere Marie? redeviens-tu folle?

—Oh! que non, reprit Marie; et le parrain Drosselmayer sait bien que je dis la verite, lui.

Mais le parrain, sans rien repondre, faisait d'affreuses grimaces, comme un homme qui eut ete sur des charbons ardents; puis, tout a coup, il se mit a dire d'une voix nazillarde et monotone:

Perpendicule
Doit faire ronron.
Avance et recule,
Brillant escadron!
L'horloge plaintive
Va sonner minuit;
La chouette arrive
Et le roi s'enfuit,

Perpendicule
Doit faire ronron.
Avance et recule,
Brillant escadron!

Marie regardait le parrain Drosselmayer avec des yeux de plus en plus hagards; car il lui semblait encore plus hideux que d'habitude. Elle aurait eu une peur atroce du parrain, si sa mere n'eut ete presente, et si Fritz, qui venait d'entrer, n'eut interrompu cette etrange chanson par un eclat de rire.—Sais-tu bien, parrain Drosselmayer, lui dit Fritz, que tu es extremement bouffon aujourd'hui? Tu fais des gestes comme mon vieux polichinelle, que j'ai jete derriere le poele, sans compter ta chanson, qui n'a pas le sens commun.

Mais la presidente demeura fort serieuse.

—Cher monsieur le conseiller de medecine, dit-elle, voila une singuliere plaisanterie que celle que vous nous faites la, et qui me semble n'avoir d'autre but que de rendre Marie plus malade encore qu'elle ne l'est.

—Bah! repondit le parrain Drosselmayer, ne reconnaissez-vous pas, chere presidente, cette petite chanson de l'horloger que j'ai l'habitude de chanter quand je viens raccommoder vos pendules?

Et, en meme temps, il s'assit tout contre le lit de Marie, et lui dit precipitamment:

—Ne sois pas en colere, chere enfant, de ce que je n'ai pas arrache de mes propres mains les quatorze yeux du roi des souris; mais je savais ce que je faisais, et aujourd'hui, comme je veux me raccommoder avec toi, je vais te raconter une histoire.

—Quelle histoire? demanda Marie.

—Celle de la noix Krakatuk et de la princesse Pirlipate. La connais-tu?

—Non, mon cher petit parrain, repondit la jeune fille, que cette offre raccommodait a l'instant meme avec le mecanicien. Raconte donc, raconte.

—Cher conseiller, dit la presidente, j'espere que votre histoire ne sera pas aussi lugubre que votre chanson.

—Oh! non, chere presidente, repondit le parrain Drosselmayer; elle est, au contraire, extremement plaisante.

—Raconte donc, crierent les enfants, raconte donc.

Et le parrain Drosselmayer commenca ainsi:

HISTOIRE DE LA NOISETTE KRAKATUK ET DE LA PRINCESSE PIRLIPATE

Comment naquit la princesse Pirlipate, et quelle grande joie cette naissance donna a ses illustres parents.

Il y avait, dans les environs de Nuremberg, un petit royaume qui n'etait ni la Prusse, ni la Pologne, ni la Baviere, ni le Palatinat, et qui etait gouverne par un roi.

La femme de ce roi, qui, par consequent, se trouvait etre une reine, mit un jour au monde une petite fille, qui se trouva, par consequent, princesse de naissance, et qui recut le nom gracieux et distingue de Pirlipate.

On fit aussitot prevenir le roi de cet heureux evenement. Il accourut tout essouffle, et, en voyant cette jolie petite fille couchee dans son berceau, la satisfaction qu'il ressentit d'etre pere d'une si charmante enfant le poussa tellement hors de lui, qu'il jeta d'abord de grands cris de joie, puis se prit a danser en rond, puis enfin a sauter a cloche-pied, en disant:

—Ah! grand Dieu! vous qui voyez tous les jours les anges, avez-vous jamais rien vu de plus beau que ma Pirlipatine?

Alors, comme, derriere le roi, etaient entres les ministres, les generaux, les grands officiers, les presidents, les conseillers et les juges; tous, voyant le roi danser a cloche-pied, se mirent a danser comme le roi, en disant:

—Non, non, jamais, sire, non, non, jamais, il n'y a rien eu de si beau au monde que votre Pirlipatine.

Et, en effet, ce qui vous surprendra fort, mes chers enfants, c'est qu'il n'y avait dans cette reponse aucune flatterie; car, effectivement, depuis la creation du monde, il n'etait pas ne un plus bel enfant que la princesse Pirlipate. Sa petite figure semblait tissue de delicats flocons de soie, roses comme les roses, et blancs comme les lis. Ses yeux etaient du plus etincelant azur, et rien n'etait plus charmant que de voir les fils d'or de sa chevelure se reunir en boucles mignonnes, brillantes et frisees sur ses epaules, blanches comme l'albatre. Ajoutez a cela que Pirlipate avait apporte, en venant au monde, deux rangees de petites dents, ou plutot de veritables perles, avec lesquelles, deux heures apres sa naissance, elle mordit si vigoureusement le doigt du grand chancelier, qui, ayant la vue basse, avait voulu la regarder de trop pres, que, quoiqu'il appartint a l'ecole des stoiques, il s'ecria, disent les uns:

—Ah diantre!

Tandis que d'autres soutiennent, en l'honneur de la philosophie, qu'il dit seulement:

—Aie! aie! aie!

Au reste, aujourd'hui encore, les voix sont partagees sur cette grande question, aucun des deux partis n'ayant voulu ceder. Et la seule chose sur laquelle les *diantristes* et les *aistes* soient demeures, d'accord, le seul fait qui soit rest incontestable, c'est que la princesse Pirlipate mordit le grand chancelier au doigt. Le pays apprit des lors qu'il y avait autant d'esprit qu'il se trouvait de beaute dans le charmant petit corps de Pirlipatine.

Tout le monde etait donc heureux dans ce royaume favorise des cieux. La reine seule etait extremement inquiete et troublee, sans que personne sut pourquoi. Mais ce qui frappa surtout les esprits, c'est le soin avec lequel cette mere craintive faisait garder le berceau de son enfant. En effet, toutes les portes etaient non-seulement occupees par les trabans de la garde, mais encore, outre les deux gardiennes qui se tenaient toujours pres de la princesse, il y en avait encore six autres que l'on faisait asseoir autour du berceau, et qui se relayaient toutes les nuits. Mais, surtout, ce qui excitait au plus haut degre la curiosite, ce que personne ne pouvait comprendre, c'est pourquoi chacune de ces six gardiennes etait obligee de tenir un chat sur ses genoux, et de le gratter toute la nuit afin qu'il ne cessat point de ruminer.

Je suis convaincu, mes chers enfants, que vous etes aussi curieux que les habitants de ce petit royaume sans nom, de savoir pourquoi ces six gardiennes etaient obligees de tenir un chat sur leurs genoux, et de le gratter sans cesse pour qu'il ne cessat point de ruminer un seul instant; mais, comme vous chercheriez inutilement le mot de cette enigme, je vais vous le dire, afin de vous epargner le mal de tete qui ne pourrait manquer de resulter pour vous d'une pareille application.

Il arriva, un jour, qu'une demi-douzaine de souverains des mieux couronnes se donnerent le mot pour faire en meme temps une visite au pere futur de notre heroine; car, a cette epoque, la princesse Pirlipate n'etait pas encore nee; ils etaient accompagnes de princes royaux, de grands-ducs hereditaires et de pretendants des plus agreables. Ce fut une occasion, pour le roi qu'ils visitaient, et qui etait un monarque des plus magnifiques, de faire une large percee a son tresor et de donner force tournois, carrousels et comedies. Mais ce ne fut pas le tout. Apres avoir appris, par le surintendant des cuisines royales, que l'astronome de la cour avait annonce que le temps d'abattre les porcs etait arrive, et que la conjonction des astres annoncait que l'annee serait favorable a la charcuterie, il ordonna de faire une grande tuerie de pourceaux dans ses basses-cours, et, montant dans son carrosse, il alla en personne prier, les uns apres les autres, tous les rois et tous les princes residant pour le moment dans sa capitale, de venir manger la soupe avec lui, voulant se menager le plaisir de leur surprise a la vue du magnifique repas qu'il comptait leur donner; puis, en rentrant chez lui, il se fit annoncer chez la reine, et, s'approchant d'elle, il lui dit d'un ton calin, avec lequel il avait l'habitude de lui faire faire tout ce qu'il voulait:

—Bien, chere amie, tu n'as pas oublie, n'est-ce pas, a quel point j'aime le boudin? n'est-ce pas, tu ne l'as pas oublie?

La reine comprit, du premier mot, ce que le roi voulait dire. En effet, Sa Majeste entendait tout simplement, par ces paroles insidieuses, qu'elle eut a se livrer, comme elle l'avait fait maintes fois, a la tres utile occupation de confectionner de ses mains royales la plus grande quantite possible de saucisses, d'andouilles et de boudins. Elle sourit donc a cette proposition de son mari; car, quoique exercant fort honorablement la profession de reine, elle etait moins sensible aux compliments qu'on lui faisait sur la dignite avec laquelle elle portait le sceptre et la couronne, que sur l'habilete avec laquelle elle faisait un pouding ou confectionnait un baba. Elle se contenta donc de faire une gracieuse reverence a son epoux, en lui disant qu'elle etait sa servante pour lui faire du boudin, comme pour toute autre chose.

Aussitot le grand tresorier dut livrer aux cuisines royales le chaudron gigantesque en vermeil et les grandes casseroles d'argent destines a faire le boudin et les saucisses. On alluma un immense feu de bois de sandal. La reine mit son tablier de cuisine de damas blanc, et bientot les plus doux parfums s'echapperent du chaudron. Cette delicieuse odeur se repandit aussitot dans les corridors, penetra rapidement dans toutes les chambres, et parvint enfin jusqu'a la salle du trone, ou le roi tenait son conseil. Le roi etait un gourmet; aussi cette odeur lui fit-elle une vive impression de plaisir. Cependant, comme c'etait un prince grave et qui avait la reputation d'etre maitre de lui, il resista quelque temps au sentiment d'attraction qui le poussait vers la cuisine; mais enfin, quel que fut son empire sur ses passions, il lui fallut ceder au ravissement inexprimable qu'il eprouvait.

—Messieurs, s'ecria-t-il en se levant, avec votre permission, je reviens dans un instant; attendez-moi.

Et, a travers les chambres et les corridors, il prit sa course vers la cuisine, serra la reine entre ses bras, remua le contenu du chaudron avec son sceptre d'or, y gouta du bout de la langue, et, l'esprit plus tranquille, il retourna au conseil et reprit, quoique un peu distrait, la question ou il l'avait laissee.

Il avait quitte la cuisine juste au moment important ou le lard, decoupe par morceaux, allait etre roti sur des grils d'argent; la reine, encouragee par ses eloges, se livrait a cette importante occupation, et les premieres gouttes de graisse tombaient en chantant sur les charbons, lorsqu'une petite voix chevrotante se fit entendre qui disait:

—Ma soeur, offre-moi donc une bribe de lard;

Car, etant reine aussi, je veux faire ripaille:
Et, mangeant rarement quelque chose qui vaille,
De ce friand roti je desire ma part.

La reine reconnut aussitot la vois qui lui parlait ainsi: c'etait celle de dame Souriconne.

Dame Souriconne habitait depuis longues annees le palais. Elle pretendait etre alliee a la famille royale, et reine elle-meme du royaume souriquois; c'est pourquoi elle tenait, sous l'atre de la cuisine, une cour fort considerable.

La reine etait une bonne et fort douce femme qui, tout en se refusant a reconnaitre tout haut dame Souriconne comme reine et comme soeur, avait tout bas pour elle une foule d'egards et de complaisances qui lui avaient souvent fait reprocher par son mari, plus aristocrate qu'elle, la tendance qu'elle avait deroger; or, comme on le comprend bien, dans cette circonstance solennelle, elle ne voulut point refuser a sa jeune amie ce qu'elle demandait, et lui dit:

—Avancez, dame Souriconne, avancez hardiment, et venez, je vous y autorise, gouter mon lard tant que vous voudrez.

Aussitot dame Souriconne apparut gaie et fretillante, et, sautant sur le foyer, saisit adroitement avec sa petite patte les morceaux de lard que la reine lui tendait les uns apres les autres.

Mais voila que, attires par les petits cris de plaisir que poussait leur reine, et surtout par l'odeur succulente que repandait le lard grille, arriverent, fretillant et sautillant aussi, d'abord les sept fils de dame Souriconne, puis ses parents, puis ses allies, tous fort mauvais coquins, effroyablement portes sur leur bouche, et qui s'en donnerent sur le lard de telle facon, que la reine fut obligee, si hospitaliere qu'elle fut, de leur faire observer que, s'ils allaient de ce train-la, il ne lui resterait plus de lard pour ses boudins. Mais, quelque juste que fut cette reclamation, les sept fils de dame Souriconne n'en tinrent compte, et, donnant le mauvais exemple a leurs parents et a leurs allies, ils se ruerent, malgr les representations de leur mere et de leur reine, sur le lard de leur tante, qui allait disparaitre entierement, lorsque, aux cris de la reine, qui ne pouvait plus venir a bout de chasser ses hotes importuns, accourut la surintendante, laquelle appela le chef des cuisines, lequel appela le chef des marmitons, lesquels accoururent armes de vergettes, d'eventails et de balais, et parvinrent a faire rentrer sous l'atre tout le peuple souriquois. Mais la victoire, quoique complete, etait trop tardive; a peine restait-il le quart du lard necessaire a la confection des andouilles, des saucisses et des boudins, lequel reliquat fut, d'apres les indications du mathematicien du roi, qu'on avait envoye chercher en toute hate, scientifiquement reparti entre le grand chaudron a boudins et les deux grandes casseroles andouilles et a saucisses.

Une demi-heure apres cet evenement, le canon retentit, les clairons et les trompettes sonnerent, et l'on vit arriver tous les potentats, tous les princes royaux, tous les ducs hereditaires et tous les pretendants qui etaient dans le pays, vetus de leurs plus magnifiques habits; les uns traines dans des carrosses de cristal, les autres montes sur leurs chevaux de parade. Le roi les attendait sur le perron du palais, et les recut avec la plus aimable courtoisie et la plus gracieuse cordialite; puis, les ayant conduits dans la salle a manger, il s'assit au haut bout en sa qualite de seigneur suzerain, ayant la couronne sur la tete et le sceptre a la main, invitant les autres monarques a prendre chacun la place que lui assignait son rang parmi les tetes couronnees, les princes royaux, les ducs hereditaires ou les pretendants.

La table etait somptueusement servie, et tout alla bien pendant le potage et le releve. Mais, au service des andouilles, on remarqua que le prince paraissait agite; a celui des saucisses, il palit considerablement; enfin, a celui des boudins, il leva les yeux au ciel, des soupirs s'echapperent de sa poitrine, une douleur terrible parut dechirer son ame; enfin il se renversa sur le dos de son fauteuil, couvrit son visage de ses deux mains, se desesperant et sanglotant d'une facon si lamentable, que chacun se leva de sa place et l'entoura avec la plus vive inquietude. En effet, la crise paraissait des plus graves: le chirurgien de la cour cherchait inutilement le pouls du malheureux monarque, qui paraissait etre sous le poids de la plus profonde, de la plus affreuse et de la plus inouie des calamites. Enfin, apres que les remedes les plus violents, pour le faire revenir a lui, eurent ete employes, tels que plumes brulees, sels anglais et clefs dans le dos, le roi parut reprendre quelque peu ses esprits, entr'ouvrit ses yeux eteints, et, d'une voix si faible, qu'a peine si on put l'entendre, il balbutia ce peu de mots:

—Pas assez de lard! ...

A ces paroles, ce fut a la reine de palir a son tour. Elle se precipita a ses genoux, s'ecriant d'une voix entrecoupee par ses sanglots:

—O mon malheureux, infortune et royal epoux! Quel chagrin ne vous ai-je pas cause pour n'avoir pas ecoute les remontrances que vous m'avez deja faites si souvent; mais vous voyez la coupable vos genoux, et vous pouvez la punir aussi durement qu'il vous conviendra.

—Qu'est-ce a dire? demanda le roi; et que s'est-il donc pass qu'on ne m'a pas dit?

—Helas! helas! repondit la reine, a qui son mari n'avait jamais parle si rudement; helas! c'est dame Souriconne, avec ses sept fils, avec ses neveux, ses cousins et ses allies qui a devore tout le lard!

Mais la reine n'en put dire davantage: les forces lui manquerent, elle tomba a la renverse, et s'evanouit.

Alors le roi se leva furieux, et s'ecria d'une voix terrible:

—Madame la surintendante, que signifie cela?

Alors la surintendante raconta ce qu'elle savait, c'est-a-dire que, accourue aux cris de la reine, elle avait vu Sa Majeste aux prises avec toute la famille de dame Souriconne, et qu'alors, son tour, elle avait appele le chef, qui, avec l'aide de ses marmitons, etait parvenu a faire rentrer tous les pillards sous l'atre.

Aussitot le roi, voyant qu'il s'agissait d'un crime de lese-majeste, rappela toute sa dignite et tout son calme, ordonnant, vu l'enormite du forfait, que son conseil intime fut rassemble a l'instant meme, et que l'affaire fut exposee a ses plus habiles conseillers.

En consequence, le conseil fut reuni, et l'on y decida, a la majorite des voix, que dame Souriconne etant accusee d'avoir mange le lard destine aux saucisses, aux boudins et aux andouilles du roi, son proces lui serait fait, et que, si elle etait coupable, elle serait a tout jamais exilee du royaume, elle et sa race, et que ce qu'elle y possedait de biens, terres, chateaux, palans, residences royales, tout serait confisque.

Mais alors le roi fit observer a son conseil intime et a ses habiles conseillers que, pendant le temps que durerait le proces, dame Souriconne et sa famille auraient tout le temps de manger son lard, ce qui l'exposerait a des avanies pareilles a celle qu'il venait de subir en presence de six tetes couronnees, sans compter les princes royaux, les ducs hereditaires et les pretendants: il demandait donc qu'un pouvoir discretionnaire lui fut accorde a l'egard de dame Souriconne et de sa famille.

Le conseil alla aux voix pour la forme, comme on le pense bien, et le pouvoir discretionnaire que demandait le roi lui fut accorde.

Alors il envoya une de ses meilleures voitures, precedee d'un courrier pour faire plus grande diligence, a un tres-habile mecanicien qui demeurait dans ta ville de Nuremberg, et qui s'appelait Christian-Elias Drosselmayer, invitant le susdit mecanicien a le venir trouver a l'instant meme dans son palais, pour affaire urgente. Christian-Elias Drosselmayer obeit aussitot; car c'etait un homme veritablement artiste, qui ne doutait pas qu'un roi aussi renomme ne l'envoyat chercher pour lui confectionner quelque chef-d'oeuvre. Et, etant monte en voiture, il courut jour et nuit jusqu'a ce qu'il fut en presence du roi. Il s'etait meme tellement presse, qu'il n'avait pas eu le temps de se mettre un habit, et qu'il etait venu avec la redingote jaune qu'il portait habituellement. Mais, au lieu de se facher de cet oubli de l'etiquette, le roi lui en sut gre; car, s'il avait commis une faute, l'illustre mecanicien l'avait commise pour obeir sans retard aux commandements de Sa Majeste.

Le roi fit entrer Christian-Elias Drosselmayer dans son cabinet, et lui exposa la situation des choses; comment il etait decid faire un grand exemple en purgeant tout son royaume de la race souriquoise, et comment, prevenu par sa grande renommee, il avait jete les yeux sur lui pour le faire l'executeur de sa justice; n'ayant qu'une crainte, c'est que le mecanicien, si habile qu'il fut, ne vit des difficultes insurmontables au projet que la colere royale avait concu.

Mais Christian-Elias Drosselmayer rassura le roi, et lui promit que, avant huit jours, il ne resterait pas une souris dans tout le royaume.

En effet, le meme jour, il se mit a confectionner d'ingenieuses petites boites oblongues, dans l'interieur desquelles il attacha, au bout d'un fil de fer, un morceau de lard. En tirant le lard, le voleur, quel qu'il fut, faisait tomber la porte derriere lui, et se trouvait prisonnier. En moins d'une semaine, cent boites pareilles etaient confectionnees et placees non-seulement sous l'atre, mais dans tous les greniers et dans toutes les caves du palais.

Dame Souriconne etait infiniment trop sage et trop penetrante, pour ne pas decouvrir du premier coup d'oeil la ruse de maitre Drosselmayer. Elle rassembla donc ses sept fils, leurs neveux et ses cousins, pour les prevenir du guet-apens qu'on tramait contre eux. Mais, apres avoir eu l'air de l'ecouter a cause du respect qu'ils devaient a son rang et de la condescendance que commandait son age, ils se retirerent en riant de ses terreurs, et, attires par l'odeur du lard roti, plus forte que toutes les representations qu'on leur pouvait faire, ils se resolurent profiter de la bonne aubaine qui leur arrivait sans qu'ils sussent d'ou.

Au bout de vingt-quatre heures, les sept fils de dame Souriconne, dix-huit de ses neveux, cinquante de ses cousins, et deux cent trente-cinq de ses parents a differents degres, sans compter des milliers de ses sujets, etaient pris dans les souricieres, et avaient ete honteusement executes.

Alors dame Souriconne, avec les debris de sa cour et les restes de son peuple, resolut d'abandonner ces lieux ensanglantes par le massacre des siens. Le bruit de cette resolution transpira et parvint jusqu'au roi. Sa Majeste s'en felicita tout haut, et les poetes de la cour firent force sonnets sur sa victoire, tandis que les courtisans l'egalaient a Sesostris, a Alexandre et Cesar.

La reine seule etait triste et inquiete; elle connaissait dame Souriconne, et elle se doutait bien qu'elle ne laisserait pas la mort de ses fils et de ses proches sans vengeance. En effet, an moment ou la reine, pour faire oublier au roi la faute qu'elle avait commise, preparait pour lui, de ses propres mains, une puree de foie dont il etait fort friand, dame Souriconne parut tout a coup devant elle, et lui dit:

—Tues par ton epoux, sans crainte ni remords,

Mes enfants, mes neveux et mes cousins sont morts;
Mais tremble, madame la reine!
Que l'enfant qu'en ton sein tu portes en ce jour,
Et qui sera bientot l'objet de ton amour,
Soit deja celui de ma haine.

Ton epoux a des forts, des canons, des soldats,
Des mecaniciens, des conseillers d'Etats,
Des ministres, des souricieres.
La reine des souris n'a rien de tout cela;

Mais le ciel lui fit don des dents que tu vois l
Pour devorer les heritieres.

La-dessus, elle disparut, et personne ne l'avait revue depuis. Mais la reine, qui, en effet, s'etait apercue depuis quelques jours qu'elle etait enceinte, fut si epouvantee de cette prediction, qu'elle laissa tomber la puree de foie dans le feu.

Ainsi, pour la seconde fois, dame Souriconne priva le roi d'un de ses mets favoris; ce qui le mit fort en colere et le fit s'applaudir encore davantage du coup d'Etat qu'il avait si heureusement accompli.

Il va sans dire que Christian-Elias Drosselmayer fut renvoye avec une splendide recompense, et rentra triomphant a Nuremberg.

Comment, malgre toutes les precautions prises par la reine, dame Souriconne accomplit sa menace a l'endroit de la princesse Pirlipate.

Maintenant, mes chers enfants, vous savez aussi bien que moi, n'est-ce pas, pourquoi la reine faisait garder avec tant de soin la miraculeuse petite princesse Pirlipate: elle craignait la vengeance de dame Souriconne; car, d'apres ce que dame Souriconne avait dit, il ne s'agissait pas moins, pour l'heritiere de l'heureux petit royaume sans nom, que de la perte de sa vie ou tout au moins de sa beaute; ce qui, assure-t-on, pour une femme, est bien pis encore. Ce qui redoublait surtout l'inquietude de la tendre mere, c'est que les machines de maitre Drosselmayer ne pouvaient absolument rien contre l'experience de dame Souriconne. Il est vrai que l'astronome de la cour, qui etait en meme temps grand augure et grand astrologue, craignant qu'on ne supprimat sa charge comme inutile, s'il ne donnait pas son mot dans cette affaire, pretendit avoir lu dans les astres, d'une maniere certaine, que la famille de l'illustre chat Murr etait seule en etat de defendre le berceau de l'approche de dame Souriconne. C'est pour cela que chacune des six gardiennes fut forcee de tenir sans cesse sur ses genoux un des males de cette famille, qui, au reste, etaient attaches a la cour en qualite de secretaires intimes de legation, et devait, par un grattement delicat et prolonge, adoucir a ces jeunes diplomates le penible service qu'ils rendaient a l'Etat.

Mais, un soir, il y a des jours, comme vous le savez, mes enfants, ou l'on se reveille tout endormi, un soir, malgre tous les efforts que firent les six gardiennes qui se tenaient autour de la chambre, chacune un chat sur ses genoux, et les deux surgardiennes intimes qui etaient assises au chevet de la princesse, elles sentirent le sommeil s'emparer d'elles progressivement. Or, comme chacune absorbait ses propres sensations en elle-meme, se gardant bien de les confier a ses compagnes, dans l'esperance que celles-ci ne s'apercevraient pas de son manque de vigilance, et veilleraient a sa place tandis qu'elle dormirait, il en resulta que les yeux se fermerent successivement, que les mains qui grattaient les matous s'arreterent a leur tour, et que les matous, n'etant plus grattes, profiterent de la circonstance pour s'assoupir.

Nous ne pourrions pas dire depuis combien de temps durait cet etrange sommeil, lorsque, vers minuit, une des surgardiennes intimes s'eveilla en sursaut. Toutes les personnes qui l'entouraient semblaient tombees en lethargie; pas le moindre ronflement; les respirations elles-memes etaient arretees; partout regnait un silence de mort, au milieu duquel on n'entendait que le bruit du ver piquant le bois. Mais que devint la surgardienne intime, en voyant pres d'elle une grande et horrible souris qui, dressee sur ses pattes de derriere, avait plonge sa tete dans le berceau de Pirlipatine, et paraissait fort occupee a ronger le visage de la princesse? Elle se leva en poussant un cri de terreur. A ce cri, tout le monde se reveilla; mais dame Souriconne, car c'etait bien elle, s'elanca vers un des coins de la chambre. Les conseillers intimes de legation se precipiterent apres elles; helas! il etait trop tard: dame Souriconne avait disparu par une fente du plancher. Au meme instant, la princesse Pirlipate, reveillee par toute cette rumeur, se mit a pleurer. A ces cris, les gardiennes et les surgardiennes repondirent par des exclamations de joie.

Dieu soit loue! disaient-elles. Puisque la princesse Pirlipate crie, c'est qu'elle n'est pas morte.

Et alors elles accoururent au berceau; mais leur desespoir fut grand lorsqu'elles virent ce qu'etait devenue cette delicate et charmante creature!

En effet, a la place de ce visage blanc et rose, de cette petite tete aux cheveux d'or, de ces yeux d'azur, miroir du ciel, etait plantee une immense et difforme tete sur un corps contrefait et ratatine. Ses deux beaux yeux avaient perdu leur couleur celeste, et s'epanouissaient verts, fixes et hagards, a fleur de tete. Sa petite bouche s'etait etendue d'une oreille a l'autre, et son menton s'etait couvert d'une barbe cotonneuse et frisee, on ne peut plus convenable pour un vieux polichinelle, mais hideuse pour une jeune princesse.

En ce moment, la reine entra; les six gardiennes ordinaires et les deux surgardiennes intimes se jeterent la face contre terre, tandis que les six conseillers de legation regardaient s'il n'y avait pas quelque fenetre ouverte pour gagner les toits.

Le desespoir de la pauvre mere fut quelque chose d'affreux. On l'emporta evanouie dans la chambre royale.

Mais c'est le malheureux pere dont la douleur faisait surtout peine a voir, tant elle etait morne et profonde. On fut oblig de mettre des cadenas a ses croisees pour qu'il ne se precipitat point par la fenetre, et de ouater son appartement pour qu'il ne se brisat point la tete contre les murs. Il va sans dire qu'on lui retira son epee, et qu'on ne laissa trainer devant lui ni couteau ni fourchette, ni aucun instrument tranchant ou pointu. Cela etait d'autant plus facile qu'il ne mangea point pendant les deux ou trois premiers jours, ne cessant de repeter:

—O monarque infortune que je suis! o destin cruel que tu es!

Peut-etre, au lieu d'accuser le destin, le roi eut-il du penser que, comme tous les hommes le sont ordinairement, il avait et l'artisan de ses propres malheurs, attendu que, s'il avait su manger ses boudins avec un peu de lard de moins que d'habitude, et que, renoncant a la vengeance, il eut laisse dame Souriconne et sa famille sous l'atre, ce malheur qu'il deplorait ne serait point arrive. Mais nous devons dire que les pensees du royal pere de Pirlipate ne prirent aucunement cette direction philosophique.

Au contraire, dans la necessite ou se croient toujours les puissants de rejeter les calamites qui les frappent sur de plus petits qu'eux, il rejeta la faute sur l'habile mecanicien Christian-Elias Drosselmayer. Et, bien convaincu que, s'il lui faisait dire de revenir a la cour pour y etre pendu ou decapite, celui-ci se garderait bien de se rendre a l'invitation, il le fit inviter, an contraire, a venir recevoir un nouvel ordre que Sa Majeste avait cree, rien que pour les hommes de lettres, les artistes et les mecaniciens.

Maitre Drosselmayer n'etait pas exempt d'orgueil; il pensa qu'un ruban ferait bien sur sa redingote jaune, et se mit immediatement en route; mais sa joie se changea bientot en terreur: a la frontiere du royaume, des gardes l'attendaient, qui s'emparerent de lui, et le conduisirent de brigade en brigade jusqu'a la capitale.

Le roi, qui craignait sans doute de se laisser attendrir, ne voulut pas meme recevoir maitre Drosselmayer lorsqu'il arriva au palais; mais il le fit conduire immediatement pres du berceau de Pirlipate, faisant signifier au mecanicien que si, de ce jour en un mois, la princesse n'etait point rendue a son etat naturel, il lui ferait impitoyablement trancher la tete.

Maitre Drosselmayer n'avait point de pretention a l'heroisme, et n'avait jamais compte mourir que de sa belle mort, comme on dit; aussi fut-il fort effraye de la menace; mais, neanmoins, se confiant bientot dans sa science, dont sa modestie personnelle ne l'avait jamais empeche d'apprecier l'etendue, il se rassura quelque peu, et s'occupa immediatement de la premiere et de la plus utile operation, qui etait celle de s'assurer si le mal pouvait ceder a un remede quelconque, ou etait veritablement incurable, comme il avait cru le reconnaitre des le premier abord.

A cet effet, il demonta fort adroitement d'abord la tete, puis, les uns apres les autres, tous les membres de la princesse Pirlipate, detacha ses pieds et ses mains pour en examiner plus son aise non-seulement les jointures et les ressorts, mais encore la construction interieure. Mais, helas! plus il penetra dans le mystere de l'organisation pirlipatine, mieux il decouvrit que plus la princesse grandirait, plus elle deviendrait hideuse et difforme; il rattacha donc avec soin les membres de Pirlipate, et, ne sachant plus que faire ni que devenir, il se laissa aller, pres du berceau de la princesse, qu'il ne devait plus quitter jusqu'a ce qu'elle eut repris sa premiere forme, a une profonde melancolie.

Deja la quatrieme semaine etait commencee, et l'on en etait arrive au mercredi, lorsque, selon son habitude, le roi entra pour voir s'il ne s'etait pas opere quelque changement dans l'exterieur de la princesse, et, voyant qu'il etait toujours le meme, s'ecria, en menacant la mecanicien de son sceptre:

—Christian-Elias Drosselmayer, prends garde a toi! tu n'as plus que trois jours pour me rendre ma fille telle qu'elle etait; et, si tu t'entetes a ne pas la guerir, c'est dimanche prochain que tu seras decapite.

Maitre Drosselmayer, qui ne pouvait guerir la princesse, non point par entetement, mais par impuissance, se mit a pleurer amerement, regardant, avec ses yeux noyes de larmes, la princesse Pirlipate, qui croquait une noisette aussi joyeusement que si elle eut ete la plus jolie fille de la terre. Alors, a cette vue attendrissante, le mecanicien fut, pour la premiere fois, frapp du gout particulier que la princesse avait, depuis sa naissance, manifeste pour les noisettes, et de la singuliere circonstance qui l'avait fait naitre avec des dents. En effet, aussitot sa transformation, elle s'etait mise a crier, et elle avait continu de se livrer a cet exercice jusqu'au moment ou, trouvant une aveline sous sa main, elle la cassa, en mangea l'amande, et s'endormit tranquillement. Depuis ce temps-la, les deux surgardiennes intimes avaient eu le soin d'en bourrer leurs poches, et de lui en donner une ou plusieurs aussitot qu'elle faisait la grimace.

—O instinct de la nature! eternelle et impenetrable sympathie de tous les etres crees! s'ecria Christian-Elias Drosselmayer, tu m'indiques la porte qui mene a la decouverte de tes mysteres; j'y frapperai, et elle s'ouvrira!

A ces mots, qui surprirent fort le roi, le mecanicien se retourna et demanda a Sa Majeste la faveur d'etre conduit a l'astronome de la cour; le roi y consentit, mais a la condition que ce serait sous bonne escorte. Maitre Drosselmayer eut sans doute mieux aime faire cette course seul; cependant, comme, dans cette circonstance, il n'avait pas le moins du monde son libre arbitre, il lui fallut souffrir ce qu'il ne pouvait empecher, et traverser les rues de la capitale escorte comme un malfaiteur.

Arrive chez l'astrologue, maitre Drosselmayer se jeta dans ses bras, et tous deux s'embrasserent avec des torrents de larmes, car ils etaient connaissances de vieille date, et s'aimaient fort; puis ils se retirerent dans un cabinet ecarte, et feuilleterent ensemble une quantite innombrable de livres qui traitaient de l'instinct, des sympathies, des antipathies, et d'une foule d'autres choses non moins mysterieuses. Enfin, la nuit etant venue, l'astrologue monta sur sa tour, et, aide de maitre Drosselmayer, qui etait lui-meme fort habile en pareille matiere, decouvrit, malgre l'embarras des lignes qui s'entre-croisaient sans-cesse, que, pour rompre le charme qui rendait Pirlipate hideuse, et pour qu'elle redevint aussi belle qu'elle l'avait ete, elle n'avait qu'une chose a faire: c'etait de manger l'amande de la noisette Krakatuk, laquelle avait une enveloppe tellement dure, que la roue d'un canon de quarante-huit pouvait passer sur elle sans la rompre. En outre, il fallait que cette coquille fut brisee en presence de la princesse par les dents d'un jeune homme qui n'eut jamais ete rase, et qui n'eut encore porte que des bottes. Enfin, l'amande devait etre presentee par lui a la princesse, les yeux fermes, et, les yeux fermes toujours, il devait alors faire sept pas a reculons et sans trebucher. Telle etait la reponse des astres.

Drosselmayer et l'astronome avaient travaille sans relache, durant trois jours et trois nuits, a eclaircir toute cette mysterieuse affaire. On en etait precisement au samedi soir, et le roi achevait son diner et entamait meme le dessert, lorsque le mecanicien, qui devait etre decapite le lendemain au point du jour, entra dans la salle a manger royale, plein de joie et d'allegresse, annoncant qu'il avait enfin trouve le moyen de rendre a la princesse Pirlipate sa beaute perdue. A cette nouvelle, le roi le serra dans ses bras avec la bienveillance la plus touchante, et demanda quel etait ce moyen.

Le mecanicien fit part au roi du resultat de sa consultation avec l'astrologue.

—Je le savais bien, maitre Drosselmayer, s'ecria le roi, que tout ce que vous en faisiez, ce n'etait que par entetement. Ainsi, c'est convenu; aussitot apres le diner, on se mettra l'oeuvre. Ayez donc soin, tres-cher mecanicien, que, dans dix minutes, le jeune homme non rase soit la, chausse de ses bottes, et la noisette Krakatuk a la main. Surtout veillez a ce que, d'ici la, il ne boive pas de vin, de peur qu'il ne trebuche en faisant, comme une ecrevisse, ses sept pas en arriere; mais, une fois l'operation achevee, dites-lui que je mets ma cave a sa disposition et qu'il pourra se griser tout a son aise.

Mais, au grand etonnement du roi, maitre Drosselmayer parut consterne en entendant ce discours; et, comme il gardait le silence, le roi insista pour savoir pourquoi il se taisait et restait immobile a sa place, au lieu de se mettre en course pour executer ses ordres souverains. Mais le mecanicien, se jetant genoux:

—Sire, dit-il, il est bien vrai que nous avons trouve le moyen de guerir la princesse, et que ce moyen consiste a lui faire manger l'amande de la noisette Krakatuk, lorsqu'elle aura et cassee par un jeune homme a qui on n'aura jamais fait la barbe, et qui, depuis sa naissance, aura toujours porte des bottes; mais nous ne possedons ni le jeune homme ni la noisette; mais nous ne savons pas ou les trouver, et, selon toute probabilite, nous ne trouverons que bien difficilement la noisette et le casse-noisette.

A ces mots, le roi, furieux, brandit son sceptre au-dessus de la tete du mecanicien, en s'ecriant:

—Eh bien, va donc pour la mort!

Mais la reine, de son cote, vint s'agenouiller pres de Drosselmayer, et fit observer a son auguste epoux qu'en tranchant la tete au mecanicien, on perdait jusqu'a cette lueur d'espoir que l'on conservait en le laissant vivre; que toutes les probabilites etaient que celui qui avait trouve l'horoscope trouverait la noisette et le casse-noisette; qu'on devait d'autant plus croire a cette nouvelle prediction de l'astrologue, qu'aucune de ses predictions ne s'etait realisee jusque-la, et qu'il fallait bien que ses predictions se realisassent un jour, puisque le roi, qui ne pouvait se tromper, l'avait nomme son grand augure; qu'enfin la princesse Pirlipate, ayant trois mois peine, n'etait point en age d'etre mariee, et ne le serait probablement qu'a l'age de quinze ans, que, par consequent, maitre Drosselmayer et son ami l'astrologue avaient quatorze ans et neuf mois devant eux pour chercher la noisette Krakatuk et le jeune homme qui devait la casser; que, par consequent encore, on pouvait accorder a Christian-Elias Drosselmayer un delai, au bout duquel il reviendrait se remettre entre les mains du roi, qu'il fut ou non possesseur du double remede qui devait guerir la princesse: dans le premier cas, pour etre decapite sans misericorde; dans le second, pour etre recompense genereusement.

Le roi, qui etait un homme tres-juste, et qui, ce jour-l surtout, avait parfaitement dine de ses deux mets favoris, c'est-a-dire d'un plat de boudin et d'une puree de foie, preta une oreille bienveillante a la priere de sa sensible et magnanime epouse, il decida donc qu'a l'instant meme le mecanicien et l'astrologue se mettraient a la recherche de sa noisette et du casse-noisette, recherche pour laquelle il leur accordait quatorze ans et neuf mois; mais cela, a la condition qu' l'expiration de ce sursis, tous deux reviendraient se remettre en son pouvoir, pour, s'ils revenaient les mains vides, qu'il fut fait d'eux selon son bon plaisir royal.

Si, au contraire, ils rapportaient la noisette Krakatuk, qui devait rendre a la princesse Pirlipate sa beaute primitive, ils recevraient, l'astrologue, une pension viagere de mille thalers et une lunette d'honneur, et le mecanicien, une epee de diamants, l'ordre de l'Araignee d'or, qui etait le grand ordre de l'Etat, et une redingote neuve.

Quant au jeune homme qui devait casser la noisette, le roi en etait moins inquiet, et pretendait qu'on parviendrait toujours se le procurer au moyen d'insertions reiterees dans les gazettes indigenes et etrangeres.

Touche de cette magnanimite, qui diminuait de moitie la difficulte de sa tache, Christian-Elias Drosselmayer engagea sa parole qu'il trouverait la noisette Krakatuk, ou qu'il reviendrait, comme un autre Regulus, se remettre entre les mains du roi.

Le soir meme, le mecanicien et l'astrologue quitterent la capitale du royaume pour commencer leurs recherches.

Comment le mecanicien et l'astrologue parcoururent les quatre parties du monde et en decouvrirent une cinquieme, sans trouver la noisette Krakatuk.

Il y avait deja quatorze ans et cinq mois que l'astrologue et le mecanicien erraient par les chemins, sans qu'ils eussent rencontre vestige de ce qu'ils cherchaient. Ils avaient visit d'abord l'Europe, puis ensuite l'Amerique, puis ensuite l'Afrique, puis ensuite l'Asie; ils avaient meme decouvert une cinquieme partie du monde, que les savants ont appelee depuis la Nouvelle-Hollande, parce qu'elle avait ete decouverte par deux Allemands; mais, dans toute cette peregrination, quoiqu'ils eussent vu bien des noisettes de differentes formes et de differentes grosseurs, ils n'avaient pas rencontre la noisette Krakatuk. Ils avaient cependant, dans une esperance, helas! infructueuse, passe des annees a la cour du roi des dattes et du prince des amandes; ils avaient consulte inutilement la celebre academie des singes verts, et la fameuse societe naturaliste des ecureuils; puis enfin ils en etaient arrives a tomber, ecrases de fatigue, sur la lisiere de la grande foret qui borde le pied des monts Himalaya, en se repetant, avec decouragement, qu'ils n'avaient plus que cent vingt-deux jours pour trouver ce qu'ils avaient cherche inutilement pendant quatorze ans et cinq mois.

Si je vous racontais, mes chers enfants, les aventures miraculeuses qui arriverent aux deux voyageurs pendant cette longue peregrination, j'en aurais moi-meme pour un mois au moins a vous reunir tous les soirs, ce qui finirait certainement par vous ennuyer. Je vous dirai donc seulement que Christian-Elias Drosselmayer, qui etait le plus acharne a la recherche de la fameuse noisette, puisque de la fameuse noisette dependait sa tete, s'etant livre a plus de fatigues et s'etant expose a plus de dangers que son compagnon, avait perdu tous ses cheveux, l'occasion d'un coup de soleil recu sons l'equateur, et l'oeil droit, a la suite d'un coup de fleche que lui avait adresse un chef caraibe; de plus, sa redingote jaune, qui n'etait deja plus neuve lorsqu'il etait parti d'Allemagne, s'en allait litteralement en lambeaux. Sa situation etait donc des plus deplorables, et cependant, tel est chez l'homme l'amour de la vie, que, tout deteriore qu'il etait par les avaries successives qui lui etaient arrivees, il voyait avec une terreur toujours croissante le moment d'aller se remettre entre les mains du roi.

Cependant, le mecanicien etait homme d'honneur; il n'y avait pas a marchander avec une aussi solennelle que l'etait la sienne. Il resolut donc, quelque chose qu'il put lui en couter, de se remettre en route des le lendemain pour l'Allemagne. En effet, il n'y avait pas de temps a perdre, quatorze ans et cinq mois s'etaient ecoules, et les deux voyageurs n'avaient plus que cent vingt-deux jours, ainsi que nous l'avons dit, pour revenir dans la capitale du pere de la princesse Pirlipate.

Christian-Elias Drosselmayer fit donc part a son ami l'astrologue de sa genereuse resolution, et tous deux deciderent qu'ils partiraient le lendemain matin.

En effet, le lendemain, au point du jour, les deux voyageurs se remirent en route, se dirigeant sur Bagdad; de Bagdad, ils gagnerent Alexandrie; a Alexandrie, ils s'embarquerent pour Venise; puis, de Venise, ils gagnerent le Tyrol, et, du Tyrol, ils descendirent dans le royaume du pere de Pirlipate, esperant tout doucement, au fond du coeur, que ce monarque serait mort, ou, tout au moins, tombe en enfance.

Mais, helas! il n'en etait rien: en arrivant dans la capitale, le malheureux mecanicien apprit que le digne souverain, non-seulement n'avait perdu aucune de ses facultes intellectuelles, mais encore qu'il se portait mieux que jamais; il n'y avait donc aucune chance pour lui,—a moins que la princesse Pirlipate ne se fut guerie toute seule de sa laideur, ce qui n'etait pas possible, ou que le coeur du roi ne se fut adouci, ce qui n'etait pas probable,—d'echapper au sort affreux qui le menacait.

Il ne s'en presenta pas moins hardiment a la porte du palais; car il etait soutenu par cette idee qu'il faisait une action heroique, et demanda a parler au roi.

Le roi, qui etait un prince tres-accessible et qui recevait tous ceux qui avaient affaire a lui, ordonna a son grand introducteur de lui amener les deux etrangers.

Le grand introducteur fit alors observer a Sa Majeste que ces deux etrangers avaient fort mauvaise mine, et etaient on ne peut plus mal vetus. Mais le roi repondit qu'il ne fallait pas juger le coeur par le visage, et que l'habit ne faisait pas le moine.

Sur quoi, le grand introducteur, ayant reconnu la realite de ces deux proverbes, s'inclina respectueusement et alla chercher le mecanicien et l'astrologue.

Le roi etait toujours le meme, et ils le reconnurent tout d'abord; mais ils etaient si changes, surtout le pauvre Christian-Elias Drosselmayer, qu'il furent obliges de se nommer.

En voyant revenir d'eux-memes les deux voyageurs, le roi eprouva un mouvement de joie; car il etait convenu qu'ils ne reviendraient pas s'ils n'avaient pas trouve la noisette Krakatuk; mais il fut bientot detrompe, et le mecanicien, en se jetant a ses pieds, lui avoua que, malgre les recherches les plus consciencieuses et les plus assidues, son ami l'astrologue et lui revenaient les mains vides.

Le roi, nous l'avons dit, quoique d'un temperament un peu colerique, avait le fond du caractere excellent; il fut touche de cette ponctualite de Christian-Elias Drosselmayer a tenir sa parole, et il commua la peine de mort qu'il avait portee contre lui en celle d'une prison eternelle. Quant a l'astrologue, il se contenta de l'exiler.

Mais, comme il restait encore trois jours pour que les quatorze ans et neuf mois de delai accordes par le roi fussent ecoules, maitre Drosselmayer, qui avait au plus haut degre dans le coeur l'amour de la patrie, demanda au roi la permission de profiter de ces trois jours pour revoir une fois encore Nuremberg.

Cette demande parut si juste au roi, qu'il la lui accorda sans y mettre aucune restriction.

Maitre Drosselmayer, qui n'avait que trois jours a lui, resolut de mettre le temps a profit, et, ayant trouve par bonheur des places a la malle-poste, il partit a l'instant meme.

Or, comme l'astrologue etait exile, et qu'il lui etait aussi egal d'aller a Nuremberg qu'ailleurs, il partit avec le mecanicien.

Le lendemain, vers les dix heures du matin, ils etaient Nuremberg. Comme il ne restait a maitre Drosselmayer d'autre parent que Christophe-Zacharias Drosselmayer, son frere, lequel etait un des premiers marchands de jouets d'enfant de Nuremberg, ce fut chez lui qu'il descendit.

Christophe-Zacharias Drosselmayer eut une grande joie de revoir ce pauvre Christian qu'il croyait mort. D'abord, il n'avait pas voulu le reconnaitre, a cause de son front chauve et de son emplatre sur l'oeil; mais le mecanicien lui montra sa fameuse redingote jaune, qui, toute dechiree qu'elle etait, avait encore conserve en certains endroits quelque trace de sa couleur primitive, et, a l'appui de cette premiere preuve, il lui cita tant de circonstances secretes, qui ne pouvaient etre connues que de Zacharias et de lui, que le marchand de joujoux fut bien forc de se rendre a l'evidence.

Alors, il lui demanda quelle cause l'avait eloigne si longtemps de sa ville natale, et dans quel pays il avait laisse ses cheveux, son oeil, et les morceaux qui manquaient a sa redingote.

Christian-Elias Drosselmayer n'avait aucun motif de faire un secret a son frere des evenements qui lui etaient arrives. Il commenca donc par lui presenter son compagnon d'infortune; puis, cette formalite d'usage accomplie, il lui raconta tous ses malheurs, depuis A jusqu'a Z, et termina en disant qu'il n'avait que quelques heures a passer avec son frere, attendu que, n'ayant pas pu trouver la noisette Krakatuk, il allait entrer le lendemain dans une prison eternelle.

Pendant tout ce recit de son frere, Christophe-Zacharias avait plus d'une fois secoue les doigts, tourne sur un pied et fait claquer sa langue. Dans toute autre circonstance, le mecanicien lui eut sans doute demande ce que signifiaient ces signes; mais il etait si preoccupe, qu'il ne vit rien, et que ce ne fut que lorsque son frere fit deux fois hum! hum! et trois fois oh! oh! oh! qu'il lui demanda ce que signifiaient ces exclamations.

—Cela signifie, dit Zacharias, que ce serait bien le diable... Mais non... Mais si...

—Que ce serait bien le diable?... repeta le mecanicien.

—Si... continua le marchand de jouets d'enfant.

—Si... Quoi? demanda de nouveau maitre Drosselmayer.

Mais, au lieu de lui repondre, Christophe-Zacharias, qui, sans doute, pendant toutes ces demandes et ces reponses entrecoupees, avait rappele ses souvenirs, jeta sa perruque en l'air et se mit a danser en criant:

—Frere, tu es sauve! Frere, tu n'iras pas en prison! Frere, ou je me trompe fort, ou c'est moi qui possede la noisette Krakatuk.

Et, sur ce, sans donner aucune autre explication a son frere ebahi, Christophe-Zacharias s'elanca hors de l'appartement, et revint un instant apres, rapportant une boite dans laquelle etait une grosse aveline doree qu'il presenta au mecanicien.

Celui-ci, qui n'osait croire a tant de bonheur, prit en hesitant la noisette, la tourna et la retourna de toute facon, l'examinant avec l'attention que meritait la chose, et, apres l'examen, declara qu'il se rangeait a l'avis de son frere, et qu'il serait fort etonne si cette aveline n'etait pas la noisette Krakatuk; sur quoi, il la passa a l'astrologue, et lui demanda son opinion.

Celui-ci examina la noisette avec non moins d'attention que ne l'avait fait maitre Drosselmayer, et, secouant la tete, il repondit:

—Je serais de votre avis et, par consequent, de celui de votre frere, si la noisette n'etait pas doree; mais je n'ai vu nulle part dans les astres que le fruit que nous cherchons dut etre revetu de cet ornement. D'ailleurs, comment votre frere aurait-il la noisette Krakatuk?

—Je vais vous expliquer la chose, dit Christophe, et comment elle est tombee entre mes mains, et comment il se fait qu'elle ait cette dorure qui vous empeche de la reconnaitre, et qui effectivement ne lui est pas naturelle.

Alors, les ayant fait asseoir tous deux, car il pensait fort judicieusement qu'apres une course de quatorze ans et neuf mois, les voyageurs devaient etre fatigues, il commenca en ces termes:

—Le jour meme ou le roi t'envoya chercher, sous pretexte de te donner la croix, un etranger arriva a Nuremberg, portant un sac de noisettes qu'il avait a vendre; mais les marchands de noisettes du pays, qui voulaient conserver le monopole de cette denree, lui chercherent querelle, justement devant la porte de ta boutique. L'etranger alors, pour se defendre plus facilement, posa a terre son sac de noisettes, et la bataille allait son train, a la grande satisfaction des gamins et des commissionnaires, lorsqu'un chariot pesamment charge passa justement sur le sac de noisettes. En voyant cet accident, qu'ils attribuerent a la justice du ciel, les marchands se regarderent comme suffisamment venges, et laisserent l'etranger tranquille. Celui-ci ramassa son sac, et, effectivement, toutes les noisettes etaient ecrasees, a l'exception d'une seule, qu'il me presenta en souriant d'une facon singuliere, et m'invitant l'acheter pour un zwanziger neuf de 1720, disant qu'un jour viendrait ou je ne serais pas fache du marche que j'aurais fait, si onereux qu'il put me paraitre pour le moment. Je fouillai ma poche, et fut fort etonne d'y trouver un zwanziger tout pareil a celui que demandait cet homme. Cela me parut une coincidence si singuliere, que je lui donnai mon zwanziger; lui, de son cote, me donna la noisette, et disparut.

<<Or, je mis la noisette en vente, et, quoique je n'en demandasse que le prix qu'elle m'avait coute, plus deux kreutzers, elle resta exposee pendant sept ou huit ans sans que personne manifestat l'envie d'en faire l'acquisition. C'est alors que je la fis dorer pour augmenter sa valeur; mais j'y depensai inutilement deux autres zwanzigers, la noisette est restee jusqu'aujourd'hui sans acquereur. En ce moment l'astronome, entre les mains duquel la noisette etait restee, poussa un cri de joie. Tandis que maitre Drosselmayer ecoutait le recit de son frere, il avait, a l'aide d'un canif, gratte delicatement la dorure de la noisette, et, sur un petit coin de la coquille, il avait trouve grave en caracteres chinois le mot KRAKATUK. Des lors il n'y eut plus de doute, et l'identite de la noisette fut reconnue.

Comment, apres avoir trouve la noisette Krakatuk, le mecanicien et l'astrologue trouverent le jeune homme qui devait la casser.

Christian-Elias Drosselmayer etait si presse d'annoncer an roi cette bonne nouvelle, qu'il voulait reprendre la malle-poste l'instant meme; mais Christophe-Zacharias le pria d'attendre au moins jusqu'a ce que son fils fut rentre: or, le mecanicien acceda d'autant plus volontiers a cette demande, qu'il n'avait pas vu son neveu depuis tantot quinze ans, et qu'en rassemblant ses souvenirs, il se rappela que c'etait, au moment ou il avait quitte Nuremberg, un charmant petit bambin de trois ans et demi, que lui, Elias, aimait de tout son coeur.

En ce moment, un beau jeune homme de dix-huit ou dix-neuf ans entra dans la boutique de Christophe-Zacharias, et s'approcha de lui en l'appelant son pere.

En effet, Zacharias, apres l'avoir embrasse, le presenta a Elias, en disant au jeune homme:

—Maintenant, embrasse ton oncle.

Le jeune homme hesitait; car l'oncle Drosselmayer, avec sa redingote en lambeaux, son front chauve et son emplatre sur l'oeil, n'avait rien de bien attrayant. Mais, comme son pere vit cette hesitation et qu'il craignait qu'Elias n'en fut blesse, il poussa son fils par derriere, si bien que le jeune homme, tant bien que mal, se trouva dans les bras du mecanicien.

Pendant ce temps, l'astrologue fixait les yeux sur le jeune homme, avec une attention continue qui parut si singuliere celui-ci, qu'il saisit le premier pretexte pour sortir, se trouvant mal a l'aise d'etre regarde ainsi.

Alors l'astrologue demanda a Zacharias sur son fils quelques details que celui-ci s'empressa de lui donner avec une prolixit toute paternelle.

Le jeune Drosselmayer avait, en effet, comme sa figure l'indiquait, dix-sept a dix-huit ans. Des sa plus tendre jeunesse, il etait si drole et si gentil, que sa mere s'amusait le faire habiller comme les joujoux qui etaient dans la boutique, c'est-a-dire tantot en etudiant, tantot en postillon, tantot en Hongrois, mais toujours avec un costume qui exigeait des bottes; car, comme il avait le plus joli pied du monde, mais le mollet un peu grele, les bottes faisaient valoir la qualite et cachaient le defaut.

—Ainsi, demanda l'astrologue a Zacharias, votre fils n'a jamais porte que des bottes?

Elias ouvrit de grands yeux.

—Mon fils n'a jamais porte que des bottes, reprit le marchand de jouets d'enfant; et il continua: A l'age de dix ans, je l'envoyai a l'universite de Tubingen, ou il est reste jusqu'a l'age de dix-huit ans, sans contracter aucune des mauvaises habitudes de ses autres camarades, sans boire, sans jurer, sans se battre. La seule faiblesse que je lui connaisse, c'est de laisser pousser les quatre ou cinq mauvais poils qu'il a au menton, sans vouloir permettre qu'un barbier lui touche le visage.

—Ainsi, reprit l'astrologue, votre fils n'a jamais fait sa barbe?

Elias ouvrait des yeux de plus en plus grands.

—Jamais, repondit Zacharias.

—Et, pendant ses vacances de l'universite, continua l'astrologue, a quoi passait-il son temps?

—Mais, dit le pere, il se tenait dans la boutique avec son joli petit costume d'etudiant, et, par pure galanterie, cassait les noisettes des jeunes filles qui venaient acheter des joujoux dans la boutique, et qui, a cause de cela, l'appelaient Casse-Noisette.

—Casse-Noisette? s'ecria le mecanicien.

—Casse-Noisette? repeta a son tour l'astrologue.

Puis tous deux se regarderent, tandis que Zacharias les regardait tous deux.

—Mon cher Monsieur, dit l'astrologue a Zacharias, j'ai l'idee que votre fortune est faite.

Le marchand de joujoux, qui n'avait pas ecoute ce pronostic avec indifference, voulut en avoir l'explication; mais l'astrologue remit cette explication au lendemain matin.

Lorsque le mecanicien et l'astrologue rentrerent dans leur chambre, l'astrologue se jeta au cou de son ami, en lui disant:

—C'est lui! nous le tenons!

—Vous croyez? demanda Elias avec le ton d'un homme qui doute, mais qui ne demande pas mieux que d'etre convaincu.

—Pardieu! si je le crois; il reunit toutes les qualites, ce me semble.

—Recapitulons.

—Il n'a jamais porte que des bottes.

—C'est vrai.

—Il n'a jamais ete rase.

—C'est encore vrai.

—Enfin, par galanterie on plutot par vocation, il se tenait dans la boutique de son pere pour casser les noisettes des jeunes filles, qui ne l'appelaient que Casse-Noisette.

—C'est encore vrai.

—Mon cher ami, un bonheur n'arrive jamais seul. D'ailleurs, si vous doutez encore, allons consulter les astres.

Ils monterent, en consequence, sur la terrasse de la maison, et, ayant tire l'horoscope du jeune homme, ils virent qu'il etait destine a une grande fortune.

Cette prediction, qui confirmait toutes les esperances de l'astrologue, fit que le mecanicien se rendit a son avis.

—Et maintenant, dit l'astrologue triomphant, il n'y a plus que deux choses qu'il ne faut pas negliger.

—Lesquelles? demanda Elias.

—La premiere, c'est que vous adaptiez, a la nuque de votre neveu, une robuste tresse de bois qui se combine si bien avec la machoire, qu'elle puisse en doubler la force par la pression.

—Rien de plus facile, repondit Elias, et c'est l'abc de la mecanique.

—La seconde, continua l'astrologue, c'est, en arrivant a la residence, de cacher avec soin que nous avons amene avec nous le jeune homme destine a casser la noix Krakatuk; car j'ai dans l'idee que, plus il y aura de dents cassees et de machoires demontees, en essayant de briser la noisette Krakatuk, plus le roi offrira une precieuse recompense a qui reussira ou tant d'autres auront echoue.

—Mon cher ami, repondit le mecanicien, vous etes un homme plein de sens. Allons nous coucher.

Et, a ces mots, ayant quitte la terrasse et etant redescendus dans leur chambre, les deux amis se coucherent, et, enfoncant leurs bonnets de coton sur leurs oreilles, s'endormirent plus paisiblement qu'ils ne l'avaient encore fait depuis quatorze ans et neuf mois.

Le lendemain, des le matin, les deux amis descendirent chez Zacharias, et lui firent part de tous les beaux projets qu'ils avaient formes la veille. Or, comme Zacharias ne manquait pas d'ambition, et que, dans son amour-propre paternel, il se flattait que son fils devait etre une des plus fortes machoires d'Allemagne, il accepta avec enthousiasme la combinaison qui tendait a faire sortir de sa boutique non-seulement la noisette, mais encore le casse-noisette.

Le jeune homme fut plus difficile a decider. Cette tresse qu'on devait lui appliquer a la nuque, en remplacement de la bourse elegante qu'il portait avec tant de grace, l'inquietait surtout particulierement. Cependant l'astrologue, son oncle et son pere lui firent de si belles promesses, qu'il se decida. En consequence, comme Elias Drosselmayer s'etait mis a l'oeuvre l'instant meme, la tresse fut bientot achevee et vissee solidement a la nuque de ce jeune homme plein d'esperance. Hatons-nous de dire, pour satisfaire la curiosite de nos lecteurs, que cet appareil ingenieux reussit parfaitement bien, et que, des le premier jour, notre habile mecanicien obtint les plus brillants resultats sur les noyaux d'abricot les plus durs et sur les noyaux de peche les plus obstines.

Ces experiences faites, l'astrologue, le mecanicien et le jeune Drosselmayer se mirent immediatement en route pour la residence. Zacharias eut bien voulu les accompagner; mais, comme il fallait quelqu'un pour garder sa boutique, cet excellent pere se sacrifia et demeura a Nuremberg.

Fin de l'histoire de la princesse Pirlipate.

Le premier soin du mecanicien et de l'astrologue, en arrivant la cour, fut de laisser le jeune Drosselmayer a l'auberge, et d'aller annoncer au palais que apres l'avoir cherchee inutilement dans les quatre parties du monde, ils avaient enfin trouve la noix Krakatuk a Nuremberg; mais de celui qui la devait casser, comme il etait convenu entre eux, ils n'en dirent pas un mot.

La joie fut grande au palais. Aussitot le roi envoya chercher le conseiller intime, surveillant de l'esprit public, lequel avait la haute main sur tous les journaux, et lui ordonna de rediger pour le Moniteur royal une note officielle que les redacteurs des autres gazettes seraient forces de repeter, et qui portait en substance que tous ceux qui se croiraient d'assez bonnes dents pour casser la noisette Krakatuk n'avaient qu'a se presenter au palais, et, l'operation faite, recevraient une recompense considerable.

C'est dans une circonstance pareille seulement qu'on peut apprecier tout ce qu'un royaume contient de machoires. Les concurrents etaient en si grand nombre, qu'on fut oblig d'etablir un jury preside par le dentiste de la couronne, lequel examinait les concurrents, pour voir s'ils avaient bien leurs trente-deux dents, et si aucune de ces dents n'etait gatee.

Trois mille cinq cents candidats furent admis a cette premiere epreuve, qui dura huit jours, et qui n'offrit d'autre resultat qu'un nombre indefini de dents brisees et de mandibules demises.

Il fallut donc se decider a faire un second appel. Les gazettes nationales et etrangeres furent couvertes de reclames. Le roi offrait la place de president perpetuel de l'Academie et l'ordre de l'Araignee d'or a la machoire superieure qui parviendrait briser la noisette Krakatuk. On n'avait pas besoin d'etre lettr pour concourir.

Cette seconde epreuve fournit cinq mille concurrents. Tous les corps savants d'Europe envoyerent leurs representants a cet important congres. On y remarquait plusieurs membres de l'Academie francaise, et, entre autres, son secretaire perpetuel, lequel ne put concourir, a cause de l'absence de ses dents, qu'il s'etait brisees en essayant de dechirer les oeuvres de ses confreres.

Cette seconde epreuve, qui dura quinze jours, fut, helas! plus desastreuse encore que la premiere. Les delegues des societes savantes, entre autres, s'obstinerent, pour l'honneur du corps auquel ils appartenaient, a vouloir briser la noisette; mais ils y laisserent leurs meilleures dents.

Quant a la noisette, sa coquille ne portait pas meme la trace des efforts qu'on avait faits pour l'entamer.

Le roi etait au desespoir; il resolut de frapper un grand coup, et, comme il n'avait pas de descendant male, il fit publier, par une troisieme insertion dans les gazettes nationales et etrangeres, que la main de la princesse Pirlipate etait accordee et la succession au trone acquise a celui qui briserait la noisette Krakatuk. Le seul article qui fut obligatoire, c'est que, cette fois, les concurrents devaient etre ages de seize vingt-quatre ans.

La promesse d'une pareille recompense remua toute l'Allemagne. Les candidats arriverent de tous les coins de l'Europe; et il en serait meme venu de l'Asie, de l'Afrique et de l'Amerique, ainsi que de cette cinquieme partie du monde qu'avaient decouverte Elias Drosselmayer et son ami l'astrologue, si, le temps ayant ete limite, les lecteurs n'eussent judicieusement reflechi qu'au moment ou ils lisaient la susdite annonce, l'epreuve etait en train de s'accomplir ou meme etait deja accomplie.

Cette fois, le mecanicien et l'astrologue penserent que le moment etait venu de produire le jeune Drosselmayer, car il n'etait pas possible au roi d'offrir un prix plus haut que celui qu'il etait arrive a mettre, une recompense plus belle que celle qu'il en etait venu a offrir. Seulement, confiants dans le succes, quoique, cette fois, une foule de princes aux machoires royales ou imperiales se fussent presentes, ils ne se presenterent au bureau des inscriptions (on est libre de confondre avec celui des inscriptions et belles-lettres), qu'au moment ou il allait se fermer, de sorte que le nom de Nathaniel Drosselmayer se trouva porte sur la liste le 11,375e et dernier.

Il en fut de cette fois-ci comme des autres, les 11,374 concurrents de Nathaniel Drosselmayer furent mis hors de combat, et le dix-neuvieme jour de l'epreuve, a onze heures trente-cinq minutes du matin, comme la princesse accomplissait sa quinzieme annee, le nom de Nathaniel Drosselmayer fut appele.

Le jeune homme se presenta accompagne de ses parrains, c'est-a-dire du mecanicien et de l'astrologue.

C'etait la premiere fois que ces deux illustres personnages revoyaient la princesse depuis qu'ils avaient quitte son berceau, et, depuis ce temps, il s'etait fait de grands changements en elle; mais, il faut le dire avec notre franchise d'historien, ce n'etait point a son avantage: lorsqu'ils la quitterent, elle n'etait qu'affreuse; depuis ce temps, elle etait devenue effroyable.

En effet, son corps avait fort grandi, mais sans prendre aucune importance. Aussi ne pouvait-on comprendre comment ces jambes greles, ces hanches sans force, ce torse tout ratatine, pouvaient soutenir la monstrueuse tete qu'ils supportaient. Cette tete se composait des memes cheveux herisses, des memes yeux verts, de la meme bouche immense, du meme menton cotonneux que nous avons dit; seulement, tout cela avait pris quinze ans de plus.

En apercevant ce monstre de laideur, le pauvre Nathaniel frissonna et demanda au mecanicien et a l'astrologue s'ils etaient bien surs que l'amande de la noisette Krakatuk dut rendre la beaute a la princesse, attendu que, si elle demeurait dans l'etat ou elle se trouvait, il etait dispose a tenter l'epreuve, pour la gloire de reussir ou tant d'autres avaient echoue, mais laisser l'honneur du mariage et le profit de la succession au trone a qui voudrait bien les accepter. Il va sans dire que le mecanicien et l'astrologue rassurerent leur filleul, lui affirmant que, la noisette une fois cassee, et l'amande une fois mangee, Pirlipate redeviendrait a l'instant meme la plus belle princesse de la terre.

Mais, si la vue de la princesse Pirlipate avait glace d'effroi le coeur du pauvre Nathaniel, il faut le dire en l'honneur du pauvre garcon, sa presence a lui avait produit un effet tout contraire sur le coeur sensible de l'heritiere de la couronne, et elle n'avait pu s'empecher de s'ecrier en le voyant:

—Oh! que je voudrais bien que ce fut celui-ci qui cassat la noisette.

Ce a quoi la surintendante de l'education de la princesse repondit:

—Je crois devoir faire observer a Votre Altesse qu'il n'est point d'habitude qu'une jeune et jolie princesse comme vous etes dise tout haut son opinion en ces sortes de matieres.

En effet, Nathaniel etait fait pour tourner la tete a toutes les princesses de la terre. Il avait une petite polonaise de velours violet a brandebourgs et a boutons d'or, que son oncle lui avait fait faire pour cette occasion solennelle, une culotte pareille, de charmantes petites bottes, si bien vernies et si bien collantes, qu'on les aurait crues peintes. Il n'y avait que cette malheureuse queue de bois vissee a sa nuque, qui gatait un peu cet ensemble; mais, en lui mettant des rallonges, l'oncle Drosselmayer lui avait donne la forme d'un petit manteau, et cela pouvait, a la rigueur, passer pour un caprice de toilette, ou pour quelque mode nouvelle que le tailleur de Nathaniel tachait, vu la circonstance, d'introduire tout doucement a la cour.

Aussi, en voyant entrer le charmant petit jeune homme, ce que la princesse avait eu l'imprudence de dire tout haut, chacune des assistantes se le dit tout bas, et il n'y eut pas une seule personne, pas meme le roi et la reine, qui ne desirat dans le fond de l'ame que Nathaniel sortit vainqueur de l'entreprise dans laquelle il etait engage.

De son cote, le jeune Drosselmayer s'approcha avec une confiance qui redoubla l'espoir qu'on avait en lui. Arrive devant l'estrade royale, il salua le roi et la reine, puis la princesse Pirlipate, puis les assistante; apres quoi, il recut du grand maitre des ceremonies la noisette Krakatuk, la prit delicatement entre l'index et le pouce, comme fait un escamoteur d'une muscade, l'introduisit dans sa bouche, donna un violent coup de poing sur la tresse de bois, et CRIC! CRAC! brisa la coquille en plusieurs morceaux.

Puis, aussitot, il debarrassa adroitement l'amande des filaments qui y etaient attaches, et la presenta a la princesse, en lui tirant un gratte-pied aussi elegant que respectueux, apres quoi il ferma les yeux et commenca a marcher a reculons. Aussitot la princesse avala l'amande, et, a l'instant meme, o miracle! le monstre difforme disparut, et fut remplace par une jeune fille d'une angelique beaute. Son visage semblait tissu de flocons de soie roses comme les roses et blancs comme les lis; ses yeux etaient d'etincelant azur, et ses boucles abondantes formees par des fils d'or retombaient sur ses epaules d'albatre. Aussitot les trompettes et les cymbales sonnerent a tout rompre. Les cris de joie du peuple repondirent au bruit des instruments. Le roi, les ministres, les conseillers et les juges, comme lors de la naissance de Pirlipate, se mirent a danser a cloche-pied, et il fallut jeter de l'eau de Cologne au visage de la reine, qui s'etait evanouie de ravissement.

Ce grand tumulte troubla fort le jeune Nathaniel Drosselmayer, qui, on se le rappelle, avait encore, pour achever sa mission, faire les sept pas en arriere; pourtant il se maitrisa avec une puissance qui donna les plus hautes esperances pour l'epoque o il regnerait a son tour, et il allongeait precisement la jambe pour achever son septieme pas, quand, tout a coup, la reine des souris perca le plancher, piaulant affreusement, et vint s'elancer entre ses jambes; de sorte qu'au moment ou le futur prince royal reposait le pied a terre, il lui appuya le talon en plein sur le corps, ce qui le fit trebucher de telle facon, que peu s'en fallut qu'il ne tombat.

O fatalite! Au meme instant, le beau jeune homme devin aussi difforme que l'avait ete avant lui la princesse: ses jambes s'amincirent, son corps ratatine pouvait a peine soutenir son enorme et hideuse tete, ses yeux, devinrent verts, hagards et fleur de tete; enfin sa bouche se fendit jusqu'aux oreilles, et sa jolie petite barbe naissante se changea en une substance blanche et molle, que plus tard on reconnut etre du coton.

Mais la cause de cet evenement en avait ete punie en meme temps qu'elle le causait. Dame Souriconne se tordait sanglante sur le plancher: sa mechancete n'etait donc pas restee impunie. En effet, le jeune Drosselmayer l'avait pressee si violemment contre le plancher avec le talon de sa botte, que la compression avait ete mortelle. Aussi, tout en se tordant, dame Souriconne criait de toute la force de sa voix agonisante:

Krakatuk! Krakatuk! o noisette si dure,
C'est a toi que je dois le trepas que j'endure.
Hi... hi... hi... hi...
Mais l'avenir me garde une revanche prete:
Mon fils me vengera sur toi, Casse-Noisette!
Pi... pi... pi... pi...

Adieu la vie,
Trop tot ravie!
Adieu le ciel,
Coupe de miel!
Adieu le monde,
Source feconde...
Ah! je me meurs!
Hi! pi pi! couic!!!

Le dernier soupir de dame Souriconne n'etait peut-etre pas tres-bien rime; mais, s'il est permis de faire une faute de versification, c'est, on en conviendra, en rendant le dernier soupir!

Ce dernier soupir rendu, on appela le grand feutrier de la cour, lequel prit dame Souriconne par la queue et l'emporta, s'engageant a la reunir aux malheureux debris de sa famille, qui, quinze ans et quelques mois auparavant, avaient ete enterres dans un commun tombeau.

Comme, au milieu de tout cela, personne que le mecanicien et l'astrologue ne s'etait occupe de Nathaniel Drosselmayer, la princesse, qui ignorait l'accident qui etait arrive, ordonna que le jeune heros fut amene devant elle; car, malgre la semonce de la surintendante de son education, elle avait hate de le remercier. Mais, a peine eut-elle apercu le malheureux Nathaniel, qu'elle cacha sa tete dans ses deux mains, et que, oubliant le service qu'il lui avait rendu, elle s'ecria:

—A la porte, a la porte, l'horrible Casse-Noisette! a la porte! a la porte! a la porte!

Aussitot le grand marechal du palais prit le pauvre Nathaniel par les epaules et le poussa sur l'escalier.

Le roi, plein de rage de ce qu'on avait ose lui proposer un casse-noisette pour gendre, s'en prit a l'astrologue et au mecanicien, et, au lieu de la rente de dix mille thalers et de la lunette d'honneur qu'il devait donner au premier, au lieu de l'epee en diamant, du grand ordre royal de l'Araignee d'or et de la redingote jaune qu'il devait donner au second, il les exila hors de son royaume, ne leur donnant que vingt-quatre heures pour en franchir les frontieres. Il fallut obeir. Le mecanicien, l'astrologue et le jeune Drosselmayer, devenu casse-noisette, quitterent la capitale et traverserent la frontiere. Mais, a la nuit venue, les deux savants consulterent de nouveau les etoiles et lurent dans la conjonction des astres que, tout contrefait qu'il etait, leur filleul n'en deviendrait pas moins prince et roi, s'il n'aimait mieux toutefois rester simple particulier, ce qui serait laisse a son choix; et cela arriverait quand sa difformite aurait disparu; et sa difformite disparaitrait, quand il aurait commande en chef un combat, dans lequel serait tue le prince que, apres la mort de ses sept premiers fils, dame Souriconne avait mis au monde avec sept tetes, et qui etait le roi actuel des souris; enfin, lorsque, malgre sa laideur, Casse-Noisette serait parvenu a se faire aimer d'une jolie dame.

En attendant ces brillantes destinees, Nathaniel Drosselmayer, qui etait sorti de la boutique paternelle en qualite de fils unique, y rentra en qualite de casse-noisette.

Il va sans dire que son pere ne le reconnut aucunement et que, lorsqu'il demanda a son frere le mecanicien et a son ami l'astrologue ce qu'etait devenu son fils bien-aime, les deux illustres personnages repondirent, avec cet aplomb qui caracterise les savants, que le roi et la reine n'avaient pas voulu se separer du sauveur de la princesse, et que le jeune Nathaniel etait reste a la cour, comble de gloire et d'honneur.

Quant au malheureux Casse-Noisette, qui sentait tout ce que sa position avait de penible, il ne souffla pas le mot, attendant de l'avenir le changement qui devait s'operer en lui. Cependant, nous devons avouer que, malgre la douceur de son caractere et la philosophie de son esprit, il gardait, au fond de son enorme bouche, une de ses plus grosses dents a l'oncle Drosselmayer, qui, l'etant venu chercher au moment ou il y pensait le moins, et l'ayant seduit par ses belles promesses, etait la seule et unique cause du malheur epouvantable qui lui etait arrive.

Voila, mes chers enfants, l'histoire de la noisette Krakatuk et de la princesse Pirlipate, telle que la raconta le parrain Drosselmayer a la petite Marie, et vous savez pourquoi l'on dit maintenant d'une chose difficile:

<<C'est une dure noisette a casser.

L'oncle et le neveu

Si quelqu'un de mes jeunes lecteurs ou quelqu'une de mes jeunes lectrices s'est jamais coupe avec du verre, ce qui a du leur arriver aux uns ou aux autres dans leurs jours de desobeissance, ils doivent savoir, par experience, que c'est une coupure particulierement desagreable en ce qu'elle ne finit pas de guerir. Marie fut donc forcee de passer une semaine entiere dans son lit, car il lui prenait des etourdissements aussitot qu'elle essayait de se lever; enfin elle se retablit tout a fait et put sautiller par la chambre comme auparavant.

Ou l'on est injuste envers notre petite heroine, ou l'on comprendra facilement que sa premiere visite fut pour l'armoire vitree: elle presentait un aspect des plus charmants: le carreau casse avait ete remis, et derriere les autres carreaux, nettoyes scrupuleusement par mademoiselle Trudchen, apparaissaient neufs, brillants et vernisses, les arbres, les maisons et les poupees de la nouvelle annee. Mais, au milieu de tous les tresors de son royaume enfantin, avant toutes choses, ce que Marie apercut, ce fut son casse-noisette, qui lui souriait du second rayon ou il etait place, et cela avec des dents en aussi bon etat qu'il en avait jamais eu. Tout en contemplant avec bonheur son favori, une pensee qui s'etait deja plus d'une fois presentee a l'esprit de Marie revint lui serrer le coeur. Elle songea que tout ce que parrain Drosselmayer avait raconte etait non pas un conte, mais l'histoire veritable des dissensions de Casse-Noisette avec feu la reine des souris et son fils le prince regnant: des lors elle comprenait que Casse-Noisette ne pouvait etre autre que le jeune Drosselmayer de Nuremberg, l'agreable mais ensorcele neveu du parrain; car, que l'ingenieux mecanicien de la cour du roi, pere de Pirlipate, fut autre que le conseiller de medecine Drosselmayer, de ceci elle n'en avait jamais doute, du moment o elle l'avait vu dans la narration apparaitre avec sa redingote jaune; et cette conviction s'etait encore raffermie, quand elle lui avait successivement vu perdre ses cheveux par un coup de soleil, et son oeil par un coup de fleche, ce qui avait necessit l'invention de l'affreux emplatre, et l'invention de l'ingenieuse perruque de verre, dont nous avons parle au commencement de cette histoire.

—Mais pourquoi ton oncle ne t'a-t-il pas secouru, pauvre Casse-Noisette? se disait Marie en face de l'armoire vitree, et tout en regardant son protege, et en pensant que, du succes de la bataille, dependait le desensorcellement du pauvre petit bonhomme, et son elevation au rang de roi du royaume des poupees, si pretes, du reste, a subir cette domination, que, pendant tout le combat, Marie se le rappelait, les poupees avaient obei Casse-Noisette comme des soldats a un general; et cette insouciance du parrain Drosselmayer faisait d'autant plus de peine a Marie, qu'elle etait certaine que ces poupees, auxquelles, dans son imagination, elle pretait le mouvement et la vie, vivaient et remuaient reellement.

Cependant, a la premiere vue du moins, il n'en etait pas ainsi dans l'armoire, car tout y demeurait tranquille et immobile; mais Marie, plutot que de renoncer a sa conviction interieure, attribuait tout cela a l'ensorcellement de la reine des souris et de son fils; elle entra si bien dans ce sentiment, qu'elle continua bientot, tout en regardant Casse-Noisette, de lui dire tout haut ce qu'elle avait commence de lui dire tout bas.

—Cependant, reprit-elle, quand bien meme vous ne seriez pas en etat de vous remuer, et empeche, par l'enchantement qui vous tient, de me dire le moindre petit mot, je sais tres-bien, mon cher monsieur Drosselmayer, que vous me comprenez parfaitement, et que vous connaissez a fond mes bonnes intentions a votre egard; comptez donc sur mon appui si vous en avez besoin. En attendant, soyez tranquille; je vais bien prier votre oncle de venir a votre aide, et il est si adroit, qu'il faut esperer que, pour peu qu'il vous aime un peu, il vous secourra.

Malgre l'eloquence de ce discours, Casse-Noisette ne bougea point; mais il sembla a Marie qu'un soupir passa tout doucement travers l'armoire vitree, dont les glaces se mirent a resonner bien bas, mais d'une facon si miraculeusement tendre, qu'il semblait a Marie qu'une voix douce comme une petite clochette d'argent disait:

—Chere petite Marie, mon ange gardien, je serai a toi; Marie, moi!

Et, a ces paroles mysterieusement entendues, Marie, a travers le frisson qui courut par tout son corps, sentit un bien-etre singulier s'emparer d'elle.

Cependant le crepuscule etait arrive. Le president entra avec le conseiller de medecine Drosselmayer. Au bout d'un instant, mademoiselle Trudchen avait prepare la table a the, et toute la famille etait rangee autour de la table, causant gaiement. Quant a Marie, elle avait ete chercher son petit fauteuil, et s'etait assise silencieusement aux pieds du parrain Drosselmayer; alors, dans un moment ou tout le monde faisait silence, elle leva ses grands yeux bleus sur le conseiller de medecine, et, le regardant fixement an visage:

—Je sais maintenant, dit-elle, cher parrain Drosselmayer, que mon casse-noisette est ton neveu le jeune Drosselmayer de Nuremberg. Il est devenu prince et roi du royaume des poupees, comme l'avait si bien predit ton compagnon l'astrologue; mais tu sais bien qu'il est en guerre ouverte et acharnee avec le roi des souris. Voyons, cher parrain Drosselmayer, pourquoi n'es-tu pas venu a son aide quand tu etais en chouette, a cheval sur la pendule? et maintenant encore, pourquoi l'abandonnes-tu?

Et, a ces mots, Marie raconta de nouveau, au milieu des eclats de rire de son pere, de sa mere et de mademoiselle Trudchen, toute cette fameuse bataille dont elle avait ete spectatrice. Il n'y eut que Fritz et le parrain Drosselmayer qui ne sourcillerent point.

—Mais ou donc, dit le parrain, cette petite fille va-t-elle chercher toutes les sottises qui lui passent par l'esprit?

—Elle a l'imagination tres-vive, repondit sa mere, et, au fond, ce ne sont que des reves et des visions occasionnes par sa fievre.

—Et la preuve, dit Fritz, c'est qu'elle raconte que mes hussards rouges ont pris la fuite; ce qui ne saurait etre vrai, a moins qu'ils ne soient d'abominables poltrons, auquel cas, sapristi! ils ne risqueraient rien, et je les bousculerais d'une belle facon!

Mais, tout en souriant singulierement, le parrain Drosselmayer prit la petite Marie sur ses genoux, et lui dit avec plus de douceur qu'auparavant:

—Chere enfant, tu ne sais pas dans quelle voie tu t'engages en prenant aussi chaudement les interets de Casse-Noisette: tu auras beaucoup a souffrir, si tu continues a prendre ainsi parti pour le pauvre disgracie; car le roi des souris, qui le tient pour le meurtrier de sa mere, le poursuivra par tous les moyens possibles. Mais, en tous cas, ce n'est pas moi, entends-tu bien, c'est toi seule qui peux le sauver: sois ferme et fidele, et tout ira bien.

Ni Marie ni personne ne comprit rien au discours du parrain; il y a plus, ce discours parut meme si etrange au president, qu'il prit sans souffler le mot la main du conseiller de medecine, et, apres lui avoir tate le pouls:

—Mon bon ami, lui dit-il comme Bartholo a Basile, vous avez une grande fievre, et je vous conseille d'aller vous coucher.

La capitale

Pendant la nuit qui suivit la scene que nous venons de raconter, comme la lune, brillant de tout son eclat, faisait glisser un rayon lumineux entre les rideaux mal joints de la chambre, et que, pres de sa mere, dormait la petite Marie, celle-ci fut reveillee par un bruit qui semblait venir du coin de la chambre, mele de sifflements aigus et de piaulements prolonges.

—Helas! s'ecria Marie, qui reconnut ce bruit pour l'avoir entendu pendant la fameuse soiree de la bataille; helas! voil les souris qui reviennent Maman, maman, maman!

Mais, quelques efforts qu'elle fit, sa voix s'eteignit dans sa bouche. Elle essaya de se sauver; mais elle ne put remuer ni bras ni jambes, et resta comme clouee dans son lit; alors, en tournant ses yeux effrayes vers le coin de la chambre ou l'on entendait le bruit, elle vit le roi des souris qui se grattait un passage a travers le mur, passant, par le trou qui allait s'elargissant, d'abord une de ses tetes, puis deux, puis trois, puis enfin ses sept tetes, ayant chacune sa couronne, et qui, apres avoir fait plusieurs tours dans la chambre, comme un vainqueur qui prend possession de sa conquete, s'elanca d'un bond sur la table, qui etait placee a cote du lit de la petite Marie. Arrive la, il la regarda de ses yeux brillants comme des escarboucles, sifflotant et grincant des dents, tout en disant:

—Hi hi hi! il faut que tu me donnes tes dragees et tes massepains, petite fille, ou sinon, je devorerai ton ami Casse-Noisette.

Puis, apres avoir fait cette menace, il s'enfuit de la chambre par le meme trou qu'il avait fait pour entrer.

Marie etait si effrayee de cette terrible apparition, que, le lendemain, elle se reveilla tonte pale et le coeur tout serre, et cela avec d'autant plus de raison, qu'elle n'osait raconter, de peur qu'on ne se moquat d'elle, ce qui lui etait arrive pendant la nuit. Vingt fois le recit lui vint sur les levres, soit vis-a-vis de sa mere, soit vis-a-vis de Fritz; mais elle s'arreta, toujours convaincue que ni l'un ni l'autre ne la voudrait croire; seulement, ce qui lui parut le plus clair dans tout cela, c'est qu'il lui fallait sacrifier au salut de Casse-Noisette ses dragees et ses massepains; en consequence, elle deposa, le soir du meme jour tout ce qu'elle en possedait sur le bord de l'armoire.

Le lendemain, la presidente dit:

—En verite, je ne sais, pas d'ou viennent les souris qui ont tout a coup fait irruption chez nous; mais regarde, ma pauvre Marie, continua-t-elle en amenant la petite fille au salon, ces mechantes betes ont devore toutes les sucreries.

La presidente faisait une erreur, c'est *gate* qu'elle aurait d dire; car ce gourmand de roi des souris, tout en ne trouvant pas les massepains de son gout, les avait tellement grignotes, qu'on fut oblige de les jeter.

Au reste, comme ce n'etait pas non plus les bonbons que Marie preferait, elle n'eut pas un bien vif regret du sacrifice qu'avait exige d'elle le roi des souris; et, croyant qu'il se contenterait de cette premiere contribution dont il l'avait frappee, elle fut fort satisfaite de penser qu'elle avait sauv Casse-Noisette a si bon marche.

Malheureusement, sa satisfaction ne fut pas longue; la nuit suivante, elle se reveilla en entendant piauler et siffloter ses oreilles.

Helas! c'etait encore le roi des souris, dont les yeux etincelaient plus horriblement que la nuit precedente, et qui, de sa meme voix entremelee de sifflements et de piaulements, lui dit:

—Il faut que ta me donnes tes poupees en sucre et en biscuit, petite fillette, ou sinon, je devorerai ton ami Casse-Noisette.

Et, la-dessus, le roi des souris s'en alla tout en sautillant et disparut par son trou.

Le lendemain, Marie, fort affligee, s'en alla droit a l'armoire vitree, et, arrivee la elle jeta un regard melancolique sur ses poupees en sucre et en biscuit; et certes, sa douleur etait bien naturelle, car jamais on n'avait vu plus friandes petites figures que celles que possedait la petite Marie.

—Helas! dit-elle en se tournant vers le casse-noisette, cher monsieur Drosselmayer, que ne ferais-je pas pour vous sauver! Cependant, vous en conviendrez, ce qu'on exige de moi est bien dur.

Mais, a ces paroles, Casse-Noisette prit un air si lamentable, que Marie, qui croyait toujours voir les machoires du roi des souris s'ouvrir pour le devorer, resolut de faire encore ce sacrifice pour sauver le malheureux jeune homme. Le soir meme, elle mit donc les poupees de sucre et de biscuit sur le bord de l'armoire, comme la veille elle y avait mis les dragees et les massepains. Baisant cependant, en maniere d'adieu, les uns apres les autres, ses bergers, ses bergeres et leurs moutons, cachant derriere toute la troupe un petit enfant aux joues arrondies qu'elle aimait particulierement.

—Ah! c'est trop fort! s'ecria le lendemain la presidente; il faut decidement que d'affreuses souris aient etabli leur domicile dans l'armoire vitree, car toutes les poupees de la pauvre Marie sont devorees,

A cette nouvelle, de grosses larmes sortirent des yeux de Marie; mais presque aussitot elles se secherent, firent place a un doux sourire, car interieurement elle se disait:

—Qu'importent bergers, bergeres et moutons, puisque Casse-Noisette est sauve!

—Mais, dit Fritz, qui avait assiste d'un air reflechi a toute la conversation, je te rappellerai, petite maman, que le boulanger a un excellent conseiller de legation gris, que l'on pourrait envoyer chercher, et qui mettra bientot fin a tout ceci en croquant les souris les unes apres les autres, et, apres les souris, dame Souriconne elle-meme, et le roi des souris comme madame sa mere.

—Oui, repondit la presidente; mais ton conseiller de legation, en sautant sur les tables et les cheminees, me mettra eu morceaux mes tasses et mes verres.

—Ah! ouiche! dit Fritz, il n'y a pas de danger; le conseiller de legation du boulanger est un gaillard trop adroit pour commettre de pareilles bevues, et je voudrais bien pouvoir marcher sur le bord des gouttieres et sur la crete des toits avec autant d'adresse et de solidite que lui.

—Pas de chats dans la maison! pas de chats ici! s'ecria la presidente, qui ne pouvait pas les souffrir.

—Mais, dit le president, attire par le bruit, il y a quelque chose de bon a prendre dans ce qu'a dit M. Fritz: ce serait, au lieu d'un chat, d'employer des souricieres.

—Pardieu! s'ecria Fritz, cela tombe a merveille, puisque c'est parrain Drosselmayer qui les a inventees.

Tout le monde se mit a rire, et, comme, apres perquisitions faites dans la maison, il fut reconnu qu'il n'y existait aucun instrument de ce genre, on envoya chercher une excellente souriciere chez parrain Drosselmayer, laquelle fut amorcee d'un morceau de lard, et tendue a l'endroit meme ou les souris avaient fait un si grand degat la nuit precedente.

Marie se coucha donc dans l'espoir que, le lendemain, le roi des souris se trouverait pris dans la boite, ou ne pouvait manquer de le conduire sa gourmandise. Mais, vers les onze heures du soir, et comme elle etait dans son premier sommeil, elle fut reveillee par quelque chose de froid et de velu qui sautillait sur ses bras et sur son visage; puis, au meme instant, ce piaulement et ce sifflement qu'elle connaissait si bien retentit a ses oreilles. L'affreux roi des souris etait la sur son traversin, les yeux scintillant d'une flamme sanglante, et ses sept gueules ouvertes, comme s'il etait pret a devorer la pauvre Marie.

—Je m'en moque, je m'en moque, disait le roi des souris, je n'irai pas dans la petite maison, et ton lard ne me tente pas; je ne serai pas pris: je m'en moque. Mais il faut que tu me donnes tes livres d'images et ta petite robe de soie; autrement, prends-y garde, je devorerai ton Casse-Noisette.

On comprend qu'apres une telle exigence, Marie se reveilla le lendemain l'ame pleine de douleur et les yeux pleins de larmes. Aussi sa mere ne lui apprit-elle rien de nouveau lorsqu'elle lui dit que la souriciere avait ete inutile, et que le roi des souris s'etait doute de quelque piege. Alors, comme la presidente sortait pour veiller aux apprets du dejeuner, Marie entra dans le salon, et, s'avancant en sanglotant vers l'armoire vitree:

—Helas! mon bon et cher monsieur Drosselmayer, dit-elle, o donc cela s'arretera-t-il? Quand j'aurai donne au roi des souris mes jolis livres d'images a dechirer, et ma belle petite robe de soie, dont l'enfant Jesus m'a fait cadeau le jour de Noel, mettre en morceaux, il ne sera pas content encore, et tous les jours m'en demandera davantage; si bien que, lorsque je n'aurai plus rien a lui donner, peut-etre me devorera-t-il a votre place. Helas! pauvre enfant que je suis, que dois-je donc faire, mon bon et cher monsieur Drosselmayer? que dois-je donc faire? Et tout en pleurant, et tout en se lamentant ainsi, Marie s'apercut que Casse-Noisette avait au cou une tache de sang. Du jour o Marie avait appris que son protege etait le fils du marchand de joujoux et le neveu du conseiller de medecine, elle avait cess de le porter dans ses bras, et ne l'avait plus ni caresse ni embrasse, et sa timidite a son egard etait si grande, qu'elle n'avait pas meme ose le toucher du bout du doigt. Mais en ce moment, voyant qu'il etait blesse, et craignant que sa blessure ne fut dangereuse, elle le sortit doucement de l'armoire, et se mit a essuyer avec son mouchoir la tache de sang qu'il avait au cou. Mais quel fut son etonnement lorsqu'elle sentit tout a coup que Casse-Noisette commencait a se remuer dans sa main! Elle le reposa vivement sur son rayon; alors sa bouche s'agita de droite et de gauche, ce qui la fit paraitre plus grande encore, et, force de mouvements, finit a grand'peine par articuler ces mots:

—Ah! tres-chere demoiselle Silberhaus, excellente amie a moi, que ne vous dois-je pas, et que de remerciements n'ai-je pas vous faire! Ne sacrifiez donc pas pour moi vos livres d'images et votre robe de soie; procurez-moi seulement une epee, mais une bonne epee, et je me charge du reste.

Casse-Noisette voulait en dire plus long encore; mais ses paroles devinrent inintelligibles, sa voix s'eteignit tout a fait, et ses yeux, un moment animes par l'expression de la plus douce melancolie, devinrent immobiles et atones. Marie n'eprouva aucune terreur; au contraire, elle sauta de joie, car elle etait bienheureuse de pouvoir sauver Casse-Noisette, sans avoir a lui faire le sacrifice de ses livres d'images et de sa robe de soie. Une seule chose l'inquietait, c'etait de savoir ou elle trouverait cette bonne epee que demandait le petit bonhomme; Marie resolut alors de s'ouvrir de son embarras a Fritz, que, part sa forfanterie, elle savait etre un obligeant garcon. Elle l'amena donc devant l'armoire vitree, lui raconta tout ce qui lui etait arrive avec Casse-Noisette et le roi des souris, et finit par lui exposer le genre de service qu'elle attendait de lui. La seule chose qui impressionna Fritz dans ce recit, fut d'apprendre que bien reellement ses hussards avaient manque de coeur au plus fort de la bataille; aussi demanda-t-il a Marie si l'accusation etait bien vraie, et, comme il savait la petite fille incapable de mentir, sur son affirmation, il s'elanca vers l'armoire, et fit a ses hussards un discours qui parut leur inspirer une grande honte. Mais ce ne fut pas tout: pour punir tout le regiment dans la personne de ses chefs, il degrada les uns apres les autres tous les officiers, et defendit expressement aux trompettes de jouer pendant un an la marche des *Hussards de la garde*; puis, se retournant vers Marie:

—Quant a Casse-Noisette, dit-il, qui me parait un brave garcon, je crois que j'ai son affaire: comme j'ai mis hier a la reforme, avec sa pension, bien entendu, an vieux major de cuirassiers qui avait fini son temps de service, je presume qu'il n'a plus besoin de son sabre, lequel etait une excellente lame.

Restait a trouver le major; on se mit a sa recherche, et on le decouvrit mangeant la pension que Fritz lui avait faite, dans une petite auberge perdue, au coin le plus recule du troisieme rayon de l'armoire. Comme l'avait pense Fritz, il ne fit aucune difficulte de rendre son sabre, qui lui etait devenu inutile et qui fat, a l'instant meme, passe au cou de Casse-Noisette.

La frayeur qu'eprouvait Marie l'empecha de s'endormir la nuit suivante; aussi etait-elle si bien eveillee, qu'elle entendit sonner les douze coups de l'horloge du salon. A peine la vibration du dernier coup eut-elle cesse, que de singulieres rumeurs retentirent du cote de l'armoire, et qu'on entendit un grand cliquetis d'epees, comme si deux adversaires acharnes en venaient aux mains. Tout a coup l'un des deux combattants fit *couic!*

—Le roi des souris! s'ecria Marie pleine de joie et de terreur a la fois.

Rien ne bougea d'abord; mais bientot on frappa doucement, bien doucement a la porte, et une petite voix flutee fit entendre ces paroles:

—Bien chere demoiselle Silberhaus, j'apporte une joyeuse nouvelle; ouvrez-moi donc, je vous en supplie.

Marie reconnut la voix du jeune Drosselmayer; elle passa en toute hate sa petite robe et ouvrit lestement la porte. Casse-Noisette etait la, tenant son sabre sanglant dans sa main droite, et une bougie dans sa main gauche. Aussitot qu'il apercut Marie, il flechit le genou devant elle et dit:

—C'est vous seule, o Madame, qui m'avez anime du courage chevaleresque que je viens de deployer, et qui avez donne a mon bras la force de combattre l'insolent qui osa vous menacer: ce miserable roi des souris est la, baigne dans son sang. Voulez-vous, o Madame, ne pas dedaigner les trophees de la victoire, offerts de la main d'un chevalier qui vous sera devou jusqu'a la mort?

Et, en disant cela, Casse-Noisette tira de son bras gauche les sept couronnes d'or du roi des souris, qu'il y avait passees en guise de bracelets, et les offrit a Marie, qui les accepta avec joie.

Alors Casse-Noisette, encourage par cette bienveillance, se releva et continua ainsi:

—Ah! ma chere demoiselle Silberhaus, maintenant que j'ai vaincu mon ennemi, quelles admirables choses ne pourrais-je pas vous faire voir si vous aviez la condescendance de m'accompagner seulement pendant quelques pas. Oh! faites-le, faites-le, ma chere demoiselle, je vous en supplie!

Marie n'hesita pas un instant a suivre Casse-Noisette, sachant combien elle avait de droits a sa reconnaissance, et etant bien certaine qu'il ne pouvait avoir aucun mauvais dessein sur elle.

—Je vous suivrai, dit-elle, mon cher monsieur Drosselmayer; mais il ne faut pas que ce soit bien loin, ni que le voyage dure bien longtemps, car je n'ai pas encore suffisamment dormi.

—Je choisirai donc, dit Casse-Noisette le chemin le plus court, quoiqu'il soit le plus difficile.

Et, a ces mots, il marcha devant, et Marie le suivit.

Le royaume des poupees

Tous deux arriverent bientot devant une vieille et immense armoire situee dans un corridor tout pres de la porte, et qui servait de garde-robe. La, Casse-Noisette s'arreta, et Marie remarqua, a son grand etonnement, que les battants de l'armoire, ordinairement si bien fermes, etaient tout grands ouverts, de facon qu'elle voyait a merveille la pelisse de voyage de son pere, qui etait en peau de renard, et qui se trouvait suspendue en avant de tous les autres habits; Casse-Noisette grimpa fort adroitement le long des lisieres, et, en s'aidant des brandebourgs jusqu'a ce qu'il put atteindre a la grande houppe qui, attachee par une grosse ganse, retombait sur le dos de cette pelisse, Casse-Noisette en tira aussitot un charmant escalier de bois de cedre, qu'il dressa de facon a ce que sa base touchat la terre et a ce que son extremite superieure se perdit dans la manche de la pelisse.

—Et maintenant, ma chere demoiselle, dit Casse-Noisette, ayez la bonte de me donner la main et de monter avec moi.

Marie obeit; et a peine eut-elle regarde par la manche, qu'une etincelante lumiere brilla devant elle, et qu'elle se trouva tout a coup transportee au milieu d'une prairie embaumee, et qui scintillait comme si elle eut ete toute parsemee de pierres precieuses.

—O mon Dieu! s'ecria Marie tout eblouie, ou sommes-nous donc, mon cher monsieur Drosselmayer?

—Nous sommes dans la plaine du sucre candi, Mademoiselle; mais nous ne nous y arreterons pas, si vous le voulez bien, et nous allons tout de suite passer par cette porte.

Alors, seulement, Marie apercut en levant les yeux une admirable porte par laquelle on sortait de la prairie. Elle semblait etre construite de marbre blanc, de marbre rouge et de marbre brun; mais, quand Marie se rapprocha, elle vit que toute cette porte n'etait formee que de conserves a la fleur d'orange, de pralines et de raisin de Corinthe; c'est pourquoi, a ce que lui apprit Casse-Noisette, cette porte etait appelee la porte des Pralines.

Cette porte donnait sur une grande galerie supportee par des colonnes en sucre d'orge, sur laquelle galerie six singes vetus de rouge faisaient une musique, sinon des plus melodieuses, du moins des plus originales. Marie avait tant de hate d'arriver, qu'elle ne s'apercevait meme pas qu'elle marchait sur un pave de pistaches et de macarons, qu'elle prenait tout bonnement pour du marbre. Enfin, elle atteignit le bout de la galerie, et a peine fut-elle en plein air, qu'elle se trouva environnee des plus delicieux parfums, lesquels s'echappaient d'une charmante petite foret qui s'ouvrait devant elle. Cette foret, qui eut ete sombre sans la quantite de lumieres qu'elle contenait, etait eclairee d'une facon si resplendissante, qu'on distinguait parfaitement les fruits d'or et d'argent qui etaient suspendus aux branches ornees de rubans et de bouquets et pareilles a de joyeux maries.

—O mon cher monsieur Drosselmayer, s'ecria Marie, quel est ce charmant endroit, je vous prie?

—Nous sommes dans la foret de Noel, Mademoiselle, dit Casse-Noisette, et c'est ici qu'on vient chercher les arbres auxquels l'enfant Jesus suspend ses presents.

—Oh! continua Marie, ne pourrais-je donc pas m'arreter ici un instant? On y est si bien et il y sent ai bon!

Aussitot Casse-Noisette frappa entre ses deux mains, et plusieurs bergers et bergeres, chasseurs et chasseresses sortirent de la foret, si delicats et si blancs, qu'ils semblaient de sucre raffine. Ils apportaient un charmant fauteuil de chocolat incruste d'angelique, sur lequel ils disposerent un coussin de jujube, et inviterent fort poliment Marie a s'y asseoir. A peine y fut-elle, que, comme cela se pratique dans les operas, les bergers et les bergeres, les chasseurs et les chasseresses prirent leurs positions, et commencerent a danser un charmant ballet accompagne de cors, dans lesquels les chasseurs soufflaient d'une facon tres-male, ce qui colora leur visage de maniere que leurs joues semblaient faites de conserves de roses. Puis, le pas fini, ils disparurent tous dans un buisson.

—Pardonnez-moi, chere demoiselle Silberhaus, dit alors Casse-Noisette en tendant la main a Marie, pardonnez-moi de vous avoir offert un si chetif ballet; mais ces marauds-la ne savent que repeter eternellement le meme pas qu'ils ont deja fait cent fois, Quant aux chasseurs, ils ont souffle dans leurs cors comme des faineants, et je vous reponds qu'ils auront affaire a moi. Mais laissons la ces droles, et continuons la promenade, si elle vous plait.

—J'ai cependant trouve tout cela bien charmant, dit Marie se rendant a l'invitation de Casse-Noisette, et il me semble, mon cher monsieur Drosselmayer, que vous etes injuste pour nos petite danseurs.

Casse-Noisette fit une moue qui voulait dire: "Nous verrons, et votre indulgence leur sera comptee." Puis ils continuerent leur chemin, et arriverent sur les bords d'une riviere qui semblait exhaler tous les parfums qui embaumaient l'air.

—Ceci, dit Casse-Noisette sans meme attendre que Marie l'interrogeat, est la riviere Orange. C'est une des plus petites du royaume; car, excepte sa bonne odeur, elle ne peut etre comparee au fleuve Limonade, qui se jette dans la mer du Midi qu'on appelle la mer de Punch, ni au lac Orgeat, qui se jette dans la mer du Nord, qu'on appelle la mer de Lait d'amandes.

Non loin de la etait un petit village, dans lequel les maisons, les eglises, le presbytere du cure, tout enfin etait brun; seulement, les toits en etaient dores, et les murailles resplendissaient incrustees de petits bonbons roses, bleus et blancs.

—Ceci est le village de Massepains, dit Casse-Noisette; c'est un gentil bourg, comme vous voyez, situe sur le ruisseau de Miel. Les habitants en sont assez agreables a voir; seulement, on les trouve sans cesse de mauvaise humeur, attendu qu'ils ont toujours mal aux dents. Mais, chere demoiselle Silberhaus, continua Casse-Noisette, ne nous arretons pas, je vous prie, a visiter tous les villages et toutes les petites villes de ce royaume. A la capitale, a la capitale!

Casse-Noisette s'avanca alors tenant toujours Marie par la main, mais plus lestement qu'il ne l'avait fait encore; car Marie, pleine de curiosite, marchait cote a cote avec lui, legere comme un oiseau. Enfin, au bout de quelque temps, un parfum de roses se repandit dans l'air, et tout, autour d'eux, prit une couleur rose. Maria remarqua que c'etait l'odeur et le reflet d'un fleuve d'essence de rose qui roulait ses petits flots avec une charmante melodie. Sur les eaux parfumees, des cygnes d'argent, ayant au cou des colliers d'or, glissaient lentement en chantant entre eux les plus delicieuses chansons, a ce point que cette harmonie, qui les rejouissait fort, a ce qu'il parait, faisait sautiller autour d'eux des poissons de diamant.

—Ah! s'ecria Marie, voila le joli fleuve que parrain Drosselmayer voulait me faire a Noel, et moi, je suis la petite fille qui caressait les cygnes.

Le voyage

Casse-Noisette frappa encore une fois dans ses deux mains; alors le fleuve d'essence de rose se gonfla visiblement, et, de ses flots agites, sortit un char de coquillages couvert de pierreries etincelant au soleil, et traine par des dauphins d'or. Douze charmants petits Maures, avec des bonnets en ecailles de dorade et des habits en plumes de colibri, sauterent sur le rivage, et porterent doucement Marie d'abord, et ensuite Casse-Noisette, dans le char, qui se mit a cheminer sur l'eau.

C'etait, il faut l'avouer, une ravissante chose, et qui pourrait se comparer au voyage de Cleopatre remontant le Cydnus, que de voir Marie sur son char de coquillages, embaumee de parfums, flottant sur des vagues d'essence de rose, s'avancant trainee par des dauphins d'or, qui relevaient la tete et lancaient en l'air des gerbes brillantes de cristal rose qui retombaient en pluie diapree de toutes les couleurs de l'arc-en-ciel. Enfin, pour que la joie penetrat par tous les sens, une douce harmonie commencait de retentir, et l'on entendait de petites voix argentines qui chantaient:

> <<Qui donc vogue ainsi sur le fleuve d'essence de rose? Est-ce la fee Mab ou la reine Titania? Repondez, petits poissons qui scintillez sous les vagues, pareils a des eclairs liquides; repondez, cygnes gracieux

qui glissez a la surface de l'eau; repondez, oiseaux aux vives couleurs qui traversez l'air comme des fleurs volantes.

Et, pendant ce temps, les douze petits Maures qui avaient saut derriere le char de coquillages secouaient en cadence leurs petite parasols garnis de sonnettes, a l'ombre desquels ils abritaient Marie, tandis que celle-ci, penchee sur les flots, souriait au charmant visage qui lui souriait dans chaque vague qui passait devant elle.

Ce fut ainsi qu'elle traversa le fleuve d'essence de rose et s'approcha de la rive opposee. Puis, lorsqu'elle n'en fut plus qu'a la longueur d'une rame, les douze Maures sauterent, les uns a l'eau, les autres sur le rivage, et, faisant la chaine, ils porterent, sur un tapis d'angelique tout parseme de pastilles de menthe, Marie et Casse-Noisette.

Restait a traverser un petit bosquet, plus joli peut-etre encore que la foret de Noel, tant chaque arbre brillait et etincelait de sa propre essence. Mais ce qu'il y avait de remarquable surtout, c'etaient les fruits pendus aux branches, et qui n'etaient pas seulement d'une couleur et d'une transparence singulieres, les les uns jaunes comme des topazes, les autres rouges comme des rubis, mais encore d'un parfum etrange.

—Nous sommes dans le bois des Confitures, dit Casse-Noisette, et au dela de cette lisiere est la capitale.

Et, en effet, Marie ecarta les dernieres branches, et resta stupefaite en voyant l'etendue, la magnificence et l'originalit de la ville qui s'elevait devant elle, sur une pelouse de fleurs. Non-seulement les murs et les clochers resplendissaient des plus vives couleurs, mais encore, pour la forme des batiments, il n'y avait point a esperer d'en rencontrer de pareils sur la terre. Quant aux remparts et aux portes, ils etaient entierement construits avec des fruits glaces qui brillaient an soleil de leur propre couleur, rendue plus brillante encore par le sucre cristallise qui les recouvrait! A la porte principale, et qui fut celle par laquelle ils firent leur entree, des soldats d'argent leur presenterent les armes, et un petit homme, enveloppe d'une robe de chambre de brocart d'or, se jeta au cou de Casse-Noisette en lui disant:

—Oh! cher prince, vous voila donc enfin! Soyez le bienvenu Confiturembourg.

Marie s'etonna un peu du titre pompeux qu'on donnait Casse-Noisette; mais elle fut bientot distraite de son etonnement par une rumeur formee d'une telle quantite de voix qui jacassaient en meme temps, qu'elle demanda a Casse-Noisette s'il y avait, dans la capitale du royaume des poupees, quelque emeute ou quelque fete.

—Il n'y a rien de tout cela, chere demoiselle Silberhaus, repondit Casse-Noisette; mais Confiturembourg est une ville joyeuse et peuplee qui fait grand bruit a la surface de la terre; et cela se passe tous les jours, comme vous allez le voir pour aujourd'hui; seulement, donnez-vous la peine d'avancer, voil tout ce que je vous demande.

Marie, poussee a la fois par sa propre curiosite et par l'invitation si polie de Casse-Noisette, hata sa marche, et se trouva bientot sur la place du grand marche, qui avait un des plus magnifiques aspects qui se put voir. Toutes les maisons d'alentour etaient en sucreries, montees a jour, avec galeries sur galeries; et, au milieu de la place, s'elevait, en forme d'obelisque, une gigantesque brioche, du milieu de laquelle s'elancaient quatre fontaines de limonade, d'orangeade, d'orgeat et de sirop de groseille. Quant aux bassins, ils etaient remplis d'une creme si fouettee et si appetissante, que beaucoup de gens tres bien mis, et qui paraissaient on ne peut plus comme il faut, en mangeaient publiquement a la cuiller. Mais ce qu'il y avait de plus agreable et de plus recreatif a la fois, c'etaient de charmantes petites gens qui se coudoyaient et se promenaient par milliers, bras dessus bras dessous, riant, chantant et causant pleine voix, ce qui occasionnait ce joyeux tumulte que Marie avait entendu. Il y avait la, outre les habitants de la capitale, des hommes de tous les pays: Armeniens, Juifs, Grecs, Tyroliens, officiers, soldats, predicateurs, capucins, bergers et polichinelles; enfin toute espece de gens, de bateleurs et de sauteurs, comme on en rencontre dans le monde.

Bientot le tumulte redoubla a l'entree d'une rue qui donnait sur la place, et le peuple s'ecarta pour laisser passer un cortege. C'etait le Grand Mogol qui se faisait porter sur un palanquin, accompagne de quatre-vingt-treize grands de son royaume et sept cents esclaves; mais, en ce moment meme, il se trouva, par hasard, que, par la rue parallele, arriva le Grand Sultan cheval, lequel etait accompagne de trois cents janissaires. Les deux souverains avaient toujours ete quelque peu rivaux et, par consequent, ennemis; ce qui faisait que les gens de leurs suites se rencontraient rarement sans que cette rencontre amenat quelque rixe. Ce fut bien autre chose, on le comprendra facilement, quand ces deux puissants monarques se trouverent en face l'un de l'autre; d'abord, ce fut une confusion du milieu de laquelle essayerent de se tirer les gens du pays; mais bientot on entendit les cris de fureur et de desespoir: un jardinier qui se sauvait avait abattu, avec le manche de sa beche, la tete d'un bramine fort considere dans sa caste, et le Grand Sultan lui-meme avait renverse de son cheval un polichinelle alarme qui avait pass entre les jambes de son quadrupede; le brouhaha allait en augmentant, quand l'homme a la robe de chambre de brocart, qui, la porte de la ville, avait salue Casse-Noisette du titre de prince, grimpa d'un seul elan tout en haut de la brioche, et, ayant sonne trois fois d'une cloche claire, bruyante et argentine, s'ecria trois fois:

—Confiseur! confiseur! confiseur!

Aussitot le tumulte s'apaisa; les deux corteges embrouilles se debrouillerent; on brossa le Grand Sultan qui etait couvert de poussiere; on remit la tete au bramine, en lui recommandant de ne pas eternuer de trois jours, de peur qu'elle ne se decollat; puis, le calme retabli, les allures joyeuses recommencerent, et chacun revint puiser de la limonade, de l'orangeade et du sirop de groseille a la fontaine, et manger de la creme a pleines cuillers dans ses bassins.

—Mais, mon cher monsieur Drosselmayer, dit Marie, quelle est donc la cause de l'influence exercee sur ce petit peuple par ce mot trois fois repete:

<<Confiseur, confiseur, confiseur?

—Il faut vous dire, Mademoiselle, repondit Casse-Noisette, que le peuple de Confiturembourg croit, par experience, a la metempsycose, et est soumis a l'influence superieure d'un principe appele confiseur, lequel principe lui donne, selon son caprice, et en le soumettant a une cuisson plus ou moins prolongee, la forme qui lui plait. Or, comme chacun croit toujours sa forme la meilleure, il n'y a jamais personne qui se soucie d'en changer; voila d'ou vient l'influence magique de ce mot *confiseur*, sur les Confiturembourgeois, et comment ce mot, prononce par le bourgmestre, suffit pour apaiser le plus grand tumulte, comme vous venez de le voir: chacun, a l'instant meme, oublie les choses terrestres, les cotes enfoncees et les bosses la tete; puis, rentrant en lui-meme, se dit: <<Mon Dieu! qu'est-ce que l'homme, et que ne peut-il pas devenir?

Tout en causant ainsi, on etait arrive en face d'un palais repandant une lueur rose et surmonte de cent tourelles elegantes et aeriennes; les murs en etaient parsemes de bouquets de violettes, de narcisses, de tulipes et de jasmins qui rehaussaient de couleurs variees le fond rose sur lequel il se detachait. La grande coupole du milieu etait parsemee de milliers d'etoiles d'or et d'argent.

—Oh! mon Dieu, s'ecria Marie, quel est donc ce merveilleux edifice?

—C'est le palais des Massepains, repondit Casse-Noisette, c'est-a-dire l'un des monuments les plus remarquables de la capitale du royaume des poupees.

Cependant, toute perdue qu'elle etait dans son admiration contemplative, Marie ne s'en apercut pas moins que la toiture d'une des grandes tours manquait entierement, et que des petits bonshommes de pain d'epice, montes sur un echafaudage de cannelle, etaient occupes a la retablir. Elle allait questionner Casse-Noisette sur cet accident, lorsque, provenant son intention:

—Helas! dit-il, il y a peu de temps que ce palais a ete menac de grandes degradations, si ce n'est d'une ruine entiere. Le geant Bouche-Friande mordit legerement cette tour, et il avait meme deja commence de grignoter la coupole, lorsque les Confiturembourgeois vinrent lui apporter en tribut un quartier de la ville, nomme Nougat, et une grande portion de la foret Angelique; moyennant quoi, il consentit a s'eloigner, sans avoir fait d'autres degats que celui que vous voyez.

Dans ce moment, on entendit une douce et charmante musique.

Les portes du palais s'ouvrirent d'elles-memes, et douze petits pages en sortirent, portant dans leurs mains des brins d'herbe aromatique, allumes en guise de flambeaux; leurs tetes etaient composees d'une perle; six d'entre eux avaient le corps fait de rubis et six autres d'emeraudes, et avec cela ils trottaient fort joliment sur deux petits pieds d'or ciseles avec le plus grand soin et dans le gout de Benvenuto Cellini.

Ils etaient suivis de quatre dames de la taille tout au plus de mademoiselle Clairchen, sa nouvelle poupee, mais si splendidement vetues, si richement parees, que Marie ne put meconnaitre en elles les princesses royales de Confiturembourg. Toutes quatre, en apercevant Casse-Noisette, s'elancerent a son cou avec la plus tendre effusion, s'ecriant en meme temps et d'une seule voix:

—O mon prince! mon excellent prince! ... O mon frere! mon excellent frere!

Casse-Noisette paraissait fort touche; il essuya les nombreuses larmes qui coulaient de ses yeux, et, prenant Marie par la main il dit pathetiquement, en s'adressant aux quatre princesses:

—Mes cheres soeurs, voici mademoiselle Marie Silberhaus que je vous presente; c'est la fille de M. le president Silberhaus, de Nuremberg, homme fort considere dans la ville qu'il habite. C'est elle qui a sauve ma vie; car, si, au moment ou je venais de perdre la bataille, elle n'avait pas jete sa pantoufle an roi des souris, et si, plus tard, elle n'avait pas eu la bonte de me preter le sabre d'un major mis a la retraite par son frere, je serais maintenant couche dans le tombeau, ou, qui pis est encore, devore par le roi des souris. Ah! chere demoiselle Silberhaus, s'ecria Casse-Noisette dans un enthousiasme qu'il ne pouvait plus maitriser, Pirlipate, la princesse Pirlipate, toute fille du roi qu'elle etait, n'etait pas digne de denouer les cordons de vos jolis petits souliers.

—Oh! non, non, bien certainement, repeterent en choeur les quatre princesses.

Et, se jetant au cou de Marie, elles s'ecrierent:

—O noble liberatrice de notre cher et bien-aime prince et frere! o excellente demoiselle Silberhaus!

Et, avec ces exclamations, que leur coeur gonfle de joie ne leur permettait pas de developper davantage, les quatre princesses conduisirent Marie et Casse-Noisette dans l'interieur du palais, les forcerent de s'asseoir sur de charmants petits canapes en bois de cedre et du Bresil, parsemes de fleurs d'or, disant qu'elles voulaient elles-memes preparer leur repas. En consequence, elles allerent chercher une quantite de petite vases et de petites ecuelles de la plus fine porcelaine du Japon, des cuillers, des couteaux, des fourchettes, des casseroles et autres ustensiles de cuisine tout en or et en argent; apporterent les plus beaux fruits et les plus delicieuses sucreries que Marie eut jamais vus, et commencerent a se tremousser de telle facon, que Marie vit bien que les princesses de Confiturembourg s'entendaient merveilleusement a faire la cuisine. Or, comme Marie s'entendait aussi tres-bien a ces sortes de choses, elle souhaitait interieurement de prendre une part active a ce qui se passait; alors, comme si elle eut pu deviner le voeu interieur de Marie, la plus jolie des quatre soeurs de Casse-Noisette lui tendit un petit mortier d'or et lui dit:

—Chere liberatrice de mon frere, pilez-moi, je vous prie, de ce sucre candi.

Marie s'empressa de se rendre a l'invitation, et, tandis qu'elle frappait si gentiment dans le mortier, qu'il en sortait une melodie charmante, Casse-Noisette se mit a raconter dans le plus grand detail toutes ses aventures; mais, chose etrange, il semblait a Marie, pendant ce recit, que peu a peu les mots du jeune Drosselmayer, ainsi que le bruit du mortier, n'arrivaient plus qu'indistinctement a son oreille; bientot, elle se vit enveloppee comme d'une legere vapeur; puis la vapeur se changea en une gaze d'argent, qui s'epaissit de plus en plus autour d'elle, et qui peu a peu lui deroba la vue de Casse-Noisette et des princesses ses soeurs. Alors des chants etranges, qui lui rappelaient ceux qu'elle avait entendus sur le fleuve d'essence de rose, se firent entendre meles au murmure croissant des eaux; puis il sembla a Marie que les vagues passaient sous elle et la soulevaient en se gonflant. Elle sentit qu'elle montait haut, plus haut, bien plus haut, plus haut encore, et prrrrrrrrou! et, paff! qu'elle tombait d'une hauteur qu'elle ne pouvait mesurer.

Conclusion

On ne fait pas une chute de quelques mille pieds sans se reveiller; aussi Marie se reveilla, et, en se reveillant, se retrouva dans son petit lit. Il faisait grand jour, et sa mere etait pres d'elle, lui disant:

—Est-il possible d'etre aussi paresseuse que tu l'es? Voyons, reveillons-nous; habillons-nous bien vite, car le dejeuner nous attend.

—Oh! chere petite mere, dit Marie eu ouvrant ses grands yeux etonnes, ou donc m'a conduit cette nuit le jeune M. Drosselmayer, et quelles admirables choses ne m'a-t-il pas fait voir?

Alors Marie raconta tout ce que nous venons de raconter nous-meme, et, lorsqu'elle eut fini, sa mere lui dit:

—Tu as fait la un bien long et bien charmant reve, chere petite Marie; mais, maintenant que tu es reveillee, il faudrait oublier tout cela, et venir faire ton premier dejeuner.

Mais Marie, tout en s'habillant, persista a soutenir que ce n'etait point un reve, et qu'elle avait bien reellement va tout cela. Sa mere alors alla vers l'armoire, prit Casse-Noisette, qui etait, comme d'habitude, sur son troisieme rayon, rapporta la petite fille, et lui dit:

—Comment peux-tu t'imaginer, folle enfant, que cette poupee, qui est composee de bois et de drap, puisse avoir la vie, le mouvement et la reflexion?

—Mais, chere maman, reprit avec impatience la petite Marie, je sais parfaitement, moi, que Casse-Noisette n'est autre que le jeune M. Drosselmayer, neveu du parrain.

Alors Marie entendit un grand eclat de rire derriere elle.

C'etaient le president, Fritz et mademoiselle Trudchen qui s'en donnaient a coeur joie a ses depens.

—Ah! s'ecria Marie, ne voila-t-il pas que tu te moques aussi de mon Casse-Noisette, cher papa? Il a cependant respectueusement parle de toi, quand nous sommes entres dans le palais de Massepains, et qu'il m'a presentee aux princesses ses soeurs.

Les eclats de rire redoublerent de telle facon, que Marie comprit qu'il lui fallait donner une preuve de la verite de ce qu'elle avait dit, sous peine d'etre traitee comme une folle.

Elle passa alors dans la chambre voisine, et y prit une petite cassette dans laquelle elle avait soigneusement enferme les sept couronnes du roi des souris; puis elle revint en disant:

—Tiens, chere maman, voici cependant les couronnes du roi des souris, que Casse-Noisette m'a donnees la nuit derniere en signe de sa victoire.

La presidente alors, pleine de surprise, prit et regarda ces petites couronnes, qui, en metal inconnu et fort brillant, etaient ciselees avec une finesse dont les mains humaines n'eussent point ete capables. Le president lui-meme ne pouvait cesser de les examiner, et les jugeait si precieuses, que, quelles que fussent les instances de Fritz, qui se dressait sur la pointe des pieds pour les voir, et qui demandait a les toucher, il ne voulut pas lui en confier une seule.

Alors le president et la presidente se mirent a presser Marie de leur dire d'ou venaient ces petites couronnes; mais elle ne pouvait que persister dans ce qu'elle avait dit; et, quand son pere, impatiente de ce qu'il croyait un entetement de sa part, l'eut appelee menteuse, elle se mit a fondre en larmes et s'ecrier:

—Helas! pauvre enfant que je suis, que voulez-vous que je vous dise?

En ce moment, la porte s'ouvrit; le conseiller de medecine parut, et s'ecria a son tour:

—Mais qu'y a-t-il donc? et qu'a-t-on fait a ma filleule Marie, qu'elle pleure, qu'elle sanglote ainsi? Qu'est-ce que c'est? qu'est-ce c'est donc?

Le president instruisit le nouveau venu de tout ce qui etait arrive, et, le recit termine, il lui montra les couronnes; mais peine les eut-il vues, qu'il se mit a rire.

—Ah! ah! dit-il, la plaisanterie est bonne! ce sont les sept couronnes que je portais a la chaine de ma montre, il y a quelques annees, et dont je fis present a ma filleule le jour du deuxieme anniversaire de sa naissance; ne vous le rappelez-vous pas, cher president?

Mais le president et la presidente eurent beau chercher dans leur memoire, ils n'avaient garde aucun souvenir de ce fait; cependant, s'en rapportant a ce que disait le parrain, leurs figures reprirent peu a peu leur expression de bonte ordinaire; ce que voyant Marie, elle s'elanca vers le conseiller de medecine en s'ecriant:

—Mais tu sais tout cela, toi, parrain Drosselmayer; avoue donc que Casse-Noisette est ton neveu, et que c'est lui qui m'a donn ces sept couronnes.

Mais parrain Drosselmayer parut prendre fort mal la chose; son front se plissa, et sa figure s'assombrit de telle facon, que le president, appelant la petite Marie, et la prenant entre ses jambes, lui dit:

—Ecoute-moi, ma chere enfant, car c'est serieusement que je te parle: fais-moi le plaisir, une fois pour toutes, de mettre de cote ces folles imaginations; car, s'il t'arrive encore de dire que ton vilain et informe Casse-Noisette est le neveu de notre ami le conseiller de medecine, je te previens que je jetterai non-seulement M. Casse-Noisette, mais encore toutes les autres poupees, mademoiselle Claire comprise, par la fenetre.

La pauvre Marie n'osa donc plus parler de toutes les belles choses dont son imagination etait remplie; mais mes jeunes lecteurs, et surtout mes jeunes lectrices, comprendront que, lorsqu'on a voyage une fois dans un pays aussi attrayant que le royaume des poupees, et qu'on a vu une ville aussi succulente que Confiturembourg, ne l'eut-on vue qu'une heure, on ne perd pas facilement un pareil souvenir; elle essaya donc de parler a son frere de toute son histoire. Mais Marie avait perdu toute sa confiance du moment ou elle avait ose dire que ses hussards avaient pris la fuite; en consequence, convaincu, sur l'affirmation paternelle, que Marie avait menti, Fritz rendit ses officiers les grades qu'il leur avait enleves, et permit ses trompettes de jouer de nouveau la marche des hussards de la garde, rehabilitation qui n'empecha pas Marie de croire ce qu'il lui plut sur leur courage.

Marie n'osait donc plus parler de ses aventures; cependant, les souvenirs du royaume des poupees l'assiegeaient sans cesse, et, lorsqu'elle arretait son esprit sur ces souvenirs, elle revoyait tout, comme si elle eut ete encore ou dans la foret de Noel, ou sur le fleuve d'essence de rose, ou dans la ville de Confiturembourg; de sorte qu'au lieu de jouer comme auparavant avec ses joujoux, elle s'asseyait immobile et silencieuse, tout ses reflexions interieures, et que tout le monde l'appelait la petite reveuse.

Mais, un jour que le conseiller de medecine, sa perruque de verre posee sur le parquet, sa langue passee dans le coin de sa bouche, les manches de sa redingote jaune retroussee, reparait, a l'aide d'un long instrument pointu, quelque chose qui etait desorganis dans une pendule, il arriva que Marie, qui etait assise pres de l'armoire vitree, et qui, selon son habitude, regardait Casse-Noisette, se plongea si bien dans ses reveries, que, oubliant tout a coup que, non-seulement le parrain Drosselmayer, mais encore sa mere, etaient la, il lui echappa involontairement de s'ecrier:

—Ah! cher monsieur Drosselmayer! si vous n'etiez pas un bonhomme de bois, comme le soutient mon pere, et si vous existiez veritablement, que je ne ferais pas comme la princesse Pirlipate, et que je ne vous delaisserais pas parce que, pour m'obliger, vous auriez cesse d'etre un charmant jeune homme; car je vous aime veritablement, moi, ah!...

Mais a peine venait-elle de pousser ce soupir, qu'il se fit par la chambre un tel tintamarre, que Marie se renversa tout evanouie du haut de sa chaise a terre.

Quand elle revint a elle, Marie se trouvait entre les bras de sa mere, qui lui dit:

—Comment est-il possible qu'une grande fille comme toi, je te le demande, soit assez bete pour se laisser tomber en bas de sa chaise, et cela juste au moment ou le neveu de M. Drosselmayer, qui a termine ses voyages, vient d'arriver a Nuremberg?... Voyons, essuie tes yeux et sois gentille.

En effet, Marie essuya ses yeux, et, les tournant vers la porte, qui s'ouvrait en ce moment, elle apercut le conseiller de medecine, sa perruque de verre sur la tete, son chapeau sous le bras, sa redingote jaune sur le dos, qui souriait d'un air satisfait, et tenait par la main un jeune homme tres-petit, mais fort bien tourne et tout a fait joli.

Ce jeune homme portait une superbe redingote de velours rouge, brode d'or, des bas de soie blancs et des souliers lustres avec le plus beau vernis. Il avait a son jabot un charmant bouquet de fleurs, et etait tres-coquettement frise et poudre, tandis que derriere son dos pendait une tresse nattee avec la plus grande perfection. En outre, la petite epee qu'il avait au cote semblait etre toute de pierres precieuses, et le chapeau qu'il portait sous le bras etait tissu de la plus fine soie.

Les moeurs aimables de ce jeune homme se firent connaitre sur-le-champ; car a peine fut-il entre, qu'il deposa aux pieds de Marie une quantite de magnifiques joujoux, mais principalement les plus beaux massepains et les plus excellents bonbons qu'elle eut manges de sa vie, si ce n'est cependant ceux qu'elle avait goutes dans le royaume des poupees. Quant a Fritz, le neveu du conseiller de medecine, comme s'il eut pu deviner les gouts guerriers du fils du president, il lui apportait un sabre du plus fin damas. Ce n'est pas tout. A table, et lorsqu'on fut arriv au dessert, l'aimable creature cassa des noisettes pour toute la societe; les plus dures ne lui resistaient pas une seconde: de la main droite, il les placait entre ses dents; de la gauche, il tirait sa tresse, et, crac! la noisette tombait en morceaux.

Marie etait devenue fort rouge quand elle avait apercu ce joli petit bonhomme; mais elle devint plus rouge encore lorsque, le diner fini, il l'invita a passer avec lui dans la chambre l'armoire vitree.

—Allez, allez, mes enfants, et amusez-vous ensemble, dit le parrain; je n'ai plus besoin au salon, puisque toutes les horloges de mon ami le president vont bien.

Les deux jeunes gens entrerent au salon; mais a peine le jeune Drosselmayer fut-il seul avec Marie, qu'il mit un genou en terre et lui parla ainsi:

—Oh! mon excellente demoiselle Silberhaus! vous voyez ici vos pieds l'heureux Drosselmayer, a qui vous sauvates la vie cette meme place. Vous eutes, en outre, la bonte de dire que vous ne m'eussiez pas repousse comme l'a fait la vilaine princesse Pirlipate, si, pour vous servir, j'etais devenu affreux. Or, comme le sort qu'avait jete sur moi la reine des souris devait perdre toute son influence du jour ou, malgre ma laide figure, je serais aime d'une jeune et jolie personne, je cessai a l'instant meme d'etre un stupide casse-noisette, et je repris ma forme premiere, qui n'est pas desagreable, comme voua pouvez le voir. Ainsi donc, ma chere demoiselle, si vous etes toujours dans les memes sentiments a mon egard, faites-moi la grace de m'accorder votre main bien-aimee, partagez mon trone et ma couronne, et regnez avec moi sur le royaume des poupees; car, a cette, heure, j'en suis redevenu le roi.

Alors Marie releva doucement le jeune Drosselmayer, et lui dit:

—Vous etes un aimable et bon roi, Monsieur, et, comme vous avez avec cela un charmant royaume, orne de palais magnifiques, et peuple de sujets tres gais, je vous accepte, sauf la ratification de mes parents, pour mon fiance.

La-dessus, comme la porte du salon s'etait ouverte tout doucement, sans que les jeunes gens y fissent attention, tant ils etaient preoccupes de leurs sentiments, le president, la presidente et le parrain Drosselmayer s'avancerent, criant bravo de toutes leurs forces; ce qui rendit Marie rouge comme une cerise, mais ce qui ne deconcerta nullement le jeune homme, lequel s'avanca vers le president et la presidente, et, avec un salut gracieux, leur fit un joli compliment, par lequel il sollicitait la main de Marie, qui lui fut accordee a l'instant.

Le meme jour, Marie fut fiancee au jeune Drosselmayer, a la condition que le mariage ne se ferait que dans un an.

Au bout d'un an, le fiance revint chercher sa femme dans une petite voiture de nacre incrustee d'or et d'argent, trainee par des chevaux qui n'etaient pas plus gros que des moutons, et qui valaient un prix inestimable, vu qu'ils n'avaient pas leurs pareils dans le monde, et il l'emmena dans le palais de Massepains, ou ils furent maries par le chapelain du chateau, et ou vingt-deux mille petites figures, toutes couvertes de perles, de diamants et de pierreries eblouissantes, danserent a leur noce. Si bien qu'a l'heure qu'il est, Marie est encore reine du beau royaume ou l'on apercoit partout de brillantes forets de Noel, des fleuves d'orangeade, d'orgeat et d'essence de rose, des palais diaphanes en sucre plus fin que la neige et plus transparent que la glace; enfin, toutes sortes de choses magnifiques et miraculeuses, pourvu qu'on ait d'assez bons yeux pour les voir.

FIN DE L'HISTOIRE D'UN CASSE-NOISETTE.

L'EGOISTE

Carl avait herite, de son pere, d'une ferme avec ses troupeaux, son betail et ses recoltes; les granges les etables et les buchers regorgeaient de richesses et pourtant, chose etrange dire, Carl ne paraissait rien voir de tout cela; son seul desir etait d'amasser davantage, et il travaillait nuit et jour, comme s'il eut ete le plus pauvre paysan du village. Il etait connu pour etre le moins genereux de tous les fermiers de la contree, et aucun individu, pouvant gagner sa vie ailleurs, n'aurait et travailler chez lui. Son personnel changeait continuellement, parce que ses domestiques, qu'il laissait souffrir de la faim, se decourageaient promptement et le quittaient. Ceci l'inquietait fort peu, car il avait une bonne et aimable soeur. Amil etait une excellente menagere, et s'occupait sans cesse du bien-etre de Carl; quoiqu'elle s'efforcat, de son cote, de compenser la parcimonie de son frere par sa generosite, elle ne pouvait pas grand'chose, car il y regardait de trop pres.

Carl etait si egoiste, qu'il dinait toujours seul, parce qu'il etait alors sur d'avoir son diner bien chaud, et de n'avoir que lui seul a servir; tandis que sa soeur, ayant mange un morceau part, pouvait ensuite s'occuper uniquement de lui. Il donnait pour raison qu'il n'aimait pas a faire attendre, n'etant pas sur de son temps; toutefois, il ne manquait jamais d'arriver exactement a l'heure qu'il avait fixee lui-meme pour son diner. Il est donc bien avere que Carl etait egoiste; c'est une qualit peu enviable.

Amil etait recherchee par un homme tres-bien pose pour faire son chemin dans le monde; neanmoins, Carl lui battait froid, parce qu'il craignait de perdre sa soeur, qui le servait sans exiger de gages. Vous devez comprendre qu'ils n'etaient pas fort bons amis, car le motif de la froideur de Carl etait trop apparent pour ne pas sauter aux yeux des personnes les moins clairvoyantes; mais Carl se moquait bien d'avoir des amis! Il disait toujours qu'il portait ses meilleurs amis dans sa bourse; mais, helas! ces amis-la etaient, au contraire, ses plus grands ennemis.

Un matin qu'en contemplation devant un champ de ble, dont les epis dores se balancaient autour de lui, il calculait ce que ce champ pourrait lui rapporter, Carl sentit tout a coup la terre remuer sous ses pieds.

—Ce doit etre une enorme taupe, se dit-il en reculant, tout pret a assommer la bete, des qu'elle paraitrait.

Mais la terre s'amoncela bientot en masses si impetueuses, que maitre Carl fut renverse, et se trouva fort penaud d'avoir voulu jauger sa recolte.

Son epouvante augmenta considerablement, lorsqu'il vit s'elever de terre, non une taupe, mais un gnome de l'aspect le plus etrange, vetu d'un beau pourpoint cramoisi, avec une longue plume flottant a son bonnet. Le gnome jeta sur Carl un regard qui ne presageait rien de bon.

—Comment vous portez-vous, fermier? dit-il avec un sourire sardonique qui deplut singulierement a Carl.

—Qui etes-vous, au nom du ciel? fit Carl suffoque.

—Je n'ai rien a faire avec le nom du ciel, repliqua le gnome; car je suis un esprit malfaisant.

—J'espere que vous n'avez pas l'intention de me faire du mal? dit humblement Carl.

—En verite, je n'en sais rien! Je me propose seulement de moissonner votre ble cette nuit, au clair de la lune, parce que mes chevaux, quoiqu'ils soient surnaturels, mangent aussi une quantite de ble tout a fait surnaturelle; en general, je recolte chez ceux qui sont le plus en etat de me faire cette offrande.

—Oh! mon cher Monsieur, s'ecria Carl, je suis le fermier le plus pauvre de tout le district; j'ai une soeur a ma charge, et j'ai eprouve de terribles et nombreuses pertes.

—Mais, enfin, vous etes Carl Grippenhausen, n'est-ce pas? dit le gnome.

—Oui, Monsieur, balbutia Carl.

—Ces enormes rangees de tas de ble, qui ressemblent a une petite ville, vous appartiennent-elles, oui on non? dit le gnome.

—Oui, Monsieur, repliqua encore Carl.

—Ce magnifique plant de navets et cette longue suite de terres labourables, ces beaux troupeaux et ce riche betail qui couvrent le flanc de la montagne, sont aussi a vous, je crois?

—Oui, Monsieur, dit Carl d'une voix tremblante, car il etait terrifie de voir combien le gnome avait d'exactes notions sur sa fortune.

—Vous, un pauvre homme? Oh! fi! dit le gnome en menacant du doigt le miserable Carl d'un air de reproche. Si vous continuez a me conter de pareils contes, je ferai en sorte, d'un tour de main, que vos monstrueuses histoires deviennent veritables... Fi! fi! fi!

En prononcant le dernier *fi*, il se rejeta dans la terre, mais le trou ne se ferma pas; en consequence, Carl vocifera ses supplications a tue-tete, criant misericorde a son etrange visiteur, qui ne daigna pas meme lui repondre.

Inquiet et abattu, il s'achemina lentement vers sa maison; comme il en approchait, en traversant le fourre, il apercut le galant de sa soeur causant avec elle par-dessus le mur du jardin. Une pensee lui vint alors a l'esprit; une pensee egoiste, bien entendu. Avant qu'ils eussent pu s'apercevoir de son approche, il se precipita vers eux, et, prenant la main de Wilhelm de la maniere la plus amicale, il l'invita a diner avec lui. O merveille des merveilles!... Il va sans dire que, malgre son extreme surprise, Wilhelm accepta de tres bonne grace. Apres le repas, l'idee lumineuse de Carl vit le jour, a l'etonnement toujours croissant de sa soeur et de Wilhelm. Et que pensez-vous que fut cette idee? Rien autre chose, sinon d'echanger sa grande piece de ble mur, prete a etre coupee, pour une de celles de Wilhelm, ou la moisson etait moins copieuse. Apres un debat tres-empresse de sa part, et de grandes demonstrations de bonne volonte et de gaiete, ce curieux marche fut conclu, et Wilhelm s'en retourna chez lui beaucoup plus riche qu'il n'en etait parti.

Carl se coucha, rassure par le transport qu'il avait fait, au trop confiant Wilhelm, du ble qui devait etre recolte au clair de la lune par le gnome pour nourrir ses chevaux gloutons.

Il ouvrit les yeux des la pointe du jour; car le gnome avait hante son sommeil. Il se hata de s'habiller, et sortit dans les champs pour voir le resultat des travaux nocturnes du gnome: le ble etait debout, agite par la brise matinale.

—Probablement, pensa Carl, j'aurai reve.

Alors il grimpa sur la colline, pour jeter un coup d'oeil sur le champ qu'il avait recu en echange de son ble menace; mais de quelle horreur ne fut-il pas saisi en voyant ce champ presque entierement depouille, et l'affreux petit gnome, achevant sa besogne, en jetant les dernieres gerbes dans un obscur abime creuse profondement en terre.

—Juste ciel! que faites-vous? s'ecria-t-il. Il me semble que vous aviez dit que vous moissonneriez ce champ la-bas?

—J'ai dit, repondit le gnome, que j'allais recolter votre ble, vous; or, a moins que je n'aie mal compris, le champ dont vous parlez est a Wilhelm, n'est-il pas vrai?

—Oui, malheureux que je suis!

Et, tombant a genoux pour implorer le gnome, Carl lui demanda grace; mais celui-ci, nonobstant ses prieres, enleva la derniere gerbe; puis la terre se referma, ne laissant aucune trace qui put signaler l'endroit ou une si abondante recolte avait et engloutie.

—Maintenant, comme vous voyez, j'ai ferme la porte de ma grange, dit le gnome en ricanant. A present, je vais aller me reposer; bonjour, Carl!

Et il s'eloigna d'un air calme et satisfait.

Carl erra ca et la, a moitie fou, oubliant jusqu'a son diner. Enfin, quand la nuit fut venue, il rentra chez lui, et, sans vouloir repondre aux questions affectueuses de sa soeur, il alla se coucher en boudant. Mais il avait a peine pose sa pauvre tete bouleversee sur l'oreiller, qu'une voix vint le reveiller, et lui dit:

—Carl, mon bon ami, me voici venu pour causer un peu avec vous; ainsi reveillez-vous et m'ecoutez.

Il sortit sa tete de dessous les couvertures, et vit que sa chambre etait illuminee par une vive clarte, qui lui montra le gnome assis sur le parquet de la chambre.

—Ah! miserable! s'ecria-t-il, viens-tu me voler mon repos, comme tu m'as vole mon ble? Va-t'en, ou bien j'assouvirai ma vengeance sur toi.

—Allons, allons, dit le gnome en riant, tu raffoles!... Ne sais-tu pas, stupide garcon, que je ne suis qu'une ombre? Autant vaudrait essayer d'etreindre l'air que de tenter de m'etreindre, moi; d'ailleurs, je ne suis venu ici que pour te promettre des richesses sans fin; car vous etes un homme selon mon coeur: n'etes-vous pas personnel et malin a un degre merveilleux? Ecoutez-moi donc, mon bon Carl. Venez me trouver demain au soir, avant le coucher du soleil, et je vous ferai voir un tresor dont l'excessive abondance depasse toute imagination humaine. Debarrassez-vous de votre mesquine ferme; le niais qui aime votre soeur serait une excellente victime, car il a des amis qui l'aideraient a se tirer d'affaire, et a vous en defaire. Le prix qu'il pourrait vous en donner serait de peu d'importance pour vous, et, lorsque je vous aurai fait connaitre le tresor dont je vous parle, vous en viendrez a dedaigner les sommes minimes que vous realisez par les moyens ordinaires. Bonne nuit, faites de jolis reves!

La lumiere s'evanouit et le gnome partit.

—Ah! dit Carl, ah! c'est delicieux! ah!

Et il retomba dans son premier sommeil.

Le jour suivant, tout le monde crut que Carl etait devenu fou; seulement, son naturel interesse prenant le dessus, il ne ceda pas la moindre piece de monnaie du prix convenu avec Wilhelm, qui etait, du reste, trop content de pouvoir entrer en arrangement avec lui; pourtant l'exces de sa surprise le faisait douter de la realite de la transaction. Enfin tout fut pret, et le jour fix pour la noce d'Amil, car Wilhelm l'avait prise, comme de juste, par-dessus le marche, bon ou mauvais, qu'il avait conclu pour la ferme. Carl n'eut pas la patience d'attendre ce jour-la, et, apres avoir embrasse sa soeur, il la laissa entre les mains de quelques parents et partit. Il trouva le gnome assis sur une barriere comme aurait pu le faire l'homme le plus ordinaire.

—Vous etes aussi ponctuel qu'une horloge, Carl, dit-il; j'en suis fort aise, car il faut que nous soyons arrives au pied des montagnes que vous voyez la-bas, avant le lever de la lune.

A ces mots, il descendit d'un bond de son perchoir, et ils poursuivirent leur chemin jusqu'a ce qu'ils fussent arrives au bord d'un lac sur la surface duquel, au profond etonnement de Carl, le gnome se mit a trotter comme si elle eut ete gelee.

—Venez donc, mon ami, dit-il en se tournant vers Carl, qui hesitait a le suivre.

Toutefois, voyant qu'il fallait en passer par la, celui-ci plongea jusqu'au cou, et se dirigea vers l'autre rive, que le gnome avait depuis longtemps atteinte.

Lorsqu'il y arriva a son tour, il se trouvait dans un etat fort desagreable; ses dents claquaient, et l'eau qui decoulait de ses vetements reproduisait a ses pieds en miniature le lac d'ou il sortait.

—Je vous prie, monsieur le gnome, dit-il d'un ton assez aigre, que pareille chose ne se renouvelle point, ou je serais force de renoncer a votre connaissance.

—Renoncer a ma connaissance, dites-vous? fit le gnome en ricanant. Mon cher Carl, cela n'est point en votre pouvoir. Vous avez de votre plein gre plonge dans le lac enchante, ce qui vous attache a moi pour un certain laps de temps. Je vous tiendrais au bout de la plus forte chaine, que je ne serais pas plus sur que vous me suivrez. Ainsi donc, marchez et songez a la recompense.

Carl fut un peu etourdi de ce qu'il entendait; mais il s'apercut bientot que tout etait exactement vrai; car, des que le gnome se remit en marche, il se sentit contraint, par une puissance irresistible, a le suivre. Bientot, ils se trouverent sur le versant d'une montagne tres-escarpee; le gnome glissa le long de cette pente avec la plus parfaite aisance, sans perdre l'equilibre; quant an pauvre Carl, il accomplit cette descente avec beaucoup moins de dignite, et surtout avec une telle impetuosite, que de droite et de gauche de grosses pierres se deplacaient, s'entrechoquaient avec fracas, et degringolaient dans les affreux precipices qui l'environnaient. Ses vetements etaient dans un etat deplorable; les points des coutures cedaient, de grands morceaux de son manteau etaient arraches; car il ne pouvait ralentir un seul instant sa course, afin de se degager des ronces et des epines qui s'attachaient sans cesse lui, retenant des parcelles de sa chair a mesure que la rapidit de sa fuite l'eloignait d'elles. A la fin, il roula comme un paquet au pied de la montagne, ou il trouva le gnome, qui se rejouissait l'odorat en flairant le parfum d'une fleur sauvage.

Carl s'assit un moment pour reprendre sa respiration, et, comme son sang bouillait d'une rage concentree, il s'ecria:

—Brutal gnome! je ne vous suivrai pas un pas de plus, ou vous me porterez; je suis meurtri des pieds a la tete; voyez comme vous m'avez arrange!

—Ah! c'est excellent! fit le gnome sans s'emouvoir. Nous allons voir, mon garcon! Quant a moi, je sois parfaitement a mon aise, et vous vous apercevrez, lorsque vous me connaitrez davantage, que je supporte avec une philosophie admirable les malheurs des autres; venez, Carl, mon bon ami.

Cet horrible *venez* commencait a avoir pour Carl une terrible signification; mais, de meme qu'auparavant, il fut force d'obeir. Il marcha toujours, toujours, jusqu'a ce que ses dents claquassent de froid; il s'apercut alors que le riant et chaud paysage etait devenu aride comme en hiver; et il jugea, d'apres la quantite de pics neigeux se perdant dans les nuages qu'il voyait autour de lui, qu'une grande mer devait etre proche; transi au point de pouvoir a peine se trainer, il conjura le gnome de prendre quelques instants de repos; a la fin, ce dernier s'assit.

—Je ne m'arrete que pour vous obliger, dit-il; mais je crois que l'immobilite prolongee serait pour vous chose dangereuse.

A ces mots, il exhiba une pipe qui paraissait beaucoup trop grande pour avoir jamais pu entrer dans sa poche; il l'alluma, et commenca de fumer tout comme s'il etait installe confortablement au coin du feu, chez Carl. Le pauvre Carl le regarda faire pendant quelque temps, avec ses dents qui s'entrechoquaient, et ses membres endoloris; ensuite, il le pria de lui laisser aspirer une ou deux chaudes bouffees de sa pipe embrasee.

—Je n'oserais pas, Carl: c'est du tabac de demon, beaucoup trop fort pour vous. Chauffez vos doigts a la fumee, si vous pouvez. Je ne puis comprendre ce qui vous manque; moi, je me trouve parfaitement a mon aise; mais vous n'etes pas philosophe!

Carl gemit, et ne repondit rien a l'imperturbable fumeur.

Apres avoir fume tres longtemps, le gnome secoua sur le bout de sa botte les cendres de sa pipe, et dit a Carl, grelottant, avec le sourire le plus affectueux:

—Mon bon ami, vous avez, en verite, bien mauvaise mine! peut-etre ferions-nous bien de nous remettre a marcher.

Il se leva sur-le-champ, et le pauvre Carl le suivit en trebuchant.

—Nous aurons plus chaud tout a l'heure, mon cher ami, fit-il en se tournant vers Carl, qui poussa un grognement sourd en maniere de replique; car il sentait son impuissance a se soustraire a son sort.

Ils eurent, en effet, bientot plus chaud; la glace disparut, la terre etait couverte de verdure, emaillee en profusion de fleurs embaumees; des guirlandes de ceps de vigne, couverts de grappes ravissantes, groupees sur les branches etendues, seduisaient l'oeil. Ils gravirent la montagne peniblement... c'est-a-dire peniblement pour Carl; car, pour le gnome, descendre ou monter etait aussi facile l'un que l'autre. A la fin, la montagne devint aride et dessechee; les cendres craquaient sous leurs pieds, et des vapeurs nauseabondes s'echappaient de la terre crevassee.

—Je serais curieux de savoir ou nous allons maintenant, se dit Carl en grommelant.

Il avait fini par decouvrir que parler a ce demon etait une peine inutile et une perte de temps. Son incertitude ne dura pas longtemps, car les mugissements d'un enorme volcan retentirent bientot a ses oreilles, et des pierres plurent sur sa tete et sur ses epaules. Il se traina de rocher en rocher, expose a chaque instant aux plus grands perils; la terre se derobait sous ses pas d'une maniere effrayante, la famee l'etouffait et l'aveuglait, tandis que l'eternel refrain du gnome: <<Avancez! avancez! auquel il lui etait impossible de resister, achevait de le desesperer. A la fin, il n'eut plus la conscience de ce qu'il faisait; il sentit seulement qu'il tombait sur le versant de la montagne et roulait jusqu'au bas. Un bruyant clapotement, et la sensation de l'eau froide, lui annoncerent qu'il venait de tomber au milieu des vagues de la mer; l'instinct de la conservation le fit s'efforcer de remonter a la surface. En reparaissant a fleur d'eau, il vit le gnome assis sur le tronc d'un arbre immense; les vagues le ballottaient a sa portee.

—Etendez la main, bon gnome! fit-il d'une voix defaillante, je vais enfoncer.

—Bah! repondit le gnome, du courage, mon ami! il faut que vous vous sauviez tout seul; ce petit bout de tronc d'arbre suffit peine a m'empecher de trop me fatiguer. Charite bien ordonnee commence par soi-meme, comme vous savez, c'est le premier point; le second point, c'est vous; je vous conseille donc de nager fort et ferme, dans le cas, bien entendu, ou vous voudriez vous en donner la peine. Votre bail avec moi est fini, a moins que vous ne vouliez le renouveler de bonne volonte, par vos actions ou par vos souhaits; adieu!

Les vagues mugissantes emporterent en un instant le gnome railleur hors de vue, et Carl resta seul a lutter contre les flots. Il nagea donc jusqu'a ce qu'il arrivat en vue du rivage; alors, par bonheur, il apercut quelques debris de bois pourri qui flottaient sur la mer, et semblaient avoir appartenu a une vieille digue; il s'y attacha d'une etreinte desesperee, et se mit a pousser de grands cris, esperant voir arriver, du rivage, son secours. Les cris de Carl a demi submerge finirent par attirer l'attention des enfants d'un pecheur qui jouaient sur la berge; insoucieux du danger, ils pousserent une barque dans l'eau, et se dirigerent vers l'homme qui semblait pres de se noyer. Apres bien des efforts infructueux, ces courageux enfants parvinrent a tirer Carl dans leur bateau.

—Merci! merci! balbutia-t-il en regardant ces enfants, qui n'avaient point hesite a risquer leur vie pour sauver la sienne.

—Ne nous remerciez pas, dit le petit garcon; vous ne savez pas combien nous sommes heureux que le ciel nous ait procur l'occasion de vous delivrer d'une mort certaine; c'est a nous etre reconnaissants chaque fois que nous pouvons faire une bonne action; voila, du moins, ce que nous enseigne notre bon pere.

—Je voudrais que le mien m'eut donne les memes enseignements, pensa Carl.

Il embrassa tendrement les enfants; il n'avait rien antre chose leur donner; car tout son or avait ete perdu au milieu de son voyage aventureux avec le perfide gnome.

Il demanda son chemin, et un petit paysan, un peu plus age que ceux qui l'avaient delivre, offrit de traverser les hautes montagnes avec lui, et de le reconduire jusqu'a sa maison, qui se trouvait a une tres-grande distance, assurait le petit paysan; ce qui confondit Carl de surprise.

Deguenille et les pieds blesses, Carl se mit en route avec son jeune et agile petit guide, qui le soutenait avec la plus vive sollicitude dans les passages difficiles et dans les rudes sentiers de la montagne; Carl se sentait honteux et rougissait en voyant ce simple enfant, sans souci de lui-meme, mettre un si grand espace entre soi et son village, pour obliger un etranger pauvre et souffrant, lui gazouiller ses petites chansons montagnardes pour egayer la longueur du chemin afin qu'il ne sentit ni la fatigue ni les douleurs; et, lorsqu'ils arrivaient quelque endroit bien tranquille, s'asseyant a l'ombre a ses cotes, le jeune paysan etalait le contenu de son bissac, et partageait gaiement ses provisions avec le voyageur.

A la fin, le chemin devint si facile et si directement trace, que le complaisant conducteur de Carl se disposa a le quitter pour retourner chez lui; mais, avant de le faire, il voulait absolument laisser a Carl le contenu de son havresac, de crainte que celui-ci ne souffrit de la faim. Carl ne voulut point y consentir; car, que deviendrait ce faible enfant, s'il le privait de sa nourriture? Tout en persistant dans son refus, il l'embrassa en le remerciant mille fois, et se mit a descendre la montagne.—Carl avait appris a penser aux autres.

Il voyagea bien des jours a travers les vallees, apaisant sa faim avec les mures sauvages des haies, etanchant sa soif dans l'eau vive des ruisseaux; enfin, il arriva pres d'un village compose de chaumieres eparses. La fatigue et le manque de nourriture avaient enerve sa constitution jadis si robuste; il se traina en chancelant, avec l'espoir de trouver quelqu'un qui vint a son secours; mais il ne vit personne, excepte une jolie fille blonde qui etait assise sur le seuil de sa cabane et mangeait du pain trempe dans du lait. Il essaya de s'approcher d'elle; mais, incapable de faire un pas de plus, il tomba par terre tout de son long; l'enfant se leva vivement en voyant choir ainsi presque ses pieds, et en entendant gemir l'etranger have et miserable; elle lui souleva la tete, et sa paleur livide, ainsi que sa maigreur, lui ayant devoile les causes de sa souffrance, elle porta la jatte de lait a ses levres et l'y maintint jusqu'a ce qu'il eut avale tout ce qu'elle contenait avec l'avidite de la faim. Cette enfant, sans penser un seul instant a autre chose qu'a la detresse de Carl mourant d'inanition, avait volontairement et avec joie sacrifie son dejeuner.—Souviens-toi de cela, Carl!—Il s'en souvint, en effet, lorsque, ranime, il se remit en route, le coeur penetre de l'exemple qu'il avait recu.

Il y avait encore un bien long et bien fatigant bout de chemin entre lui et sa maison... Sa maison! ah! le coeur lui manquait quand il se rappelait que ce n'etait plus sa maison; elle appartenait a son ami et a sa soeur, qu'il avait l'un et l'autre traites avec un si froid egoisme jusqu'au dernier moment de leur separation, alors que sa tete etait remplie du mirage des promesses dorees de l'artificieux gnome, alors qu'il s'imaginait posseder bientot des richesses immenses, alors enfin qu'il s'efforcait de mettre, par sa conduite, entre eux et lui, une assez grande distance pour qu'il ne put etre question de rien partager avec eux, quand meme ils viendraient a tomber dans le besoin. Depuis que de nouveaux sentiments, dus aux bontes dont il avait ete l'objet de toutes parts sans l'appat d'aucune recompense, s'emparaient de son coeur, il sentait combien il aurait peu droit de faire appel a leur charite, lui qui s'etait rendu indigne de leur amitie; et il soupirait en songeant a ce qu'il avait ete jadis.

La nuit le surprit dans une lande inculte et desolee, et, pour completer sa misere, la neige se mit a tomber en gros flocons qui l'aveuglaient. Il boutonna etroitement sa redingote en lambeaux, et lutta contre la bourrasque glacee, qui tourbillonnait autour de lui avec une sorte de violence vengeresse. A la fin, la neige glacee s'amoncela sur ses pieds transis, il avanca plus lentement, et sa marche devint de plus en plus penible. L'ouragan redoublant d'impetuosite, il commenca a chanceler; il s'arreta un instant comme aneanti par le vent furieux, puis il s'affaissa et fut bientot a demi enseveli sous une couche de neige.

Un tintement de grelots domina le bruit de la tempete; il annoncait l'approche d'un chariot couvert dont le roulement etait amorti par la neige epaisse, a ce point qu'on eut pu douter de sa presence, si une lanterne, placee a l'interieur, n'eut repandu au loin sa brillante lumiere. La voiture atteignit en peu de minutes l'endroit ou Carl etait etendu; le cheval se cabra l'aspect de cette forme humaine etendue a terre; le voyageur descendit, releva l'etranger gele, et, apres quelques vigoureux efforts, il le deposa sain et sauf dans son chariot, et gagna toute vitesse le plus prochain hameau, dont on apercevait au loin les lumieres. La, des soins actifs rappelerent Carl a la vie, et le premier visage qui s'offrit a ses regards fut celui de son excellent beau-frere Wilhelm, qui n'avait pu reconnaitre, dans le voyageur mourant, isole et deguenille, son frere Carl, si riche et si egoiste; celui-ci, apres une explication de quelques mots, decouvrit qu'il avait voyage, avec le gnome, pendant plus d'une annee, ce qui lui parut inconcevable; toutefois, Wilhelm lui affirma que rien n'etait plus reel, et l'assura en meme temps qu'il etait dispose a le recevoir dans sa maison, et a lui accorder, avec l'oubli complet de ses fautes passees, tout ce que l'affection sincere est toujours prete a donner. Cette assurance fut un baume salutaire pour les blessures physiques et morales de Carl repentant. Wilhelm partit, le laissant reposer ses membres endoloris dans le lit doux et commode des villageois.

Le matin du jour suivant, la honte au visage, Carl s'achemina vers le seuil bien connu de son ancienne demeure; mais son pied avait a peine touche la premiere marche de l'escalier, que sa soeur accourut se jeter dans ses bras et l'embrasser; il cacha sa figure dans le sein de cette genereuse femme et pleura abondamment.

Le gnome, qui n'avait pas cesse de le suivre, avec l'espoir qu'il retomberait en son pouvoir, s'arreta soudain a ce touchant spectacle; et, tandis qu'il les contemplait tous deux d'un air de depit, il devint graduellement de moins en moins visible l'oeil, jusqu'a ce qu'il s'evanouit tout a fait.

Le demon de l'egoisme etait parti pour jamais, et Carl rendit de sinceres actions de graces a Dieu, pour la terrible epreuve qui avait cause ce changement, et lui avait demontre qu'en s'occupant charitablement des interets et du bien-etre des autres, il travaillait pour lui-meme, et concourait le plus efficacement son propre bonheur. Il avait donc, en realite, decouvert un tresor mille fois plus precieux que tout l'or de la terre.

FIN DE L'EGOISTE

NICOLAS LE PHILOSOPHE

Apres avoir servi son maitre pendant sept ans, Nicolas lui dit:

—Maitre, j'ai fait mon temps, je voudrais bien retourner pres de ma mere; donnez-moi mes gages.

—Tu m'as servi fidelement comme intelligence et probite, repondit le maitre de Nicolas; la recompense sera en rapport avec le service.

Et il lui donna un lingot d'or, qui pouvait bien peser cinq ou six livres. Nicolas tira son mouchoir de sa poche, y enveloppa le lingot, le chargea sur son epaule et se mit en route pour la maison paternelle.

En cheminant et en mettant toujours une jambe devant l'autre, il finit par croiser un cavalier qui venait a lui, joyeux et frais, et monte sur un beau cheval.

—Oh! dit tout haut Nicolas, la belle chose que d'avoir un cheval! On monte dessus, on est dans sa selle comme sur un fauteuil, on avance sans s'en apercevoir, et l'on n'use pas ses souliers.

Le cavalier, qui l'avait entendu, lui cria:

—He! Nicolas, pourquoi vas-tu donc a pied?

—Ah! ne m'en parlez point, repondit Nicolas; ca me fait d'autant plus de peine, que j'ai la, sur l'epaule, un lingot d'or qui me pese tellement, que je ne sais a quoi tient que je ne le jette dans le fosse.

—Veux-tu faire un echange? demanda le cavalier.

—Lequel? fit Nicolas.

—Je te donne mon cheval, donne-moi ton lingot d'or.

—De tout mon coeur, dit Nicolas; mais, je vous previens, il est lourd en diable.

—Bon! ce n'est point la ce qui empechera le marche de se faire, dit le cavalier.

Et il descendit de son cheval, prit le lingot d'or, aida Nicolas a monter sur la bete et lui mit la bride en main.

—Quand tu voudras aller doucement, dit le cavalier, tu tireras la bride a toi en disant: <<Oh!>> Quand ta voudras aller vite, tu lacheras la bride en disant: <<Hop!

Le cavalier, devenu pieton, s'en alla avec son lingot; Nicolas, devenu cavalier, continua son chemin avec son cheval.

Nicolas ne se possedait pas de joie en se sentant si carrement assis sur sa selle; il alla d'abord au pas, car il etait assez mediocre cavalier, puis au trot, puis il s'enhardit et pensa qu'il n'y aurait pas de mal a faire un petit temps de galop.

Il lacha donc la bride et fit clapper sa langue en criant:

—Hop! hop!

Le cheval fit un bond, et Nicolas roula a dix pas de lui.

Puis, debarrasse de son cavalier, le cheval partit a fond de train, et Dieu sait ou il se fut arrete, si un paysan qui conduisait une vache ne lui eut barre le chemin.

Nicolas se releva, et, tout froisse, se mit a courir apres le cheval, que le paysan tenait par la bride; mais, tout triste de sa deconfiture, il dit au brave homme:

—Merci, mon ami!... C'est une sotte chose que d'aller a cheval, surtout quand on a une rosse comme celle-ci, qui rue, et, en ruant, vous demonte son homme de maniere a lui casser le cou. Quant a moi, je sais bien une chose, c'est que jamais je ne remonterai dessus. Ah! continua Nicolas avec un soupir, j'aimerais bien mieux une vache; on la suit a son aise par derriere, et l'on a, en outre, son lait par-dessus le marche, sans compter le beurre et le fromage. Foi de Nicolas! je donnerais bien des choses pour avoir une vache comme la votre.

—Eh bien, dit le paysan, puisqu'elle vous plait tant, prenez-la; je consens a l'echanger contre votre cheval.

Nicolas fut transporte de joie: il prit la vache par son licol; le paysan enfourcha le cheval et disparut.

Et Nicolas se remit en route, chassant la vache devant lui, et songeant a l'admirable marche qu'il qu'il venait de faire.

Il arriva a une auberge, et, dans sa joie, il mangea tout ce qu'il avait emporte de chez son maitre, c'est-a-dire un excellent morceau de pain et de fromage; puis, comme il avait deux liards dans sa poche, il se fit servir un demi-verre de biere et continua de conduire sa vache du cote de son village

Vers midi, la chaleur devint etouffante, et, juste en ce moment, Nicolas se trouvait au milieu d'une lande qui avait bien encore deux lieues de longueur.

La chaleur etait si insupportable, que le pauvre Nicolas en tirait la langue de trois pouces hors de la bouche.

—Il y a un remede a cela, se dit Nicolas: je vais traire ma vache et me regaler de lait.

Il attacha la vache a un arbre desseche, et, comme il n'avait pas de seau, il posa a terre son bonnet de cuir; mais, quelque peine qu'il se donnat, il ne put faire sortir une goutte de lait de la mamelle de la bete.

Ce n'etait pas que la vache n'eut point de lait, mais Nicolas s'y prenait mal, si mal, que la bete rua, comme on dit, en *vache*, et, d'un de ses pieds de derriere, lui donna un tel coup a la tete, qu'elle le renversa, et qu'il fut quelque temps a rouler droite et a gauche, sans parvenir a se remettre sur ses pieds.

Par bonheur, un charcutier vint a passer avec sa charrette, ou il y avait un porc.

—Eh! eh! demanda le charcutier, qu'y a-t-il donc, mon ami? es-tu ivre?

—Non pas, dit Nicolas, au contraire, je meurs de soif.

—Cela ne serait pas une raison: nul n'est plus altere qu'un ivrogne; au reste, et a tout hasard, mon pauvre garcon, bois un coup.

Il aida Nicolas a se remettre sur ses pieds et lui presenta sa gourde.

Nicolas l'approcha de sa bouche et y but une large gorgee.

Puis, ayant reprit ses sens:

—Voulez-vous me dire, demanda-t-il au charcutier, pourquoi ma vache ne donne pas de lait?

Le charcutier se garda bien de lui dire que c'etait parce qu'il ne savait point la traire.

—Ta vache est vieille, lui dit-il, et n'est plus bonne a rien.

—Pas meme a tuer? demanda Nicolas.

—Qui diable veux-tu qui mange de la vieille vache? Autant manger de la vache enragee!

—Ah! dit Nicolas, si j'avais un joli petit porc comme celui-ci, a la bonne heure! cela est bon depuis les pieds jusqu'a la tete: avec la chair, on fait du sale; avec les entrailles, on fait des andouillettes; avec le sang, on fait du boudin.

—Ecoute, dit le charcutier, pour t'obliger... mais c'est purement et simplement pour t'obliger... je te donnerai mon porc, si ta veux me donner ta vache.

—Que Dieu te recompense, brave homme! dit Nicolas.

Et, remettant sa vache au charcutier, il descendit le porc de la charrette et prit le bout de la corde pour le conduire.

Nicolas continua sa route en songeant combien tout allait selon ses desirs.

Il n'avait pas fait cinq cents pas, qu'un jeune garcon le rattrapa. Celui-ci portait sous son bras une oie grasse.

Pour passer le temps, Nicolas commenca a parler de son bonheur et des echanges favorables qu'il avait faits.

De son cote, le jeune garcon lui raconta qu'il portait son oie pour festin de bapteme.

—Pese-moi cela par le cou, dit-il a Nicolas. Hein! est-ce lourd! Il est vrai que voila huit semaines qu'on l'engraisse avec des chataignes. Celui qui mordra la-dedans devra s'essuyer la graisse des deux cotes du menton.

—Oui, dit Nicolas en la soupesant d'une main, elle a son poids; mais mon cochon pese bien vingt oies comme la tienne.

Le jeune garcon regarda de tous cotes d'un air pensif, et en secouant la tete:

—Ecoute, dit-il a Nicolas, je ne te connais que depuis dix minutes, mais tu m'as l'air d'un brave garcon; il faut que ta saches une chose, c'est qu'il se pourrait qu'a l'endroit de ton cochon, tout ne fut pas bien en ordre: dans le village que je viens de traverser, on en a vole un au percepteur. Je crains fort que ce ne soit justement celui que tu menes. Ils ont requis la marechaussee et envoye des gens pour poursuivre le voleur, et, tu comprends, ce serait une mauvaise affaire pour toi si l'on te trouvait conduisant ce cochon. Le moins qu'il put t'arriver, ce serait d'etre conduit en prison jusqu'au moment ou l'affaire serait eclaircie.

A ces mots, la peur saisit Nicolas.

—Jesus Dieu! dit-il, tire-moi de ce mauvais pas, mon garcon; tu connais ce pays que j'ai quitte depuis quinze ans, de sorte que tu as plus de defense que moi. Donne-moi ton oie et prends mon cochon.

—Diable! fit le jeune garcon, je joue gros jeu; cependant, je ne puis laisser un camarade dans l'embarras.

Et, donnant son oie a Nicolas, il prit le cochon par la corde, et se jeta avec lui dans un chemin de traverse.

Nicolas continua sa route, debarrasse de ses craintes, et portant gaiement son oie sous son bras.

—En y reflechissant bien, se disait-il, je viens, outre la crainte dont je suis debarrasse, de faire un marche excellent. D'abord, voila une oie qui va me donner un roti delicieux, et qui, tout en rotissant, me donnera une masse de graisse avec laquelle je ferai des tartines pendant trois mois, sans compter les plumes blanches qui me confectionneront un bon oreiller, sur lequel, des demain au soir, je vais dormir sans etre berce. Oh! c'est ma mere qui sera contente, elle qui aime tant l'oie!

Il achevait a peine ces paroles, qu'il se trouva cote a cote avec un homme qui portait un objet enferme dans sa cravate, qu'il tenait pendue a la main.

Cet objet gigottait de telle facon, et imprimait a la cravate de tels balancements, qu'il etait evident que c'etait un animal vivant, et que cet animal regrettait fort sa liberte.

—Qu'avez-vous donc la, compagnon? demanda Nicolas.

—Ou, la? fit le voyageur.

—Dans votre cravate.

—Oh! ce n'est rien, repondit le voyageur en riant.

Puis, regardant autour de lui pour voir si personne n'etait portee d'entendre ce qu'il allait dire:

—C'est une perdrix que je viens de prendre au collet, dit-il; seulement, je suis arrive a temps pour la prendre vivante. Et vous, que portez-vous la?

—Vous le voyez bien, c'est une oie, et une belle, j'espere.

Et, tout fier de son oie, Nicolas la montra au braconnier.

Celui-ci regarda l'oie d'un air de dedain, la prit et la flaira.

—Hum! dit-il, quand comptez-vous la manger?

—Demain au soir, avec ma mere.

—Bien du plaisir! dit en riant le braconnier.

—Je m'en promets, en effet, du plaisir; mais pourquoi riez-vous?

—Je ris, parce que votre oie est bonne a manger aujourd'hui, et encore, encore, en supposant que vous aimiez les oies faisandees.

—Diable! vous croyez? fit Nicolas.

—Mon cher ami, sachez cela pour votre gouverne: quand on achete une oie, on l'achete vivante; de cette facon-la, on la tue quand on veut, et on la mange quand il convient: croyez-moi, si vous voulez tirer de votre oie un parti quelconque, faites-la rotir la premiere auberge que vous rencontrerez sur votre chemin, et mangez-la jusqu'au dernier morceau.

—Non, dit Nicolas; mais faisons mieux: prenez mon oie, qui est morte, et donnez-moi votre perdrix, qui est vivante: je la tuerai demain au matin, et elle sera bonne a manger demain au soir.

—Un autre te demanderait du retour; mais, moi, je suis bon compagnon; quoique ma perdrix soit vivante et que ton oie soit morte, je te donne ma perdrix troc pour troc.

Nicolas prit la perdrix, la mit dans son mouchoir, qu'il noua par les quatre coins, et, presse d'arriver le plus tot possible, il laissa son compagnon entrer dans une auberge pour y manger son oie, et continua sa route a travers le village.

Au bout du village, il trouva un remouleur.

Le remouleur chantait, tout en repassant des couteaux et des ciseaux, le premier couplet d'une chanson que connaissait Nicolas.

Nicolas s'arreta et se mit a chanter le second couplet.

Le remouleur chanta le troisieme.

—Bon! lui dit Nicolas, du moment que vous etes gai, c'est que vous etes content.

—Ma foi, oui! repondit le remouleur; le metier va bien, et, chaque fois que je mets la main a la pierre, il en tombe une piece d'argent. Mais que portez-vous donc la qui fretille ainsi dans votre cravate?

—C'est une perdrix vivante.

—Ah!... Ou l'avez-vous prise?

—Je ne l'ai pas prise, je l'ai eue en echange d'une oie.

—Et l'oie?

—Je l'avais eue en echange d'un cochon.

—Et le cochon?

—Je l'avais en en echange d'une vache.

—Et la vache?

—Je l'avais eue en echange d'un cheval.

—Et le cheval?

—Je l'avais eu en echange d'un lingot d'or.

—Et ce lingot d'or?

—C'etait le prix de mes sept annees de service.

—Peste! vous avez toujours su vous tirer d'affaire!

—Oui, jusqu'aujourd'hui, cela a assez bien marche; seulement, une fois rentre chez ma mere, il me faudrait un etat dans le genre du votre.

—Ah! en effet, c'est un crane etat.

—Est-il bien difficile?

—Vous voyez: il n'y a qu'a faire tourner la meule et en approcher les couteaux ou les ciseaux qu'on veut affuter.

—Oui; mais il faut une pierre.

—Tenez, dit le remouleur en poussant une vieille meule du pied, en voila une qui a rapporte plus d'argent qu'elle ne pese, et cependant elle pese lourd!

—Et ca coute cher, n'est-ce pas, une pierre comme celle-la?

—Dame! assez cher, fit le remouleur; mais, moi, je suis bon garcon: donnez-moi votre perdrix, je vous donnerai ma meule. Ca vous va-t-il?

—Parbleu! est-ce que cela se demande? dit Nicolas; puisque j'aurai de l'argent chaque fois que je mettrai la main a la pierre, de quoi m'inquieterais-je maintenant?

Et il donna sa perdrix au remouleur, et prit la vieille meule que l'autre avait mise au rebut.

Puis, la pierre sous le bras, il partit, le coeur plein de joie et les yeux brillants de satisfaction.

—Il faut que je sois ne coiffe! se dit Nicolas; je n'ai qu' souhaiter pour que mon souhait soit exauce!

Cependant, apres avoir fait une lieue ou deux, comme il etait en marche depuis le point du jour, il commenca, alourdi par le poids de la meule, a se sentir tres fatigue; la faim aussi le tourmentait, ayant mange le matin ses provisions de toute la journee, tant sa joie etait grande, on se le rappelle, d'avoir troque sa vache pour un cheval! A la fin, la fatigue prit tellement le dessus, que, de dix pas en dix pas, il etait forc de s'arreter; la meule aussi lui pesait de plus en plus, car elle semblait s'alourdir au fur et a mesure que ses forces diminuaient.

Il arriva, eu marchant comme une tortue, au bord d'une fontaine ou bouillonnait une eau aussi limpide que le ciel qu'elle refletait; c'etait une source dont on ne voyait pas le fond.

—Allons, s'ecria Nicolas, il est dit que j'aurai de la chance jusqu'au bout; au moment ou j'allais mourir de soif, voila une fontaine!

Et, posant sa meule an bord de la source, Nicolas se mit a plat ventre, et but a sa soif pendant cinq minutes.

Mais, en se relevant, le genou lui glissa; il voulut se retenir la meule, et, en se retenant, il poussa la pierre, qui tomba l'eau et disparut dans les profondeurs de la source.

—En verite! dit Nicolas demeurant un instant a genoux pour prononcer son action de grace, le bon Dieu est reellement bien bon de m'avoir debarrasse de cette lourde et maussade pierre, sans que j'aie le plus petit reproche a me faire.

Et, allege de tout fardeau, les mains et les poches vides, mais le coeur joyeux, il reprit, tout courant, le chemin de la maison de sa mere.

FIN

Produced by Carlo Traverso, Robert Rowe, Charles Franks and the Online Distributed Proofreading Team.

Project Gutenberg eBooks are often created from several printed editions, all of which are confirmed as Public Domain in the US unless a copyright notice is included. Thus, we usually do not keep eBooks in compliance with any particular paper edition.

We are now trying to release all our eBooks one year in advance of the official release dates, leaving time for better editing. Please be encouraged to tell us about any error or corrections, even years after the official publication date.

Please note neither this listing nor its contents are final til midnight of the last day of the month of any such announcement. The official release date of all Project Gutenberg eBooks is at Midnight, Central Time, of the last day of the stated month. A preliminary version may often be posted for suggestion, comment and editing by those who wish to do so.

Most people start at our Web sites at: http://gutenberg.net or http://promo.net/pg

These Web sites include award-winning information about Project Gutenberg, including how to donate, how to help produce our new eBooks, and how to subscribe to our email newsletter (free!).

Those of you who want to download any eBook before announcement can get to them as follows, and just download by date. This is also a good way to get them instantly upon announcement, as the indexes our cataloguers produce obviously take a while after an announcement goes out in the Project Gutenberg Newsletter.

http://www.ibiblio.org/gutenberg/etext03 or ftp://ftp.ibiblio.org/pub/docs/books/gutenberg/etext03

Or /etext02, 01, 00, 99, 98, 97, 96, 95, 94, 93, 92, 92, 91 or 90

Just search by the first five letters of the filename you want, as it appears in our Newsletters.

Information about Project Gutenberg (one page)

We produce about two million dollars for each hour we work. The time it takes us, a rather conservative estimate, is fifty hours to get any eBook selected, entered, proofread, edited, copyright searched and analyzed, the copyright letters written, etc. Our projected audience is one hundred million readers. If the value per text is nominally estimated at one dollar then we produce $2 million dollars per hour in 2002 as we release over 100 new text files per month: 1240 more eBooks in 2001 for a total of 4000+ We are already on our way to trying for 2000 more eBooks in 2002 If they reach just 1-2% of the world's population then the total will reach over half a trillion eBooks given away by year's end.

The Goal of Project Gutenberg is to Give Away 1 Trillion eBooks! This is ten thousand titles each to one hundred million readers, which is only about 4% of the present number of computer users.

Here is the briefest record of our progress (* means estimated):

eBooks	Year	Month
1	1971	July
10	1991	January
100	1994	January
1000	1997	August
1500	1998	October
2000	1999	December
2500	2000	December
3000	2001	November
4000	2001	October/November
6000	2002	December*
9000	2003	November*
10000	2004	January*

The Project Gutenberg Literary Archive Foundation has been created to secure a future for Project Gutenberg into the next millennium.

We need your donations more than ever!

As of February, 2002, contributions are being solicited from people and organizations in: Alabama, Alaska, Arkansas, Connecticut, Delaware, District of Columbia, Florida, Georgia, Hawaii, Illinois, Indiana, Iowa, Kansas, Kentucky, Louisiana, Maine, Massachusetts, Michigan, Mississippi, Missouri, Montana, Nebraska, Nevada, New Hampshire, New Jersey, New Mexico, New York, North Carolina, Ohio, Oklahoma, Oregon, Pennsylvania, Rhode Island, South Carolina, South

Dakota, Tennessee, Texas, Utah, Vermont, Virginia, Washington, West Virginia, Wisconsin, and Wyoming.

We have filed in all 50 states now, but these are the only ones that have responded.

As the requirements for other states are met, additions to this list will be made and fund raising will begin in the additional states. Please feel free to ask to check the status of your state.

In answer to various questions we have received on this:

We are constantly working on finishing the paperwork to legally request donations in all 50 states. If your state is not listed and you would like to know if we have added it since the list you have, just ask.

While we cannot solicit donations from people in states where we are not yet registered, we know of no prohibition against accepting donations from donors in these states who approach us with an offer to donate.

International donations are accepted, but we don't know ANYTHING about how to make them tax-deductible, or even if they CAN be made deductible, and don't have the staff to handle it even if there are ways.

Donations by check or money order may be sent to:

Project Gutenberg Literary Archive Foundation
PMB 113
1739 University Ave.
Oxford, MS 38655-4109

Contact us if you want to arrange for a wire transfer or payment method other than by check or money order.

The Project Gutenberg Literary Archive Foundation has been approved by the US Internal Revenue Service as a 501(c)(3) organization with EIN [Employee Identification Number] 64-622154. Donations are tax-deductible to the maximum extent permitted by law. As fund-raising requirements for other states are met, additions to this list will be made and fund-raising will begin in the additional states.

We need your donations more than ever!

You can get up to date donation information online at:

http://www.gutenberg.net/donation.html

***

If you can't reach Project Gutenberg, you can always email directly to:

Michael S. Hart <hart@pobox.com>

Prof. Hart will answer or forward your message.

We would prefer to send you information by email.

The Legal Small Print

(Three Pages)

START**THE SMALL PRINT!**FOR PUBLIC DOMAIN EBOOKS**START Why is this "Small Print!" statement here? You know: lawyers. They tell us you might sue us if there is something wrong with your copy of this eBook, even if you got it for free from someone other than us, and even if what's wrong is not our fault. So, among other things, this "Small Print!" statement disclaims most of our liability to you. It also tells you how you may distribute copies of this eBook if you want to.

BEFORE! YOU USE OR READ THIS EBOOK By using or reading any part of this PROJECT GUTENBERG-tm eBook, you indicate that you understand, agree to and accept this "Small Print!" statement. If you do not, you can receive a refund of the money (if any) you paid for this eBook by sending a request within 30 days of receiving it to the person you got it from. If you received this eBook on a physical medium (such as a disk), you must return it with your request.

ABOUT PROJECT GUTENBERG-TM EBOOKS This PROJECT GUTENBERG-tm eBook, like most PROJECT GUTENBERG-tm eBooks, is a "public domain" work distributed by Professor Michael S. Hart through the Project Gutenberg Association (the "Project"). Among other things, this means that no one owns a United States copyright on or for this work, so the Project (and you!) can copy

Some states do not allow disclaimers of implied warranties or the exclusion or limitation of consequential damages, so the above disclaimers and exclusions may not apply to you, and you may have other legal rights.

INDEMNITY You will indemnify and hold Michael Hart, the Foundation, and its trustees and agents, and any volunteers associated with the production and distribution of Project Gutenberg-tm texts harmless, from all liability, cost and expense, including legal fees, that arise directly or indirectly from any of the following that you do or cause: [1] distribution of this eBook, [2] alteration, modification, or addition to the eBook, or [3] any Defect.

DISTRIBUTION UNDER "PROJECT GUTENBERG-tm" You may distribute copies of this eBook electronically, or by disk, book or any other medium if you either delete this "Small Print!" and all other references to Project Gutenberg, or:

[1] Only give exact copies of it. Among other things, this requires that you do not remove, alter or modify the eBook or this "small print!" statement. You may however, if you wish, distribute this eBook in machine readable binary, compressed, mark-up, or proprietary form, including any form resulting from conversion by word processing or hypertext software, but only so long as *EITHER*:

[*] The eBook, when displayed, is clearly readable, and does *not* contain characters other than those intended by the author of the work, although tilde (~), asterisk (*) and underline (_) characters may be used to convey punctuation intended by the author, and additional characters may be used to indicate hypertext links; OR

[*] The eBook may be readily converted by the reader at no expense into plain ASCII, EBCDIC or equivalent form by the program that displays the eBook (as is the case, for instance, with most word processors); OR

[*] You provide, or agree to also provide on request at no additional cost, fee or expense, a copy of the eBook in its original plain ASCII form (or in EBCDIC or other equivalent proprietary form).

[2] Honor the eBook refund and replacement provisions of this "Small Print!" statement.

HISTOIRE D'UN CASSE-NOISETTE

Le parrain Drosselmayer

Il y avait une fois, dans la ville de Nuremberg, un president fort considere qu'on appelait M. le president Silberhaus, ce qui veut dire *maison d'argent.*

Ce president avait un fils et une fille.

Le fils, age de neuf ans, s'appelait Fritz.

La fille, agee de sept ans et demi, s'appelait Marie.

C'etaient deux jolis enfants, mais si differents de caractere et de visage, qu'on n'eut jamais cru que c'etaient le frere et la soeur.

Fritz etait un bon gros garcon, joufflu, rodomont, espiegle, frappant du pied a la moindre contrariete, convaincu que toutes les choses de ce monde etaient creees pour servir a son amusement ou subir son caprice, et demeurant dans cette conviction jusqu'au moment ou le docteur, impatiente de ses cris et de ses pleurs, ou de ses trepignements, sortait de son cabinet, et, levant l'index de la main droite a la hauteur de son sourcil fronce, disait ces seules paroles:

—Monsieur Fritz!...

Alors Fritz se sentait pris d'une enorme envie de rentrer sous terre.

Quant a sa mere, il va sans dire qu'a quelque hauteur qu'elle levat le doigt ou meme la main, Fritz n'y faisait aucune attention.

Sa soeur Marie, tout au contraire, etait une frele et pale enfant, aux longs cheveux boucles naturellement et tombant sur ses petites epaules blanches, comme une gerbe d'or mobile et rayonnante sur un vase d'albatre. Elle etait modeste, douce, affable, misericordieuse a toutes les douleurs, meme a celles de ses poupees; obeissante au premier signe de madame la presidente, et ne donnant jamais un dementi meme a sa gouvernante, mademoiselle Trudchen; ce qui fait que Marie etait adoree de tout le monde.

Or, le 24 decembre de l'annee 17... etait arrive. Vous n'ignorez pas, mes petits amis, que le 24 decembre est la veille de la Noel, c'est-a-dire du jour ou l'enfant

Jesus est ne dans une creche, entre un ane et un boeuf. Maintenant, je vais vous expliquer une chose.

Les plus ignorants d'entre vous ont entendu dire que chaque pays a ses habitudes, n'est-ce pas? et les plus instruits savent sans doute deja que Nuremberg est une ville d'Allemagne fort renommee pour ses joujoux, ses poupees et ses polichinelles, dont elle envoie de pleines caisses dans tous les autres pays du monde; ce qui fait que les enfants de Nuremberg doivent etre les plus heureux enfants de la terre, a moins qu'ils ne soient comme les habitants d'Ostende, qui n'ont des huitres que pour les regarder passer.

Donc, l'Allemagne, etant un autre pays que la France, a d'autres habitudes qu'elle. En France, le premier jour de l'an est le jour des etrennes, ce qui fait que beaucoup de gens desiraient fort que l'annee commencat toujours par le 2 janvier. Mais, en Allemagne, le jour des etrennes est le 24 decembre, c'est-a-dire la veille de la Noel. Il y a plus, les etrennes se donnent, de l'autre cote du Rhin, d'une facon toute particuliere: on plante dans le salon un grand arbre, on le place au milieu d'une table, et a toutes ses branches on suspend les joujoux que l'on veut donner aux enfants; ce qui ne peut pas tenir sur les branches, on le met sur la table; puis on dit aux enfants que c'est le bon petit Jesus qui leur envoie leur part des presents qu'il a recus des trois rois mages, et, en cela, on ne leur fait qu'un demi-mensonge, car, vous le savez, c'est de Jesus que nous viennent tous les biens de ce monde.

Je n'ai pas besoin de vous dire que, parmi les enfants favorises de Nuremberg, c'est-a-dire parmi ceux qui a la Noel recevaient le plus de joujoux de toutes facons, etaient les enfants du president Silberhaus; car, outre leur pere et leur mere qui les adoraient, ils avaient encore un parrain qui les adorait aussi et qu'ils appelaient parrain Drosselmayer.

Il faut que je vous fasse en deux mots le portrait de cet illustre personnage, qui tenait dans la ville de Nuremberg une place presque aussi distinguee que celle du president Silberhaus.

Parrain Drosselmayer conseiller de medecine, n'etait pas un joli garcon le moins du monde, tant s'en faut. C'etait un grand homme sec, de cinq pieds huit pouces, qui se tenait fort voute, ce qui faisait que, malgre ses longues jambes, il pouvait ramasser son mouchoir, s'il tombait a terre, presque sans se baisser. Il avait le visage ride comme une pomme de reinette sur laquelle a passe la gelee d'avril. A la place de son oeil droit etait un grand emplatre noir; il etait parfaitement chauve, inconvenient auquel il parait en portant une perruque gazonnante et frisee, qui etait un fort ingenieux morceau de sa composition fait en verre file; ce qui le forcait, par egard pour ce respectable couvre-chef, de porter sans cesse son chapeau sous le bras. Au reste, l'oeil qui lui restait etait vif et brillant, et semblait faire non seulement sa besogne, mais celle de son camarade absent, tant il roulait rapidement autour d'une chambre dont parrain Drosselmayer desirait d'un seul regard embrasser tous les details, ou s'arretait fixement sur les gens dont il voulait connaitre les plus profondes pensees.

Or, le parrain Drosselmayer qui, ainsi que nous l'avons dit, etait conseiller de medecine, au lieu de s'occuper, comme la plupart de ses confreres, a tuer correctement, et selon les regles, les gens vivants, n'etait preoccupe que de rendre, au contraire, la vie aux choses mortes, c'est-a-dire qu'a force d'etudier le corps des hommes et des animaux, il etait arriv connaitre tous les ressorts de la machine, si bien qu'il fabriquait des hommes qui marchaient, qui saluaient, qui faisaient des armes; des dames qui dansaient, qui jouaient du clavecin, de la harpe et de la viole; des chiens qui couraient, qui rapportaient et qui aboyaient; des oiseaux qui volaient, qui sautaient et qui chantaient; des poissons qui nageaient et qui mangeaient. Enfin, il en etait meme venu a faire prononcer aux poupees et aux polichinelles quelques mots peu compliques, il est vrai, comme papa, maman, dada; seulement, c'etait d'une voix monotone et criarde qui attristait, parce qu'on sentait bien que tout cela etait le resultat d'une combinaison automatique, et qu'une combinaison automatique n'est toujours, a tout prendre, qu'une parodie des chefs-d'oeuvre du Seigneur.

Cependant, malgre toutes ces tentatives infructueuses, parrain Drosselmayer ne desesperait point et disait fermement qu'il arriverait un jour a faire de vrais hommes, de vraies femmes, de vrais chiens, de vrais oiseaux et de vrais poissons. Il va sans dire que ses deux filleuls, auxquels il avait promis ses premiers essais en ce genre, attendaient ce moment avec une grande impatience.

On doit comprendre qu'arrive a ce degre de science en mecanique, parrain Drosselmayer etait un homme precieux pour ses amis. Aussi une pendule tombait-elle malade dans la maison du president Silberhaus, et, malgre le soin des horlogers ordinaires, ses aiguilles venaient-elles a cesser de marquer l'heure; son tic-tac, a s'interrompre; son mouvement, a s'arreter; on envoyait prevenir le parrain Drosselmayer, lequel arrivait aussitot tout courant, car c'etait un artiste ayant l'amour de son art, celui-la. Il se faisait conduire aupres de la morte qu'il ouvrait a l'instant meme, enlevant le mouvement qu'il placait entre ses deux genoux; puis alors, la langue passant par un coin de ses levres, son oeil unique brillant comme une escarboucle, sa perruque de verre posee a terre, il tirait de sa poche une foule de petits instruments sans nom, qu'il avait fabriques lui-meme et dont lui seul connaissait la propriete, choisissait les plus aigus, qu'il plongeait dans l'interieur de la pendule, acuponcture qui faisait grand mal a la petite Marie, laquelle ne pouvait croire que la pauvre horloge ne souffrit pas de ces operations, mais qui, an contraire, ressuscitait la gentille trepanee, qui, des qu'elle etait replacee dans son coffre, ou entre ses colonnes, ou sur son rocher, se mettait a vivre, battre et a ronronner de plus belle; ce qui rendait aussitot l'existence a l'appartement, qui semblait avoir perdu son ame en perdant sa joyeuse pensionnaire.

Il y a plus: sur la priere de la petite Marie, qui voyait avec peine le chien de la cuisine tourner la broche, occupation tres-fatigante pour le pauvre animal, le parrain Drosselmayer avait consenti a descendre des hauteurs de sa science pour fabriquer un chien automate, lequel tournait maintenant la broche sans aucune douleur ni aucune convoitise, tandis que Turc, qui, au metier qu'il avait fait depuis trois ans, etait devenu tres-frileux, se chauffait en veritable rentier le museau et les pattes, sans avoir autre chose a faire que de regarder son successeur, qui, une fois remonte, en avait pour une heure faire sa besogne gastronomique sans qu'on eut a s'occuper seulement de lui.

Aussi, apres le president, apres la presidente, apres Fritz et apres Marie, Turc etait bien certainement l'etre de la maison qui aimait et venerait le plus le parrain Drosselmayer, auquel il faisait grande fete toutes les fois qu'il le voyait arriver, annoncant meme quelquefois, par ses aboiements joyeux et par le fretillement de sa queue, que le conseiller de medecine etait en route pour venir, avant meme que le digne parrain eut touche le marteau de la porte.

Le soir donc de cette bienheureuse veille de Noel, au moment o le crepuscule commencait a descendre, Fritz et Marie, qui, de toute la journee, n'avaient pu entrer dans le grand salon d'apparat, se tenaient accroupis dans un petit coin de la salle manger.

Tandis que mademoiselle Trudchen, leur gouvernante, tricotait pres de la fenetre, dont elle s'etait approchee pour recueillir les derniers rayons du jour, les enfants etaient pris d'une espece de terreur vague, parce que, selon l'habitude de ce jour solennel, on ne leur avait pas apporte de lumiere; de sorte qu'ils parlaient bas comme on parle quand on a un petit peu peur.

—Mon frere, disait Marie, bien certainement papa et maman s'occupent de notre arbre de Noel; car, depuis le matin, j'entends un grand remue-menage dans le salon, ou il nous est defendu d'entrer.

—Et moi, dit Fritz, il y a dix minutes a peu pres que j'ai reconnu; a la maniere dont Turc aboyait, que le parrain Drosselmayer entrait dans la maison.

—O Dieu! s'ecria Marie en frappant ses deux petites mains l'une contre l'autre, que va-t-il nous apporter, ce bon parrain? Je suis sure, moi, que ce sera quelque beau jardin tout plant d'arbres, avec une belle riviere qui coulera sur un gazon brod de fleurs. Sur cette riviere, il y aura des cygnes d'argent avec des colliers d'or, et une jeune fille qui leur apportera des massepains qu'ils viendront manger jusque dans son tablier.

—D'abord, dit Fritz, de ce ton doctoral qui lui etait particulier, et que ses parents reprenaient en lui comme un de ses plus graves defauts, vous saurez, mademoiselle Marie, que les cygnes ne mangent pas de massepains.

—Je le croyais, dit Marie; mais, comme tu as un an et demi de plus que moi, tu dois en savoir plus que je n'en sais.

Fritz se rengorgea.

—Puis, reprit-il, je crois pouvoir dire que, si parrain Drosselmayer apporte quelque chose, ce sera une forteresse, avec des soldats pour la garder, des canons pour la defendre, et des ennemis pour l'attaquer; ce qui fera des combats superbes.

—Je n'aime pas les batailles, dit Marie. S'il apporte une forteresse, comme tu le dis ce sera donc pour toi; seulement, je reclame les blesses pour en avoir soin.

—Quelque chose qu'il apporte, dit Fritz, tu sais bien que ce ne sera ni pour toi ni pour moi, attendu que, sous le pretexte que les cadeaux de parrain Drosselmayer sont de vrais chefs-d'oeuvre, on nous les reprend aussitot qu'il nous les a donnes, et qu'on les enferme tout au haut de la grande armoire vitree ou papa seul peut atteindre, et encore en montant sur une chaise, ce qui fait, continua Fritz, que j'aime autant et meme mieux les joujoux que nous donnent papa et maman, et avec lesquels on nous laisse jouer au moins jusqu'a ce que nous les ayons mis en morceaux, que ceux que nous apporte le parrain Drosselmayer.

—Et moi aussi, repondit Marie; seulement, il ne faut pas repeter ce que tu viens de dire au parrain.

—Pourquoi?

—Parce que cela lui ferait de la peine que nous n'aimassions pas autant ses joujoux que ceux qui nous viennent de papa et de maman; il nous les donne, pensant nous faire grand plaisir, il faut donc lui laisser croire qu'il ne se trompe pas.

—Ah bah! dit Fritz.

—Mademoiselle Marie a raison, monsieur Fritz, dit mademoiselle Trudchen, qui, d'ordinaire, etait fort silencieuse et ne prenait la parole que dans les grandes circonstances.

—Voyons, dit vivement Marie pour empecher Fritz de repondre quelque impertinence a la pauvre gouvernante, voyons, devinons ce que nous donneront nos parents. Moi, j'ai confie a maman, mais la condition qu'elle ne la gronderait pas, que mademoiselle Rose, ma poupee, devenait de plus en plus maladroite, malgre les sermons que je lui fais sans cesse, et n'est occupee qu'a se laisser tomber sur le nez, accident qui ne s'accomplit jamais sans laisser des traces tres desagreables sur son visage; de sorte qu'il n'y a plus a penser a la conduire dans le monde, tant sa figure jure maintenant avec ses robes.

—Moi, dit Fritz, je n'ai pas laisse ignorer a papa qu'un vigoureux cheval alezan ferait tres-bien dans mon ecurie; de meme que je l'ai prie d'observer qu'il n'y a pas d'armee bien organisee sans cavalerie legere, et qu'il manque un escadron de hussards pour completer la division que je commande.

A ces mots, mademoiselle Trudchen jugea que le moment convenable etait venu de prendre une seconde fois la parole.

—Monsieur Fritz et mademoiselle Marie, dit-elle, vous savez bien que c'est l'enfant Jesus qui donne et benit tous ces beaux joujoux qu'on vous apporte. Ne designez donc pas d'avance ceux que vous desirez, car il sait mieux que vous-memes ceux qui peuvent vous etre agreables.

—Ah! oui, dit Fritz, avec cela que, l'annee passee, il ne m'a donne que de l'infanterie quand, ainsi que je viens de le dire, il m'eut ete tres agreable d'avoir un escadron de hussards.

—Moi, dit Marie, je n'ai qu'a le remercier, car je ne demandais qu'une seule poupee, et j'ai encore eu une jolie colombe blanche avec des pattes et un bec roses.

Sur ces entrefaites, la nuit etant arrivee tout a fait, de sorte que les enfants parlaient de plus bas en plus bas, et qu'ils se tenaient toujours plus rapproches l'un de l'autre, il leur semblait autour d'eux sentir les battements d'ailes de leurs anges gardiens tout joyeux, et entendre dans le lointain une musique douce et melodieuse comme celle d'un orgue qui eut chante, sous les sombres arceaux d'une cathedrale, la nativite de Notre-Seigneur. Au meme instant, une vive lueur passa sur la muraille, et Fritz et Marie comprirent que c'etait l'enfant Jesus qui, apres avoir depose leurs joujoux dans le salon, s'envolait sur un nuage d'or vers d'autres enfants qui l'attendaient avec la meme impatience qu'eux.

Aussitot une sonnette retentit, la porte s'ouvrit avec fracas, et une telle lumiere jaillit de l'appartement, que les enfants demeurerent eblouis, n'ayant que la force de crier:

—Ah! ah! ah!

Alors le president et la presidente vinrent sur le seuil de la porte, prirent Fritz et Marie par la main.

—Venez voir, mes petits amis, dirent-ils, ce que l'enfant Jesus vient de vous apporter.

Les enfants entrerent aussitot dans le salon, et mademoiselle Trudchen, ayant pose son tricot sur la chaise qui etait devant elle, les suivit.

L'arbre de Noel

Mes chers enfants, il n'est pas que vous ne connaissiez Susse et Giroux, ces grands entrepreneurs du bonheur de la jeunesse; on vous a conduits dans leurs splendides magasins, et l'on vous a dit, en vous ouvrant un credit illimite: <<Venez, prenez, choisissez.>> Alors vous vous etes arretes haletants, les yeux ouverts, la bouche beante, et vous avez eu un de ces moments d'extase que vous ne retrouverez jamais dans votre vie, meme le jour ou vous serez nommes academiciens, deputes ou pairs de France. Eh bien, il en fut ainsi que de vous de Fritz et de Marie, quand ils entrerent dans le salon et qu'ils virent l'arbre de Noel qui semblait sortir de la grande table couverte d'une nappe blanche, et tout charge, outre ses pommes d'or, de fleurs en sucre au lieu de fleurs naturelles, et de dragees et de pralines au lieu de fruits; le tout etincelant au feu de cent bougies cachees dans son feuillage, et qui le rendaient aussi eclatant que ces grands ifs d'illuminations que vous voyez les jours de fetes publiques. A cet aspect, Fritz tenta plusieurs entrechats qu'il accomplit de maniere a faire honneur M. Pochette, son maitre de danse, tandis que Marie n'essayait pas meme de retenir deux grosses larmes de joie, qui, pareilles a des perles liquides, roulaient sur son visage epanoui comme sur une rose de mai.

Mais ce fut bien pis encore quand on passa de l'ensemble aux details, que les deux enfants virent la table couverte de joujoux de toute espece, que Marie trouva une poupee double de grandeur de mademoiselle Rose, et une petite robe charmante de soie suspendue a une patere, de maniere qu'elle en put faire le tour, et que Fritz decouvrit, range sur la table, un escadron de hussards vetus de pelisses rouges avec des ganses d'or, et montes sur des chevaux blancs, tandis qu'au pied de la meme table etait attache le fameux alezan qui faisait un si grand vide dans ses ecuries; aussi, nouvel Alexandre, enfourcha-t-il aussitot le brillant Bucephale qui lui etait offert tout selle et tout bride, et, apres lui avoir fait faire au grand galop trois ou quatre fois le tour de l'arbre de Noel, declara-t-il, en remettant pied a terre, que, quoique ce fut un animal tres sauvage et on ne peut plus retif, il se faisait fort de le dompter de telle facon qu'avant un mois il serait doux comme un agneau.

Mais, au moment ou il mettait pied a terre, et ou Marie venait de baptiser sa nouvelle poupee du nom de mademoiselle Clarchen, qui correspond en francais au nom de Claire, comme celui de Roschen correspond en allemand a celui de Rose, on entendit pour la seconde fois le bruit argentin de la sonnette; les enfants se retournerent du cote ou venait ce bruit, c'est-a-dire vers un angle du salon.

Alors ils virent une chose a laquelle ils n'avaient pas fait attention d'abord, attires qu'ils avaient ete par le brillant arbre de Noel qui tenait le beau milieu de la chambre: c'est que cet angle du salon etait coupe par un paravent chinois, derriere lequel il se faisait un certain bruit et une certaine musique qui prouvaient qu'il se passait en cet endroit de l'appartement quelque chose de nouveau et d'inaccoutume. Les enfants se souvinrent alors en meme temps qu'ils n'avaient pas encore apercu le conseiller de medecine, et d'une meme voix ils s'ecrierent:

—Ah! parrain Drosselmayer!

A ces mots, et comme si, en effet, il n'eut attendu que cette exclamation pour faire ce mouvement, le paravent se replia sur lui-meme et laissa voir non seulement parrain Drosselmayer, mais encore! ...

Au milieu d'une prairie verte et emaillee de fleurs, un magnifique chateau avec une quantite de fenetres en glaces sur sa facade et deux belles tours dorees sur ses ailes. Au meme moment, une sonnerie interieure se fit entendre, les portes et les fenetres s'ouvrirent, et l'on vit, dans les appartements eclaires de bougies hautes d'un demi-pouce, se promener de petits messieurs et de petites dames: les messieurs, magnifiquement vetus d'habits brodes, de vestes et de culottes de soie, ayant l'epee au cote et le chapeau sous le bras; les dames splendidement habillees de robes de brocart avec de grands paniers, coiffees en racine droite et tenant a la main des eventails, avec lesquels elles se rafraichissaient le visage comme si elles etaient accablees de chaleur. Dans le salon du milieu, qui semblait tout en feu a cause d'un lustre de cristal charge de bougies, dansaient au bruit de cette sonnerie une foule d'enfants: les garcons, en veste ronde; les filles, en robe courte. En meme temps, a la fenetre d'un cabinet attenant, un monsieur, enveloppe d'un manteau de fourrure, et qui bien certainement ne pouvait etre qu'un personnage ayant droit an moins au titre de sa transparence, se montrait, faisait des signes et disparaissait, et cela tandis que le parrain Drosselmayer lui-meme, vetu de sa redingote jaune, avec son emplatre sur l'oeil et sa perruque de verre, ressemblant a s'y meprendre, mais haut de trois pouces a peine, sortait et rentrait comme pour inviter les promeneurs a entrer chez lui.

Le premier moment fut pour les deux enfants tout a la surprise et a la joie; mais, apres quelques minutes de contemplation, Fritz, qui se tenait les coudes appuyes sur la table, se leva, et, s'approchant impatiemment:

—Mais, parrain Drosselmayer, lui dit-il, pourquoi entres-tu et sors-tu toujours par la meme porte? Tu dois etre fatigu d'entrer et de sortir toujours par le meme endroit. Tiens, va-t'en par celle qui est la-bas, et tu rentreras par celle-ci.

Et Fritz lui montrait de la main les portes des deux tours.

—Mais cela ne se peut pas, repondit le parrain Drosselmayer.

—Alors, reprit Fritz, fais-moi le plaisir de monter l'escalier, de te mettre a la fenetre a la place de ce monsieur, et de dire ce monsieur d'aller a la porte a ta place.

—Impossible, mon cher petit Fritz, dit encore le conseiller de medecine.

—Alors les enfants ont danse assez; il faut qu'ils se promenent tandis que les promeneurs danseront a leur tour.

—Mais tu n'es pas raisonnable, eternel demandeur! s'ecria le parrain qui commencait a se facher; comme la mecanique est faite, il faut qu'elle marche.

—Alors, dit Fritz, je veux entrer dans le chateau.

—Ah! pour cette fois, dit le president, tu es fou, mon cher enfant; tu vois bien qu'il est impossible que tu entres dans ce chateau, puisque les girouettes qui surmontent les plus hautes tours vont a peine a ton epaule.

Frite se rendit a cette raison et se tut; mais, au bout d'un instant, voyant que les messieurs et les dames se promenaient sans cesse, que les enfants dansaient toujours, que le monsieur au manteau de fourrures se montrait et disparaissait intervalles egaux, et que le parrain Drosselmayer ne quittait pas sa porte, il dit d'un ton fort desillusionne:

—Parrain Drosselmayer, si toutes tes petites figures ne savent pas faire autre chose que ce qu'elles font et recommencent toujours a faire la meme chose, demain tu peux les reprendre, car je ne m'en soucie guere, et j'aime bien mieux mon cheval, qui court a ma volonte, mes hussards, qui manoeuvrent a mon commandement, qui vont a droite et a gauche, en avant, en arriere, et qui ne sont enfermes dans aucune maison, que tous tes pauvres petits bonshommes qui sont obliges de marcher comme la mecanique veut qu'ils marchent.

Et, a ces mots, il tourna le dos a parrain Drosselmayer et a son chateau, s'elanca vers la table, et rangea en bataille son escadron de hussards.

Quant a Marie, elle s'etait eloignee aussi tout doucement; car le mouvement regulier de toutes les petites poupees lui avait paru fort monotone. Seulement, comme c'etait une charmante enfant, ayant tous les instincts du coeur, elle n'avait rien dit, de peur d'affliger le parrain Drosselmayer. En effet, a peine Fritz eut-il le dos tourne, que, d'un air pique, le parrain Drosselmayer dit an president et a la presidente:

—Allons, allons, un pareil chef-d'oeuvre n'est pas fait pour des enfants, et je m'en vais remettre mon chateau dans sa boite et le remporter.

Mais la presidente s'approcha de lui, et, reparant l'impolitesse de Fritz, elle se fit montrer dans de si grands details le chef-d'oeuvre du parrain, se fit expliquer si categoriquement la mecanique, loua si ingenieusement ses ressorts compliques, que non-seulement elle arriva a effacer dans l'esprit du conseiller de medecine la mauvaise impression produite, mais encore que celui-ci tira des poches de sa redingote jaune une multitude de petits hommes et de petites femmes a peau brune, avec des yeux blancs et des pieds et des mains dores. Outre leur merite particulier, ces petits hommes et ces petites femmes avaient une excellente odeur, attendu qu'ils etaient en bois de cannelle.

En ce moment, mademoiselle Trudchen appela Marie pour lui offrir de lui passer cette jolie petite robe de soie qui l'avait si fort emerveillee en entrant, qu'elle avait demande s'il lui serait permis de la mettre; mais Marie, malgre sa politesse ordinaire, ne repondit pas a mademoiselle Trudchen, tant elle etait preoccupee d'un nouveau personnage qu'elle venait de decouvrir parmi ses joujoux, et sur lequel, mes chers enfants, je vous prie de concentrer toute votre attention, attendu que c'est le heros principal de cette tres-veridique histoire, dont mademoiselle Trudchen, Marie, Fritz, le president, la presidente et meme le parrain Drosselmayer ne sont que les personnages accessoires.

Le petit homme au manteau de bois

Marie, disons-nous, ne repondait pas a l'invitation de mademoiselle Trudchen, parce qu'elle venait de decouvrir l'instant meme un nouveau joujou qu'elle n'avait pas encore apercu.

En effet, en faisant tourner, virer, volter ses escadrons, Fritz avait demasque, appuye melancoliquement au tronc de l'arbre de Noel, un charmant petit bonhomme qui, silencieux et plein de convenance, attendait que son tour vint d'etre vu. Il y aurait bien eu quelque chose a dire sur la taille de ce petit bonhomme, auquel nous sommes peut-etre trop presse de donner l'epithete de charmant; car, outre que son buste, trop long et trop developpe, ne se trouvait plus en harmonie parfaite avec ses petites jambes greles, il avait la tete d'une grosseur si demesuree, qu'elle sortait de toutes les proportions indiquees non seulement par la nature, mais encore par les maitres de dessin, qui en savent la-dessus bien plus que la nature.

Mais, s'il y avait quelque defectuosite dans sa personne, cette defectuosite etait rachetee par l'excellence de sa toilette, qui indiquait a la fois un homme d'education et de gout: il portait une polonaise en velours violet avec une quantite de brandebourgs et de boutons d'or, des culottes pareilles, et les plus charmantes petites bottes qui se soient jamais vues aux pieds d'un etudiant, et meme d'un officier, car elles etaient tellement collantes, qu'elles semblaient peintes. Mais deux choses etranges pour un homme qui paraissait avoir en fashion des gouts si superieurs, c'etait d'avoir un laid et etroit manteau de bois, pareil a une queue qu'il s'etait attachee au bas de la nuque et qui retombait au milieu de son dos, et un mauvais petit bonnet de montagnard qu'il s'etait ajuste sur la tete. Mais Marie, en voyant ces deux objets, qui formaient avec le reste du costume une si grande disparate, avait reflechi que le parrain Drosselmayer portait lui-meme, par-dessus sa redingote jaune, un petit collet qui n'avait guere meilleure facon que le manteau de bois du bonhomme a la polonaise, et qu'il couvrait parfois son chef d'un affreux et fatal bonnet, pres duquel tous les bonnets de la terre ne pouvaient souffrir aucune comparaison, ce qui n'empechait pas le parrain Drosselmayer de faire un excellent parrain. Elle se dit meme a part soi que, le parrain Drosselmayer modelat-il entierement sa toilette sur celle du petit homme au manteau de bois, il serait encore bien loin d'etre aussi gentil et aussi gracieux que lui.

On concoit que toutes ces reflexions de Marie ne s'etaient pas faites sans un examen approfondi du petit bonhomme qu'elle avait pris en amitie des la premiere vue; or, plus elle l'examinait, plus Marie sentait combien il y avait de douceur et de bonte dans sa physionomie. Ses yeux vert clair, auxquels on ne pouvait faire d'autre reproche que d'etre un peu trop a fleur de tete, n'exprimaient que la serenite et la bienveillance. La barbe de coton blanc frise, qui s'etendait sur tout son menton, lui allait particulierement bien, en ce qu'elle faisait valoir le charmant sourire de sa bouche, un peu trop fendue peut-etre, mais rouge et brillante. Aussi, apres l'avoir considere avec une affection croissante, pendant plus de dix minutes, sans oser le toucher:

—Oh! s'ecria la jeune fille, dis-moi donc, bon pere, a qui appartient ce cher petit bonhomme qui est adosse la, contre l'arbre de Noel.

—A personne en particulier; a vous tous ensemble, repondit le president.

—Comment cela, bon pere? Je ne te comprends pas.

—C'est le travailleur commun, reprit le president; c'est celui qui est charge a l'avenir de casser pour vous toutes les noisettes que vous mangerez; et il appartient aussi bien a Fritz qu'a toi, et a toi qu'a Fritz.

Et, en disant cela, le president l'enleva avec precaution de la place ou il etait pose, et, soulevant son etroit manteau de bois, il lui fit, par un jeu de bascule des plus simples, ouvrir sa bouche, qui, en s'ouvrant, decouvrit deux rangs de dents blanches et pointues. Alors Marie, sur l'invitation de son pere, y fourra une noisette; et, knac! knac! le petit bonhomme cassa la noisette avec tant d'adresse, que la coquille brisee tomba en mille morceaux, et que l'amande intacte resta dans la main de Marie. La petite fille alors comprit que le coquet petit bonhomme etait un descendant de cette race antique et veneree des casse-noisettes dont l'origine, aussi ancienne que celle de la ville de Nuremberg, se perd avec elle dans la nuit des temps, et qu'il continuait a exercer l'honorable et philanthropique profession de ses ancetres: et Marie, enchantee d'avoir fait cette decouverte, se prit a sauter de joie. Sur quoi, le president lui dit:

—Eh bien, ma bonne petite Marie, puisque le casse-noisette te plait tant, quoiqu'il appartienne egalement a Fritz et a toi, c'est toi qui seras particulierement chargee d'en avoir soin. Je le place donc sous ta protection.

Et, a ces mots, le president remit le petit bonhomme a Marie, qui le prit dans ses bras et se mit aussitot a lui faire exercer son metier, tout en choisissant cependant, tant c'etait un bon coeur que celui de cette charmante enfant, les plus petites noisettes, afin que son protege n'eut pas besoin d'ouvrir demesurement la bouche, ce qui ne lui seyait pas bien, et donnait une expression ridicule a sa physionomie. Alors mademoiselle Trudchen s'approcha pour jouir a son tour de la vue du petit bonhomme, et il fallut que, pour elle aussi, le casse-noisette remplit son office, ce qu'il fit gracieusement et sans rechigner le moins du monde, quoique mademoiselle Trudchen, comme on le sait, ne fut qu'une suivante.

Mais, tout en continuant de dresser son alezan et de faire manoeuvrer ses hussards, Fritz avait entendu le *knac! knac! knac!* et, a ce bruit vingt fois repete, il avait compris qu'il se passait quelque chose de nouveau. Il avait donc leve la tete, et avait tourne ses grands yeux interrogateurs vers le groupe compose du president, de Marie et de mademoiselle Trudchen, et, dans les bras de sa soeur, il avait apercu le petit bonhomme an manteau de bois; alors il etait descendu de cheval, et, sans se donner le temps de reconduire l'alezan a l'ecurie, il etait accouru aupres de Marie, et avait revele sa presence par un joyeux eclat de rire que lui avait inspire la grotesque figure que faisait le petit bonhomme en ouvrant sa grande bouche. Alors Fritz reclama sa part des noisettes que cassait le petit bonhomme, ce qui lui fut accorde; puis le droit de les lui faire casser lui-meme, ce qui lui fut accorde encore, comme proprietaire par moitie. Seulement, tout au contraire de sa soeur, et malgre ses observations, Fritz choisit aussitot, pour les lui fourrer dans la bouche, les noisettes les plus grosses et les plus dures, ce qui fit qu'a la cinquieme ou sixieme noisette fourree ainsi par Fritz dans la bouche du petit bonhomme, on entendit tout a coup: Carrac! et que trois petites dents tomberent des gencives du casse-noisette, dont le menton, demantibule, devint a l'instant meme debile et tremblotant comme celui d'un vieillard.

—Ah! mon pauvre cher casse-noisette! s'ecria Marie en arrachant le petit bonhomme des mains de Fritz.

—En voila un stupide imbecile! s'ecria celui-ci; ca veut etre casse-noisette, et cela a une machoire de verre: c'est un faux casse-noisette, et qui n'entend pas son metier. Passe-le-moi, Marie; il faut qu'il continue de m'en casser, dut-il y perdre le reste de ses dents, et dut son menton se disloquer tout a fait. Voyons, quel interet prends-tu a ce paresseux?

—Non, non, non! s'ecria Marie en serrant le petit bonhomme entre ses bras; non, tu n'auras plus mon pauvre casse-noisette, Vois donc comme il me regarde d'un air malheureux en me montrant sa pauvre machoire blessee. Fi! tu es un mauvais coeur, tu bats tes chevaux, et, l'autre jour encore, tu as fait fusiller un de tes soldats.

—Je bats mes chevaux quand ils sont retifs, repondit Fritz de son air le plus fanfaron; et, quant au soldat que j'ai fait fusiller l'autre jour, c'etait un miserable vagabond dont je n'avais pu rien faire depuis un an qu'il etait a mon service, et qui avait fini un beau matin par deserter avec armes et bagages, ce qui, dans tous les pays du monde, entraine la peine de mort. D'ailleurs, toutes ces choses sont affaires de discipline qui ne regardent pas les femmes. Je ne t'empeche pas de fouetter tes poupees, ne m'empeche donc pas de battre mes chevaux et de faire fusiller mes militaires. Maintenant je veux le casse-noisette.

—O bon pere! a mon secours! dit Marie enveloppant le petit bonhomme dans son mouchoir de poche, a mon secours! Fritz veut me prendre le casse-noisette.

Aux cris de Marie, non-seulement le president se rapprocha du groupe des enfants dont il s'etait eloigne, mais encore la presidente et le parrain Drosselmayer accoururent. Les deux enfants expliquerent chacun leurs raisons: Marie, pour garder le casse-noisette, et Fritz, pour le reprendre; et, au grand etonnement de Marie, le parrain Drosselmayer, avec un sourire qui parut feroce a la petite fille, donna raison a Fritz. Heureusement pour le pauvre casse-noisette que le president et la presidente se rangerent a l'avis de Marie.

—Mon cher Fritz, dit le president, j'ai mis le casse-noisette sous la protection de votre soeur, et, autant que mon peu de connaissance en medecine me permet d'en juger en ce moment, je vois que le pauvre malheureux est fort endommage et a grand besoin de soins; j'accorde donc, jusqu'a sa parfaite convalescence, plein pouvoir a Marie, et cela, sans que personne ait rien a y redire. D'ailleurs, toi qui es fort sur la discipline militaire, ou as-tu jamais vu qu'un general fasse retourner au feu un soldat blesse a son service? Les blesses vont a l'hopital jusqu'a ce qu'ils soient gueris, et, s'ils restent estropies de leurs blessures, ils ont droit aux Invalides.

Fritz voulut insister; mais le president leva son index a la hauteur de l'oeil droit, et laissa echapper ces deux mots:

—Monsieur Fritz!

Nous avons deja dit quelle influence ces deux mots avaient sur le petit garcon; aussi, tout honteux de s'etre attire cette mercuriale, se glissa-t-il, doucement et sans souffler le mot; du cote de ta table ou etaient les hussards, qui, apres avoir pos leurs sentinelles perdues et etabli leurs avant-postes, se retirerent silencieusement dans leurs quartiers de nuit.

Pendant ce temps, Marie ramassait les petites dents du casse-noisette, qu'elle continuait de tenir enveloppe dans son mouchoir, et dont elle avait soutenu le menton avec un joli ruban blanc detache de sa robe de soie. De son cote, le petit bonhomme, tres-pale et tres-effraye d'abord, paraissait confiant dans la bonte de sa protectrice, et se rassurait peu a peu, en se sentant tout doucement berce par elle. Alors Marie s'apercut que le parrain Drosselmayer regardait d'un air moqueur les soins maternels qu'elle donnait au manteau de bois, et il lui sembla meme que l'oeil unique du conseiller de medecine avait pris une expression de malice et de mechancete qu'elle n'avait pas l'habitude de lui voir. Cela fit qu'elle voulut s'eloigner de lui.

Alors le parrain Drosselmayer se mit a rire aux eclats en disant:

—Pardieu! ma chere filleule, je ne comprends pas comment une jolie petite fille comme toi peut etre aussi aimable pour cet affreux petit bonhomme.

Alors Marie se retourna; et, comme, dans son amour du prochain, le compliment que lui faisait son parrain n'etablissait pas une compensation suffisante avec l'injuste attaque adressee a son casse-noisette, elle se sentit, contre son naturel; prise d'une grande colere, et cette vague comparaison qu'elle avait dej faite de son parrain avec le petit homme au manteau de bois lui revenant a l'esprit:

—Parrain Drosselmayer, dit-elle, vous etes injuste envers mon pauvre petit casse-noisette, que vous appelez un affreux petit bonhomme; qui sait meme si vous aviez sa jolie petite polonaise, sa jolie petite culotte et ses jolies petites bottes, qui sait si vous auriez aussi bon air que lui?

A ces mots, les parents de Marie se mirent a rire, et le nez du conseiller de medecine s'allongea prodigieusement.

Pourquoi le nez du conseiller de medecine s'etait-il allong ainsi, et pourquoi le president et la presidente avaient-ils eclate de rire? C'est ce dont Marie, etonnee de l'effet que sa reponse avait produit, essaya vainement de se rendre compte.

Or, comme il n'y a pas d'effet sans cause, cet effet se rattachait sans doute a quelque cause mysterieuse et inconnue qui nous sera expliquee par la suite.

Choses merveilleuses.

Je ne sais, mes chers petits amis, si vous vous rappelez que je vous ai dit un mot de certaine grande armoire vitree dans laquelle les enfants enfermaient leurs joujoux. Cette armoire se trouvait a droite en entrant dans le salon du president. Marie etait encore au berceau, et Fritz marchait a peine seul quand le president avait fait faire cette armoire par un ebeniste fort habile, qui l'orna de carreaux si brillants, que les joujoux paraissaient dix fois plus beaux, ranges sur les tablettes, que lorsqu'on les tenait dans les mains. Sur le rayon d'en haut, que ni Marie ni meme Fritz ne pouvaient atteindre, on mettait les chefs-d'oeuvre du parrain Drosselmayer. Immediatement au-dessous etait le rayon des livres d'images; enfin, les deux derniers rayons etaient abandonnes a Fritz et a Marie, qui les remplissaient comme ils l'entendaient. Cependant il arrivait presque toujours, par une convention tacite, que Fritz s'emparait du rayon superieur pour en faire le cantonnement de ses troupes, et que Marie se reservait le rayon d'en bas pour ses poupees, leurs menages et leurs lits. C'est ce qui etait encore arrive le jour de la Noel; Fritz rangea ses nouveaux venus sur la tablette superieure, et Marie, apres avoir relegue mademoiselle Rose dans un coin, avait donne sa chambre a coucher et son lit mademoiselle Claire, c'etait le nom de la nouvelle poupee, et s'etait invitee a passer chez elle une soiree de sucreries. Au reste, Mademoiselle Claire, en jetant les yeux autour d'elle, en voyant son menage bien range sur les tablettes, sa table chargee de bonbons et de pralines, et surtout son petit lit blanc avec son couvre-pieds de satin rose si frais et si joli, avait paru fort satisfaite de son nouvel appartement.

Pendant tous ces arrangements, la soiree s'etait fort avancee; il allait etre minuit, et le parrain Drosselmayer etait deja parti depuis longtemps; qu'on n'avait pas encore pu arracher les enfants devant leur armoire.

Contre l'habitude, ce fut Fritz qui rendit le premier aux raisonnements de ses parents, qui lui faisaient observer qu'il etait temps de se coucher.

—Au fait, dit-il, apres l'exercice qu'ils ont fait toute l soiree, mes pauvres diables de hussards doivent etre fatigues; or, je les connais, ce sont de braves soldats qui connaissent leur devoir envers moi; et comme, tant que je serai la; il n'y en aurait pas un qui se permettrait de fermer l'oeil, je vais me retirer.

Et, a ces mots; apres leur avoir donne le mot d'ordre pour qu'ils ne fussent pas surpris par quelque patrouille ennemie, Fritz se retira effectivement.

Mais il n'en fut pas ainsi de Marie; et comme la presidente, qui avait hate de rejoindre son mari qui etait deja passe dans sa chambre, l'invitait a se separer de sa chere armoire:

—Encore un instant, un tout petit instant; chere maman, dit-elle, laisse-moi finir mes affaires; j'ai encore une foule de choses importantes a terminer; et, des que j'aurai fini, je te promets que j'irai me coucher.

Marie demandait cette grace d'une voix si suppliante, d'ailleurs c'etait une enfant a la fois si obeissante et si sage, que sa mere ne vit aucun inconvenient a lui accorder ce qu'elle desirait; cependant, comme mademoiselle Trudchen etait dej remontee pour preparer le coucher de la petite fille, de peur que celle-ci, dans la preoccupation que lui inspirait la vue de ses nouveaux joujoux, n'oubliat de souffler les bougies, la presidente s'acquitta elle-meme de ce soin, ne laissant bruler que la lampe du plafond, laquelle repandait dans la chambre une douce et pale lumiere, et se retira a son tour en disant:

—Rentre bientot, chere petite Marie, car, si tu restais trop tard, tu serais fatiguee, et peut-etre ne pourrais-tu plus te lever demain.

Et, a ces mots, la presidente sortit du salon et ferma la porte derriere elle.

Des que Marie se trouva seule, elle en revint a la pensee qui la preoccupait avant toutes les autres, c'est-a-dire a son pauvre petit casse-noisette, qu'elle avait toujours continue de porter sur son bras, enveloppe dans son mouchoir de poche. Elle le deposa doucement sur la table, le demaillotta et visita ses blessures. Le casse-noisette avait l'air de beaucoup souffrir, et paraissait fort mecontent.

—Ah! cher petit bonhomme, dit-elle bien bas, ne sois pas en colere, je t'en prie, de ce que mon frere Fritz t'a fait tant de mal; il n'avait pas mauvaise intention, sois-en bien sur; seulement, ses manieres sont devenues un peu rudes, et son coeur s'est tant soit peu endurci dans sa vie de soldat. C'est, du reste, un fort bon garcon, je puis te l'assurer, et je suis convaincue que, lorsque tu le connaitras davantage, tu lui pardonneras. D'ailleurs, par compensation du mal que mon frere t'a fait, moi, je vais te soigner si bien et si attentivement, que, d'ici a quelques jours, tu seras redevenu joyeux et bien portant. Quant a te replacer les dents et a te rattacher le menton, c'est l'affaire du parrain Drosselmayer, qui s'entend tres bien a ces sortes de choses.

Mais Marie ne put achever son petit discours. Au moment ou elle prononcait le nom du parrain Drosselmayer, le casse-noisette, auquel ce discours s'adressait, fit une si atroce grimace, et il sortit de ses deux yeux verts un double eclair si brillant, que la petite fille, tout effrayee, s'arreta et fit un pas en arriere. Mais, comme aussitot la casse-noisette reprit sa bienveillante physionomie et son melancolique sourire, elle pensa qu'elle avait ete le jouet d'une illusion, et que la flamme de la lampe, agitee par quelque courant d'air, avait defigure ainsi le petit bonhomme.

Elle en vint meme a se moquer d'elle-meme et a se dire:

—En verite, je suis bien sotte d'avoir pu croire un instant que cette figure de bois etait capable de me faire des grimaces. Allons, rapprochons-nous de lui et soignons-le comme son etat l'exige.

Et, a la suite de ce monologue interieur, Marie reprit son protege entre ses bras, set rapprocha de l'armoire vitree, frappa a la porte qu'avait fermee Fritz, et dit a la poupee neuve:

—Je t'en prie, mademoiselle Claire, abandonne ton lit a mon casse-noisette qui est malade, et, pour une nuit, accommode-toi du sofa; songe que tu te portes a merveille et que tu es pleine de sante, comme le prouvent tes joues rouges et rebondies. D'ailleurs, une nuit est bientot passee; le sofa est bon, et il n'y aura pas encore a Nuremberg beaucoup de poupees aussi bien couchees que toi.

Mademoiselle Claire, comme on le pense bien, ne souffla pas le mot; mais il sembla a Marie qu'elle prenait un air fort pince et fort maussade. Mais Marie, qui trouvait, dans sa conscience, qu'elle avait pris avec mademoiselle Claire tous les menagements convenables, ne fit pas davantage de facons avec elle, et, tirant le lit a elle, elle y coucha avec beaucoup de soin le casse-noisette malade, lui ramenant les draps jusqu'au menton. Alors elle reflechit qu'elle ne connaissait pas encore le fond du caractere de mademoiselle Claire, puisqu'elle l'avait depuis quelques heures seulement; qu'elle avait paru de fort mauvaise humeur quand elle lui avait emprunte son lit, et qu'il pourrait arriver malheur au blesse, si elle le laissait a la portee de cette impertinente personne. En consequence, elle placa le lit et le casse-noisette sur le rayon superieur, tout contre le beau village ou la cavalerie de Fritz etait cantonnee; puis, ayant pose mademoiselle Claire sur son sofa, elle ferma l'armoire, et s'appretait a aller rejoindre mademoiselle Trudchen dans sa chambre a coucher, lorsque, dans toute la chambre, autour de la pauvre enfant, commencerent a se faire entendre une foule de petits bruits sourds derriere les fauteuils, derriere le poele, derriere les armoires. La grande horloge attachee au mur, et que surmontait, au lieu du coucou traditionnel, une grosse chouette doree, ronronnait au milieu de tout cela de plus fort en plus fort, sans cependant se decider a sonner. Marie alors jeta les yeux sur elle, et vit que la grosse chouette doree avait abattu ses ailes de maniere a couvrir entierement l'horloge, et qu'elle avancait tant qu'elle pouvait sa hideuse tete de chat aux yeux ronds et au bec recourbe; et alors le ronronnement, devenant plus fort encore, se changea en un murmure qui ressemblait a une voix, et l'on put distinguer ces mots qui semblaient sortir du bec de la chouette:

—Horloges, horloges, ronronnez toutes bien bas: le roi des souris a l'oreille fine. Boum, boum, boum, chantez seulement, chantez-lui sa vieille chanson. Boum, boum, boum, sonnez, clochettes, sonnez sa derniere heure, car bientot ce sera fait de lui.

Et, boum, boum, boum, on entendit retentir douze coups sourds et enroues.

Marie avait tres peur. Elle commencait a frissonner des pieds la tete, et elle allait s'enfuir, quand elle apercut le parrain Drosselmayer assis sur la pendule a la place de la chouette, et dont les deux pans de la redingote jaune avaient pris la place des deux ailes pendantes de l'oiseau de nuit. A cette vue, elle s'arreta clouee a sa place par l'etonnement, et elle se mit crier en pleurant:

—Parrain Drosselmayer, que fais-tu la-haut? Descends pres de moi, et ne m'epouvante pas ainsi, mechant parrain Drosselmayer.

Mais, a ces paroles, commencerent a la ronde un sifflement aigu et un ricanement enrage; puis bientot on entendit des milliers de petits pieds trotter derriere les murs, puis on vit des milliers de petites lumieres qui scintillaient a travers les fentes des cloisons; quand je dis des milliers de petites lumieres, je me trompe, c'etaient des milliers de petits yeux brillants. Et Marie s'apercut que de tous cotes il y avait une population de souris qui s'appretait a entrer. En effet, au bout de cinq minutes, par les jointures des portes, par les fentes du plancher, des milliers de souris penetrerent dans la chambre, et trott, trott, trott, hopp, hopp, hopp, commencerent a galoper deca, dela, et bientot se mirent en rang de la meme facon que Fritz avait l'habitude de disposer ses soldats pour la bataille. Ceci parut fort plaisant a Marie; et, comme elle ne ressentait pas pour les souris cette terreur naturelle et puerile qu'eprouvent les autres enfants, elle allait s'amuser sans doute infiniment a ce spectacle, lorsque tout a coup elle entendit un sifflement si terrible, si aigu et si prolonge, qu'un froid glacial lui passa sur le dos. Au meme instant, a ses pieds, le plancher se souleva, et, pousse par une puissance souterraine, le roi des souris, avec ses sept tetes couronnees, apparut a ses pieds, au milieu du sable, du platre et de la terre broyee, et chacune de ces sept tetes commenca a siffloter et a grignoter hideusement, pendant que le corps auquel appartenaient ces sept tetes sortait a son tour. Aussitot toute l'armee s'elanca au-devant de son roi, en couicant trois fois en choeur; puis aussitot, tout en gardant leurs rangs, les regiments de souris se mirent a courir par la chambre, se dirigeant vers l'armoire vitree, contre laquelle Marie, enveloppee de tous cotes, commenca a battre en retraite. Nous l'avons dit, ce n'etait cependant pas une enfant peureuse; mais, quand elle se vit entouree de cette foule innombrable de souris, commandee par ce monstre a sept tetes, la frayeur s'empara d'elle, et son coeur commenca de battre si fort, qu'il lui sembla qu'il voulait sortir de sa poitrine. Puis toute coup son sang parut s'arreter, la respiration lui manqua; a demi evanouie, elle recula en chancelant; enfin, kling, kling, prrrr! et la glace de l'armoire vitree, enfoncee par son coude, tomba sur le parquet, brisee en mille morceaux. Elle ressentit bien au moment meme une vive douleur au bras gauche; mais, en meme temps, son coeur se retrouva plus leger, car elle n'entendit plus ces horribles couics, couics, qui l'avaient si fort effrayee; en effet, tout etait redevenu tranquille autour d'elle, les souris avaient disparu, et elle crut que, effrayees du bruit qu'avait fait la glace en se brisant, elles s'etaient refugiees dans leurs trous.

Mais voila que, presque aussitot, succedant a ce bruit, commenca dans l'armoire une rumeur etrange, et que de toutes petites voix aigues criaient de toutes leurs faibles forces: <<Aux armes! aux armes! aux armes!>> Et, en meme temps, la sonnerie du chateau se mit a sonner, et l'on entendait murmurer de tous cotes: <<Allons, alerte, alerte! levons-nous: c'est l'ennemi. Bataille, bataille, bataille!

Marie se retourna. L'armoire etait miraculeusement eclairee, et il s'y faisait un grand remue-menage: tous les arlequins, les pierrots, les polichinelles et les pantins s'agitaient, couraient deca, dela, s'exhortant les uns les autres, tandis que les poupees faisaient de la charpie et preparaient des remedes pour les blesses. Enfin, casse-noisette lui-meme rejeta tout a coup ses couvertures et sauta a bas au lit sur ses deux pieds a la fois, en criant:

—Knac! knac! knac! Stupide tas de souris, rentrez dans vos trous, ou, a l'instant meme, vous allez avoir affaire a moi.

Mais, a cette menace, un grand sifflement retentit, et Marie s'apercut que les souris n'etaient pas rentrees dans leurs trous, mais bien qu'elles s'etaient, effrayees par le bruit du verre casse, refugiees sous les tables et sous les fauteuils; d'o elles commencaient a sortir.

De son cote, casse-noisette, loin d'etre effraye par le sifflement, parut redoubler de courage.

—Ah! miserable roi des souris, s'ecria-t-il; c'est donc toi; tu acceptes enfin le combat que je t'offre depuis si longtemps. Viens donc; et que cette nuit decide de nous deux. Et vous, mes bons amis, mes compagnons, mes freres, s'il est vrai que nous nous sommes lies de quelque tendresse dans la boutique de Zacharias, soutenez-moi dans ce rude combat. Allons, en avant! et qui m'aime me suive!

Jamais proclamation ne fit un effet pareil: deux arlequins, un pierrot, deux polichinelles et trois pantins s'ecrierent a haute voix:

—Oui, seigneur, comptez sur nous, a la vie, a la mort! Nous vaincrons sous vos ordres, ou nous perirons avec vous.

A ces paroles, qui lui prouvaient qu'il y avait de l'echo dans le coeur de ses amis, casse-noisette se sentit tellement electrise, qu'il tira son sabre, et, sans calculer la hauteur effrayante o il se trouvait, il s'elanca du deuxieme rayon. Marie, en voyant ce saut perilleux, jeta un cri, car casse-noisette ne pouvait manquer de se briser; lorsque mademoiselle Claire, qui etait dans le rayon inferieur, s'elanca de son sofa, et recut casse-noisette entre ses bras.

—Ah! chere et bonne petite Claire, s'ecria Marie en joignant ses deux mains avec attendrissement, comme je t'ai meconnue!

Mais mademoiselle Claire, tout entiere a la situation, disait au casse-noisette:

—Comment, blesse et souffrant deja comme vous l'etes, Monseigneur, vous risquez-vous dans de nouveaux dangers? Contentez-vous de commander; laissez les antres combattre. Votre courage est connu, et ne peut rien gagner a fournir de nouvelles preuves.

Et, en disant ces paroles, mademoiselle Claire essayait de retenir le valeureux casse-noisette en le pressant contre son corsage de satin; mais celui-ci se mit a gigotter et a gambiller de telle sorte, que mademoiselle Claire fut forcee de le laisser echapper; il glissa donc de ses bras, et, tombant sur ses pieds avec une grace parfaite, il mit un genou en terre, et lui dit:

—Princesse, soyez sure que, quoique vous ayez a une certaine epoque ete injuste envers moi, je me souviendrai toujours de vous, meme au milieu de la bataille.

Alors mademoiselle Claire se pencha le plus qu'elle put, et, le saisissant par son petit bras, elle le forca de se relever; puis, detachant avec vivacite sa ceinture tout etincelante de paillettes, elle en fit une echarpe qu'elle voulut passer au cou du jeune heros; mais celui-ci recula de deux pas, et, tout en s'inclinant en temoignage de sa reconnaissance pour une si grande faveur, il detacha le petit ruban blanc avec lequel Marie l'avait panse, le porta a ses levres, et, s'en etant ceint le corps, leger et agile comme un oiseau, il sauta en brandissant son petit sabre du rayon ou il etait sur le plancher. Aussitot les couics et les piaulements recommencerent plus feroces que jamais, et le roi des souris, comme pour repondre au defi de casse-noisette, sortit de dessous la grande table du milieu avec son corps d'armee, tandis qu'a droite et a gauche, les deux ailes commencaient a deborder les fauteuils ou elles s'etaient retranchees.

La bataille

—Trompettes, sonnez la charge! Tambours, battez la generale! cria Casse-noisette.

Et aussitot les trompettes du regiment de hussards de Fritz se mirent a sonner, tandis que les tambours de son infanterie commencaient a battre et qu'on entendait le bruit sourd et rebondissant des canons sautant sur leurs affuts. En meme temps, un corps de musiciens s'organisa: c'etaient des figaros avec leurs guitares, des piferaris avec leurs musettes, des bergers suisses avec leurs cors, des negres avec leurs triangles, qui, quoiqu'ils ne fussent aucunement convoques par Casse-noisette, ne commencerent pas moins comme volontaires a descendre d'un rayon l'autre en jouant la marche des Samnites. Cela, sans doute, monta la tete aux bonshommes les plus pacifiques, et, a l'instant meme, une espece de garde nationale commandee par le suisse de la paroisse, et dans les rangs de laquelle se rangerent les arlequins, les polichinelles, les pierrots et les pantins, s'organisa, et, en un instant, s'armant de tout ce qu'elle put trouver, fut prete pour le combat. Il n'y eut pas jusqu'a un cuisinier qui, quittant son feu, ne descendit avec sa broche, laquelle etait deja passe un dindon a moitie roti, et, n'allat prendre sa place dans les rangs. Casse-noisette se mit a la tete de ce vaillant bataillon, qui, a la honte des troupes reglees, se trouva le premier pret.

Il faut tout dire aussi, car on croirait que notre sympathie pour l'illustre milice citoyenne dont nous faisons partie nous aveugle: ce n'etait pas la faute des hussards et des fantassins de Fritz s'ils n'etaient pas en mesure aussi rapidement que les autres. Fritz, apres avoir place les sentinelles perdues et les postes avances, avait caserne le reste de son armee dans quatre boites qu'il avait refermees sur elle. Les malheureux prisonniers avaient donc beau entendre le tambour et la trompette qui les appelaient a la bataille, ils etaient enfermes et ne pouvaient sortir. On les entendait dans leurs boite grouiller comme des ecrevisses dans un panier; mais, quels que fussent leurs efforts, ils ne pouvaient sortir. Enfin les grenadiers, moins bien enfermes que les autres, parvinrent a soulever le couvercle de leur boite, et preterent main-forte aux chasseurs et aux voltigeurs. En un instant tous furent sur pied, et alors, sentant de quelle utilite leur serait la cavalerie, ils allerent delivrer les hussards, qui se mirent aussitot a caracoler sur les flancs et a se ranger quatre par quatre.

Mais, si les troupes reglees etaient en retard de quelques minutes, grace a la discipline dans laquelle Fritz les avait maintenues, elles eurent bientot repare le temps perdu, et fantassins, cavaliers, artilleurs se mirent a descendre, pareils a une avalanche, au milieu des applaudissements de mademoiselle Rose et de mademoiselle Claire, qui battaient des mains en les voyant passer, et les excitaient du geste et de la voix, comme faisaient autrefois les belles chatelaines dont sans doute elles descendaient.

Cependant le roi des souris avait compris que c'etait une armee tout entiere a laquelle il allait avoir affaire. En effet, au centre etait Casse-Noisette avec sa vaillante garde civique; gauche, le regiment de hussards qui n'attendait que le moment de charger; a droite, une infanterie formidable; tandis que, sur un tabouret qui dominait tout le champ de bataille, venait de s'etablir une batterie de dix pieces de canon; en outre, une puissante reserve, composee de bonshommes de pain d'epice et de chevaliers en sucre de toutes couleurs, etait demeuree dans l'armoire et commencait a s'agiter a son tour. Mais il etait trop avance pour reculer; il donna le signal par un *couic* qui fut repete en choeur par toute son armee.

En meme temps, une bordee d'artillerie, partie du tabouret, repondit en envoyant au milieu des masses souriquoises une volee de mitraille.

Presque au meme instant, tout le regiment de hussards s'ebranla pour charger; de sorte que, d'un cote, la poussiere qui s'elevait sous les pieds des chevaux; de l'autre, la fumee des canons qui s'epaississait de plus en plus, deroberent a Marie la vue du champ de bataille.

Mais, au milieu du bruit des canons, des cris des combattants, du rale des mourants, elle continuait d'entendre la voix de Casse-Noisette dominant tout le fracas.

—Sergent Arlequin, criait-il, prenez vingt hommes, et jetez-vous en tirailleur sur le flanc de l'ennemi. Lieutenant Polichinelle, formez-vous en carre. Capitaine Paillasse, commandez des feux de peloton. Colonel des hussards, chargez par masses, et non par quatre, comme vous faites. Bravo! messieurs les soldats de plomb, bravo! Que tout le monde fasse son devoir comme vous le faites, et la journee est a nous!

Mais, par ces encouragements memes, Marie comprenait que la bataille etait acharnee et la victoire indecise. Les souris, refoulees par les hussards, decimees par les feux de peloton, culbutees par les volees de mitraille, revenaient sans cesse plus pressees, mordant et dechirant tout ce qu'elles rencontraient; c'etait, comme les melees du temps de la chevalerie, une affreuse lutte corps a corps, dans laquelle chacun attaquait et se defendait sans s'inquieter de son voisin. Casse-Noisette voulait inutilement dominer l'ensemble des mouvements et proceder par masses. Les hussards, ramenes par un corps considerable de souris, s'etaient eparpilles et tentaient inutilement de se reunir autour de leur colonel; un gros bataillon de souris les avait coupes du corps d'armee et debordait la garde civique, qui faisait des merveilles. Le suisse de la paroisse se demenait avec sa hallebarde comme un diable dans un benitier; le cuisinier enfilait des rangs tout entiers de souris avec sa broche; les soldats de plomb tenaient comme des murailles; mais Arlequin, avec ses vingt hommes, avait ete repousse, et etait venu se mettre sous la protection de la batterie; mais le carre du lieutenant Polichinelle avait ete enfonce, et ses debris, en s'enfuyant, avaient jete du desordre dans la garde civique; enfin le capitaine Paillasse, sans doute par manque de cartouches, avait cesse son feu et se retirait pas a pas, mais enfin se retirait. Il resulta de ce mouvement retrograde, opere sur toute la ligne, que la batterie de canons se trouva a decouvert. Aussitot le roi des souris, comprenant que c'etait de la prise de cette batterie que dependait pour lui le succes de la bataille, ordonna a ses troupes les plus aguerries de charger dessus. En un instant le tabouret fut escalade; les canonniers se firent tuer sur leurs pieces. L'un d'eux mit meme le feu a son caisson, et enveloppa dans sa mort heroique une vingtaine d'ennemis. Mais tout ce courage fut inutile contre le nombre, et bientot une volee de mitraille, tiree par ses propres pieces, et qui frappa en plein dans le bataillon que commandait Casse-Noisette, lui apprit que la batterie du tabouret etait tombee au pouvoir de l'ennemi.

Des lors la bataille fut perdue, et Casse-Noisette ne s'occupa plus que de faire une retraite honorable; seulement, pour donner quelque relache a ses troupes, il appela a lui la reserve.

Aussitot les bonshommes de pain d'epice et le corps de bonbons en sucre descendirent de l'armoire et donnerent a leur tour. C'etaient des troupes fraiches, il est vrai, mais peu experimentees: les bonshommes de pain d'epice surtout etaient fort maladroits, et, frappant a tort et a travers, estropiaient aussi bien les amis que les ennemis; le corps des bonbons tenait ferme; mais il n'y avait entre les combattants aucune homogeneite: c'etaient des empereurs, des chevaliers, des Tyroliens, des jardiniers, des cupidons, des singes, des lions et des crocodiles, de sorte qu'ils ne pouvaient combiner leurs mouvements, et n'avaient de puissance que comme masse. Cependant leur concours produisit un utile resultat: a peine les souris eurent-elles goute des bonshommes de pain d'epice et entame le corps de bonbons, qu'elles abandonnerent les soldats de plomb, dans lesquels elles avaient grand'peine a mordre, et les polichinelles, les paillasses, les arlequins, les suisses et les cuisiniers, qui etaient simplement rembourres d'etoupe et de son, pour se ruer sur la malheureuse reserve, qui, en un instant, fut entouree par des milliers de souris, et, apres une defense heroique, fut devoree avec armes et bagages.

Casse-Noisette avait voulu profiter de ce moment de repos pour rallier son armee; mais le terrible spectacle de la reserve aneantie avait glace les plus fiers courages. Paillasse etait pale comme la mort; Arlequin avait son habit en lambeaux; une souris avait penetre dans la bosse de Polichinelle, et, comme le renard du jeune Spartiate, lui devorait les entrailles; enfin le colonel des hussards etait prisonnier avec une partie de son regiment, et, grace aux chevaux des malheureux captifs, un corps de cavalerie souriquoise venait de s'organiser.

Il ne s'agissait donc plus, pour l'infortune Casse-Noisette, de victoire; il ne s'agissait meme plus de retraite, il ne s'agissait que de mourir. Casse-Noisette se mit a la tete d'un petit groupe d'hommes, decides comme lui a vendre cherement leur vie.

Pendant ce temps, la desolation regnait parmi les poupees: mademoiselle Claire et mademoiselle Rose se tordaient les bras, et jetaient les hauts cris.

—Helas! disait mademoiselle Claire, me faudra-t-il mourir a la fleur de l'age, moi, fille de roi, destinee a un si bel avenir?

—Helas! disait mademoiselle Rose, me faudra-t-il tomber vivante au pouvoir de l'ennemi; et ne me suis-je si bien conservee que pour etre rongee par d'immondes souris?

Les autres poupees couraient eplorees, et leurs cris se melaient aux lamentations des deux poupees principales.

Pendant ce temps, les affaires allaient de plus mal en plus mal pour Casse-Noisette: il venait d'etre abandonne du peu d'amis qui lui etaient restes fideles. Les debris de l'escadron de hussards s'etaient refugies dans l'armoire; les soldats de plomb etaient entierement tombes an pouvoir de l'ennemi; il y avait longtemps que les artilleurs etaient trepasses; la garde civique etait morte comme les trois cents Spartiates, sans reculer d'un pas. Casse-Noisette etait accole contre le rebord de l'armoire, qu'il tentait en vain d'escalader: il lui eut fallu pour cela l'aide de mademoiselle Claire ou de mademoiselle Rose mais toutes deux avaient pris le parti de s'evanouir. Casse-Noisette fit un dernier effort, rassembla tous ses moyens, et cria, dans l'agonie du desespoir:

—Un cheval! un cheval! ma couronne pour un cheval!

Mais, comme la voix de Richard III, sa voix resta sans echo, ou plutot elle le denonca a l'ennemi. Deux tirailleurs se precipiterent sur lui et le saisirent par son manteau de bois. Au meme instant, on entendit la voix du roi des souris, qui criait par ses sept gueules:

—Sur votre tete, prenez-le vivant! Songez que j'ai ma mere venger. Il faut que son supplice epouvante les Casse-Noisettes venir!

Et, en meme temps, le roi se precipita vers le prisonnier.

Mais Marie ne put supporter plus longtemps cet horrible spectacle.

—O mon pauvre Casse-Noisette! s'ecria-t-elle en sanglotant; mon pauvre Casse-Noisette, que j'aime de tout mon coeur, te verrai-je donc perir ainsi!

Et, en meme temps, d'un mouvement instinctif, sans se rendre compte de ce qu'elle faisait, Marie detacha son soulier de son pied, et, de toutes ses forces, elle le jeta au milieu de la melee, et cela si adroitement, que le terrible projectile atteignit le roi des souris, qui roula dans la poussiere. Au meme instant, roi et armee, vainqueurs et vaincus, disparurent comme aneantis. Marie ressentit a son bras blesse une douleur plus vive que jamais; elle voulut gagner un fauteuil pour s'asseoir; mais les forces lui manquerent, et elle tomba evanouie.

La maladie

Lorsque Marie se reveilla de son sommeil lethargique, elle etait couchee dans son petit lit, et le soleil penetrait radieux et brillant a travers ses carreaux couverts de givre. A cote d'elle etait assis un etranger qu'elle reconnut bientot pour le chirurgien Wandelstern, et qui dit tout bas, aussitot qu'elle eut ouvert les yeux:

—Elle est eveillee!

Alors la presidente s'avanca et considera sa fille d'un regard inquiet et effraye.

—Ah! chere maman, s'ecria la petite Marie en l'apercevant, toutes ces affreuses souris sont-elles parties, et mon pauvre Casse-Noisette est-il sauve?

—Pour l'amour du ciel! ma chere Marie, ne dis plus ces sottises. Qu'est-ce que les souris, je te le demande, ont faire avec le casse-noisette? mais toi, mechante enfant, tu nous as fait a tous grand-peur. Et tout cela arrive cependant quand les enfants sont volontaires et ne veulent pas obeir a leurs parents. Tu as joue hier fort avant dans la nuit avec tes poupees; tu t'es probablement endormie, et il est possible qu'une petite souris t'ait effrayee; enfin, dans ta terreur, tu as donn du coude dans l'armoire a glace, et tu t'es tellement coupe le bras, que M. Wandelstern, qui vient de retirer les fragments de verre qui etaient restes dans ta blessure, pretend que tu as couru risque de te trancher l'artere et de mourir de la perte du sang. Dieu soit beni que je me sois reveillee, je ne sais quelle heure, et que, me rappelant que je t'avais laissee au salon, j'y sois rentree. Pauvre enfant, tu etais etendue par terre, pres de l'armoire, et tout autour de toi, en desordre, les poupees, les pantins, les polichinelles, les soldats de plomb, les bonshommes de pain d'epice et les hussards de Fritz etendus pele-mele; tandis que, sur ton bras sanglant, tu tenais Casse-Noisette. Mais, d'ou vient que tu etais dechaussee du pied gauche, et que ton soulier etait a trois ou quatre pas de toi?

—Ah! petite mere, petite mere, repondit Marie en frissonnant encore a ce souvenir, c'etait, vous le voyez bien, les traces de la grande bataille qui avait eu lieu entre les poupees et les souris; et, ce qui m'a tant effrayee, c'est de voir que les souris, victorieuses, allaient faire prisonnier le pauvre Casse-Noisette, qui commandait l'armee des poupees. C'est alors que je lancai mon soulier au roi des souris; puis je ne sais plus ce qui s'est passe.

Le chirurgien fit des yeux un signe a la presidente, et celle-ci dit doucement a Marie:

—Oublie tout cela, mon enfant, et tranquillise-toi. Toutes les souris sont parties, et le petit Casse-Noisette est dans l'armoire vitree, joyeux et bien portant.

Alors le president entra a son tour dans la chambre, et causa longtemps avec le chirurgien. Mais, de toutes ses paroles, Marie ne put entendre que celle-ci:

—C'est du delire.

A ces mots, Marie devina que l'on doutait de son recit, et comme, elle-meme, maintenant que le jour etait revenu, comprenait parfaitement que l'on prit tout ce qui lui etait arrive pour une fable, elle n'insista pas davantage, se soumettant a tout ce qu'on voulait; car elle avait hate de se lever pour faire une visite a son pauvre Casse-Noisette; mais elle savait qu'il s'etait retire sain et sauf de la bagarre, et, pour le moment, c'etait tout ce qu'elle desirait savoir.

Cependant Marie s'ennuyait beaucoup: elle ne pouvait pas jouer, cause de son bras blesse, et, quand elle voulait lire ou feuilleter ses livres d'images, tout tournait si bien devant ses yeux, qu'il fallait bientot qu'elle renoncat a cette distraction. Le temps lui paraissait donc horriblement long, et elle attendait avec impatience le soir, parce que, le soir, sa mere venait s'asseoir pres de son lit et lui racontait ou lui lisait des histoires.

Or, un soir, la presidente venait justement de raconter la delicieuse histoire du prince Facardin, quand la porte s'ouvrit, et que le parrain Drosselmayer passa sa tete en disant:

—Il faut pourtant que je voie par mes yeux comment va la pauvre malade.

Mais, des que Marie apercut le parrain Drosselmayer avec sa perruque de verre, son emplatre sur l'oeil et sa redingote jaune, le souvenir de cette nuit, ou Casse-Noisette perdit la fameuse bataille contre les souris, se presenta si vivement a son esprit, qu'involontairement elle cria au conseiller de medecine.

—Oh! parrain Drosselmayer, tu as ete horrible! je t'ai bien vu, va, quand tu etais a cheval sur la pendule, et que tu la couvrais de tes ailes pour que l'heure ne put pas sonner; car le bruit de l'heure aurait fait fuir les souris. Je t'ai bien entendu appeler le roi aux sept tetes. Pourquoi n'es-tu pas venu au secours de mon pauvre Casse-Noisette, affreux parrain Drosselmayer? Helas! en ne venant pas, tu es cause que je suis blessee et dans mon lit!

La presidente ecoutait tout cela avec de grands yeux effares; car elle croyait que la pauvre enfant retombait dans le delire. Aussi elle lui demanda tout epouvantee:

—Mais que dis-tu donc la, chere Marie? redeviens-tu folle?

—Oh! que non, reprit Marie; et le parrain Drosselmayer sait bien que je dis la verite, lui.

Mais le parrain, sans rien repondre, faisait d'affreuses grimaces, comme un homme qui eut ete sur des charbons ardents; puis, tout a coup, il se mit a dire d'une voix nazillarde et monotone:

Perpendicule
Doit faire ronron.
Avance et recule,
Brillant escadron!
L'horloge plaintive
Va sonner minuit;
La chouette arrive
Et le roi s'enfuit,

Perpendicule
Doit faire ronron.
Avance et recule,
Brillant escadron!

Marie regardait le parrain Drosselmayer avec des yeux de plus en plus hagards; car il lui semblait encore plus hideux que d'habitude. Elle aurait eu une peur atroce du parrain, si sa mere n'eut ete presente, et si Fritz, qui venait d'entrer, n'eut interrompu cette etrange chanson par un eclat de rire.—Sais-tu bien, parrain Drosselmayer, lui dit Fritz, que tu es extremement bouffon aujourd'hui? Tu fais des gestes comme mon vieux polichinelle, que j'ai jete derriere le poele, sans compter ta chanson, qui n'a pas le sens commun.

Mais la presidente demeura fort serieuse.

—Cher monsieur le conseiller de medecine, dit-elle, voila une singuliere plaisanterie que celle que vous nous faites la, et qui me semble n'avoir d'autre but que de rendre Marie plus malade encore qu'elle ne l'est.

—Bah! repondit le parrain Drosselmayer, ne reconnaissez-vous pas, chere presidente, cette petite chanson de l'horloger que j'ai l'habitude de chanter quand je viens raccommoder vos pendules?

Et, en meme temps, il s'assit tout contre le lit de Marie, et lui dit precipitamment:

—Ne sois pas en colere, chere enfant, de ce que je n'ai pas arrache de mes propres mains les quatorze yeux du roi des souris; mais je savais ce que je faisais, et aujourd'hui, comme je veux me raccommoder avec toi, je vais te raconter une histoire.

—Quelle histoire? demanda Marie.

—Celle de la noix Krakatuk et de la princesse Pirlipate. La connais-tu?

—Non, mon cher petit parrain, repondit la jeune fille, que cette offre raccommodait a l'instant meme avec le mecanicien. Raconte donc, raconte.

—Cher conseiller, dit la presidente, j'espere que votre histoire ne sera pas aussi lugubre que votre chanson.

—Oh! non, chere presidente, repondit le parrain Drosselmayer; elle est, au contraire, extremement plaisante.

—Raconte donc, crierent les enfants, raconte donc.

Et le parrain Drosselmayer commenca ainsi:

HISTOIRE DE LA NOISETTE KRAKATUK ET DE LA PRINCESSE PIRLIPATE

Comment naquit la princesse Pirlipate, et quelle grande joie cette naissance donna a ses illustres parents.

Il y avait, dans les environs de Nuremberg, un petit royaume qui n'etait ni la Prusse, ni la Pologne, ni la Baviere, ni le Palatinat, et qui etait gouverne par un roi.

La femme de ce roi, qui, par consequent, se trouvait etre une reine, mit un jour au monde une petite fille, qui se trouva, par consequent, princesse de naissance, et qui recut le nom gracieux et distingue de Pirlipate.

On fit aussitot prevenir le roi de cet heureux evenement. Il accourut tout essouffle, et, en voyant cette jolie petite fille couchee dans son berceau, la satisfaction qu'il ressentit d'etre pere d'une si charmante enfant le poussa tellement hors de lui, qu'il jeta d'abord de grands cris de joie, puis se prit a danser en rond, puis enfin a sauter a cloche-pied, en disant:

—Ah! grand Dieu! vous qui voyez tous les jours les anges, avez-vous jamais rien vu de plus beau que ma Pirlipatine?

Alors, comme, derriere le roi, etaient entres les ministres, les generaux, les grands officiers, les presidents, les conseillers et les juges; tous, voyant le roi danser a cloche-pied, se mirent a danser comme le roi, en disant:

—Non, non, jamais, sire, non, non, jamais, il n'y a rien eu de si beau au monde que votre Pirlipatine.

Et, en effet, ce qui vous surprendra fort, mes chers enfants, c'est qu'il n'y avait dans cette reponse aucune flatterie; car, effectivement, depuis la creation du monde, il n'etait pas ne un plus bel enfant que la princesse Pirlipate. Sa petite figure semblait tissue de delicats flocons de soie, roses comme les roses, et blancs comme les lis. Ses yeux etaient du plus etincelant azur, et rien n'etait plus charmant que de voir les fils d'or de sa chevelure se reunir en boucles mignonnes, brillantes et frisees sur ses epaules, blanches comme l'albatre. Ajoutez a cela que Pirlipate avait apporte, en venant au monde, deux rangees de petites dents, ou plutot de veritables perles, avec lesquelles, deux heures apres sa naissance, elle mordit si vigoureusement le doigt du grand chancelier, qui, ayant la vue basse, avait voulu la regarder de trop pres, que, quoiqu'il appartint a l'ecole des stoiques, il s'ecria, disent les uns:

—Ah diantre!

Tandis que d'autres soutiennent, en l'honneur de la philosophie, qu'il dit seulement:

—Aie! aie! aie!

Au reste, aujourd'hui encore, les voix sont partagees sur cette grande question, aucun des deux partis n'ayant voulu ceder. Et la seule chose sur laquelle les *diantristes* et les *aistes* soient demeures, d'accord, le seul fait qui soit rest incontestable, c'est que la princesse Pirlipate mordit le grand chancelier au doigt. Le pays apprit des lors qu'il y avait autant d'esprit qu'il se trouvait de beaute dans le charmant petit corps de Pirlipatine.

Tout le monde etait donc heureux dans ce royaume favorise des cieux. La reine seule etait extremement inquiete et troublee, sans que personne sut pourquoi. Mais ce qui frappa surtout les esprits, c'est le soin avec lequel cette mere craintive faisait garder le berceau de son enfant. En effet, toutes les portes etaient non-seulement occupees par les trabans de la garde, mais encore, outre les deux gardiennes qui se tenaient toujours pres de la princesse, il y en avait encore six autres que l'on faisait asseoir autour du berceau, et qui se relayaient toutes les nuits. Mais, surtout, ce qui excitait au plus haut degre la curiosite, ce que personne ne pouvait comprendre, c'est pourquoi chacune de ces six gardiennes etait obligee de tenir un chat sur ses genoux, et de le gratter toute la nuit afin qu'il ne cessat point de ruminer.

Je suis convaincu, mes chers enfants, que vous etes aussi curieux que les habitants de ce petit royaume sans nom, de savoir pourquoi ces six gardiennes etaient obligees de tenir un chat sur leurs genoux, et de le gratter sans cesse pour qu'il ne cessat point de ruminer un seul instant; mais, comme vous chercheriez inutilement le mot de cette enigme, je vais vous le dire, afin de vous epargner le mal de tete qui ne pourrait manquer de resulter pour vous d'une pareille application.

Il arriva, un jour, qu'une demi-douzaine de souverains des mieux couronnes se donnerent le mot pour faire en meme temps une visite au pere futur de notre heroine; car, a cette epoque, la princesse Pirlipate n'etait pas encore nee; ils etaient accompagnes de princes royaux, de grands-ducs hereditaires et de pretendants des plus agreables. Ce fut une occasion, pour le roi qu'ils visitaient, et qui etait un monarque des plus magnifiques, de faire une large percee a son tresor et de donner force tournois, carrousels et comedies. Mais ce ne fut pas le tout. Apres avoir appris, par le surintendant des cuisines royales, que l'astronome de la cour avait annonce que le temps d'abattre les porcs etait arrive, et que la conjonction des astres annoncait que l'annee serait favorable a la charcuterie, il ordonna de faire une grande tuerie de pourceaux dans ses basses-cours, et, montant dans son carrosse, il alla en personne prier, les uns apres les autres, tous les rois et tous les princes residant pour le moment dans sa capitale, de venir manger la soupe avec lui, voulant se menager le plaisir de leur surprise a la vue du magnifique repas qu'il comptait leur donner; puis, en rentrant chez lui, il se fit annoncer chez la reine, et, s'approchant d'elle, il lui dit d'un ton calin, avec lequel il avait l'habitude de lui faire faire tout ce qu'il voulait:

—Bien, chere amie, tu n'as pas oublie, n'est-ce pas, a quel point j'aime le boudin? n'est-ce pas, tu ne l'as pas oublie?

La reine comprit, du premier mot, ce que le roi voulait dire. En effet, Sa Majeste entendait tout simplement, par ces paroles insidieuses, qu'elle eut a se livrer, comme elle l'avait fait maintes fois, a la tres utile occupation de confectionner de ses mains royales la plus grande quantite possible de saucisses, d'andouilles et de boudins. Elle sourit donc a cette proposition de son mari; car, quoique exercant fort honorablement la profession de reine, elle etait moins sensible aux compliments qu'on lui faisait sur la dignite avec laquelle elle portait le sceptre et la couronne, que sur l'habilete avec laquelle elle faisait un pouding ou confectionnait un baba. Elle se contenta donc de faire une gracieuse reverence a son epoux, en lui disant qu'elle etait sa servante pour lui faire du boudin, comme pour toute autre chose.

Aussitot le grand tresorier dut livrer aux cuisines royales le chaudron gigantesque en vermeil et les grandes casseroles d'argent destines a faire le boudin et les saucisses. On alluma un immense feu de bois de sandal. La reine mit son tablier de cuisine de damas blanc, et bientot les plus doux parfums s'echapperent du chaudron. Cette delicieuse odeur se repandit aussitot dans les corridors, penetra rapidement dans toutes les chambres, et parvint enfin jusqu'a la salle du trone, ou le roi tenait son conseil. Le roi etait un gourmet; aussi cette odeur lui fit-elle une vive impression de plaisir. Cependant, comme c'etait un prince grave et qui avait la reputation d'etre maitre de lui, il resista quelque temps au sentiment d'attraction qui le poussait vers la cuisine; mais enfin, quel que fut son empire sur ses passions, il lui fallut ceder au ravissement inexprimable qu'il eprouvait.

—Messieurs, s'ecria-t-il en se levant, avec votre permission, je reviens dans un instant; attendez-moi.

Et, a travers les chambres et les corridors, il prit sa course vers la cuisine, serra la reine entre ses bras, remua le contenu du chaudron avec son sceptre d'or, y gouta du bout de la langue, et, l'esprit plus tranquille, il retourna au conseil et reprit, quoique un peu distrait, la question ou il l'avait laissee.

Il avait quitte la cuisine juste au moment important ou le lard, decoupe par morceaux, allait etre roti sur des grils d'argent; la reine, encouragee par ses eloges, se livrait a cette importante occupation, et les premieres gouttes de graisse tombaient en chantant sur les charbons, lorsqu'une petite voix chevrotante se fit entendre qui disait:

—Ma soeur, offre-moi donc une bribe de lard;

Car, etant reine aussi, je veux faire ripaille:
Et, mangeant rarement quelque chose qui vaille,
De ce friand roti je desire ma part.

La reine reconnut aussitot la vois qui lui parlait ainsi: c'etait celle de dame Souriconne.

Dame Souriconne habitait depuis longues annees le palais. Elle pretendait etre alliee a la famille royale, et reine elle-meme du royaume souriquois; c'est pourquoi elle tenait, sous l'atre de la cuisine, une cour fort considerable.

La reine etait une bonne et fort douce femme qui, tout en se refusant a reconnaitre tout haut dame Souriconne comme reine et comme soeur, avait tout bas pour elle une foule d'egards et de complaisances qui lui avaient souvent fait reprocher par son mari, plus aristocrate qu'elle, la tendance qu'elle avait deroger; or, comme on le comprend bien, dans cette circonstance solennelle, elle ne voulut point refuser a sa jeune amie ce qu'elle demandait, et lui dit:

—Avancez, dame Souriconne, avancez hardiment, et venez, je vous y autorise, gouter mon lard tant que vous voudrez.

Aussitot dame Souriconne apparut gaie et fretillante, et, sautant sur le foyer, saisit adroitement avec sa petite patte les morceaux de lard que la reine lui tendait les uns apres les autres.

Mais voila que, attires par les petits cris de plaisir que poussait leur reine, et surtout par l'odeur succulente que repandait le lard grille, arriverent, fretillant et sautillant aussi, d'abord les sept fils de dame Souriconne, puis ses parents, puis ses allies, tous fort mauvais coquins, effroyablement portes sur leur bouche, et qui s'en donnerent sur le lard de telle facon, que la reine fut obligee, si hospitaliere qu'elle fut, de leur faire observer que, s'ils allaient de ce train-la, il ne lui resterait plus de lard pour ses boudins. Mais, quelque juste que fut cette reclamation, les sept fils de dame Souriconne n'en tinrent compte, et, donnant le mauvais exemple a leurs parents et a leurs allies, ils se ruerent, malgr les representations de leur mere et de leur reine, sur le lard de leur tante, qui allait disparaitre entierement, lorsque, aux cris de la reine, qui ne pouvait plus venir a bout de chasser ses hotes importuns, accourut la surintendante, laquelle appela le chef des cuisines, lequel appela le chef des marmitons, lesquels accoururent armes de vergettes, d'eventails et de balais, et parvinrent a faire rentrer sous l'atre tout le peuple souriquois. Mais la victoire, quoique complete, etait trop tardive; a peine restait-il le quart du lard necessaire a la confection des andouilles, des saucisses et des boudins, lequel reliquat fut, d'apres les indications du mathematicien du roi, qu'on avait envoye chercher en toute hate, scientifiquement reparti entre le grand chaudron a boudins et les deux grandes casseroles andouilles et a saucisses.

Une demi-heure apres cet evenement, le canon retentit, les clairons et les trompettes sonnerent, et l'on vit arriver tous les potentats, tous les princes royaux, tous les ducs hereditaires et tous les pretendants qui etaient dans le pays, vetus de leurs plus magnifiques habits; les uns traines dans des carrosses de cristal, les autres montes sur leurs chevaux de parade. Le roi les attendait sur le perron du palais, et les recut avec la plus aimable courtoisie et la plus gracieuse cordialite; puis, les ayant conduits dans la salle a manger, il s'assit au haut bout en sa qualite de seigneur suzerain, ayant la couronne sur la tete et le sceptre a la main, invitant les autres monarques a prendre chacun la place que lui assignait son rang parmi les tetes couronnees, les princes royaux, les ducs hereditaires ou les pretendants.

La table etait somptueusement servie, et tout alla bien pendant le potage et le releve. Mais, au service des andouilles, on remarqua que le prince paraissait agite; a celui des saucisses, il palit considerablement; enfin, a celui des boudins, il leva les yeux au ciel, des soupirs s'echapperent de sa poitrine, une douleur terrible parut dechirer son ame; enfin il se renversa sur le dos de son fauteuil, couvrit son visage de ses deux mains, se desesperant et sanglotant d'une facon si lamentable, que chacun se leva de sa place et l'entoura avec la plus vive inquietude. En effet, la crise paraissait des plus graves: le chirurgien de la cour cherchait inutilement le pouls du malheureux monarque, qui paraissait etre sous le poids de la plus profonde, de la plus affreuse et de la plus inouie des calamites. Enfin, apres que les remedes les plus violents, pour le faire revenir a lui, eurent ete employes, tels que plumes brulees, sels anglais et clefs dans le dos, le roi parut reprendre quelque peu ses esprits, entr'ouvrit ses yeux eteints, et, d'une voix si faible, qu'a peine si on put l'entendre, il balbutia ce peu de mots:

—Pas assez de lard! ...

A ces paroles, ce fut a la reine de palir a son tour. Elle se precipita a ses genoux, s'ecriant d'une voix entrecoupee par ses sanglots:

—O mon malheureux, infortune et royal epoux! Quel chagrin ne vous ai-je pas cause pour n'avoir pas ecoute les remontrances que vous m'avez deja faites si souvent; mais vous voyez la coupable vos genoux, et vous pouvez la punir aussi durement qu'il vous conviendra.

—Qu'est-ce a dire? demanda le roi; et que s'est-il donc pass qu'on ne m'a pas dit?

—Helas! helas! repondit la reine, a qui son mari n'avait jamais parle si rudement; helas! c'est dame Souriconne, avec ses sept fils, avec ses neveux, ses cousins et ses allies qui a devore tout le lard!

Mais la reine n'en put dire davantage: les forces lui manquerent, elle tomba a la renverse, et s'evanouit.

Alors le roi se leva furieux, et s'ecria d'une voix terrible:

—Madame la surintendante, que signifie cela?

Alors la surintendante raconta ce qu'elle savait, c'est-a-dire que, accourue aux cris de la reine, elle avait vu Sa Majeste aux prises avec toute la famille de dame Souriconne, et qu'alors, son tour, elle avait appele le chef, qui, avec l'aide de ses marmitons, etait parvenu a faire rentrer tous les pillards sous l'atre.

Aussitot le roi, voyant qu'il s'agissait d'un crime de lese-majeste, rappela toute sa dignite et tout son calme, ordonnant, vu l'enormite du forfait, que son conseil intime fut rassemble a l'instant meme, et que l'affaire fut exposee a ses plus habiles conseillers.

En consequence, le conseil fut reuni, et l'on y decida, a la majorite des voix, que dame Souriconne etant accusee d'avoir mange le lard destine aux saucisses, aux boudins et aux andouilles du roi, son proces lui serait fait, et que, si elle etait coupable, elle serait a tout jamais exilee du royaume, elle et sa race, et que ce qu'elle y possedait de biens, terres, chateaux, palans, residences royales, tout serait confisque.

Mais alors le roi fit observer a son conseil intime et a ses habiles conseillers que, pendant le temps que durerait le proces, dame Souriconne et sa famille auraient tout le temps de manger son lard, ce qui l'exposerait a des avanies pareilles a celle qu'il venait de subir en presence de six tetes couronnees, sans compter les princes royaux, les ducs hereditaires et les pretendants: il demandait donc qu'un pouvoir discretionnaire lui fut accorde a l'egard de dame Souriconne et de sa famille.

Le conseil alla aux voix pour la forme, comme on le pense bien, et le pouvoir discretionnaire que demandait le roi lui fut accorde.

Alors il envoya une de ses meilleures voitures, precedee d'un courrier pour faire plus grande diligence, a un tres-habile mecanicien qui demeurait dans ta ville de Nuremberg, et qui s'appelait Christian-Elias Drosselmayer, invitant le susdit mecanicien a le venir trouver a l'instant meme dans son palais, pour affaire urgente. Christian-Elias Drosselmayer obeit aussitot; car c'etait un homme veritablement artiste, qui ne doutait pas qu'un roi aussi renomme ne l'envoyat chercher pour lui confectionner quelque chef-d'oeuvre. Et, etant monte en voiture, il courut jour et nuit jusqu'a ce qu'il fut en presence du roi. Il s'etait meme tellement presse, qu'il n'avait pas eu le temps de se mettre un habit, et qu'il etait venu avec la redingote jaune qu'il portait habituellement. Mais, au lieu de se facher de cet oubli de l'etiquette, le roi lui en sut gre; car, s'il avait commis une faute, l'illustre mecanicien l'avait commise pour obeir sans retard aux commandements de Sa Majeste.

Le roi fit entrer Christian-Elias Drosselmayer dans son cabinet, et lui exposa la situation des choses; comment il etait decid faire un grand exemple en purgeant tout son royaume de la race souriquoise, et comment, prevenu par sa grande renommee, il avait jete les yeux sur lui pour le faire l'executeur de sa justice; n'ayant qu'une crainte, c'est que le mecanicien, si habile qu'il fut, ne vit des difficultes insurmontables au projet que la colere royale avait concu.

Mais Christian-Elias Drosselmayer rassura le roi, et lui promit que, avant huit jours, il ne resterait pas une souris dans tout le royaume.

En effet, le meme jour, il se mit a confectionner d'ingenieuses petites boites oblongues, dans l'interieur desquelles il attacha, au bout d'un fil de fer, un morceau de lard. En tirant le lard, le voleur, quel qu'il fut, faisait tomber la porte derriere lui, et se trouvait prisonnier. En moins d'une semaine, cent boites pareilles etaient confectionnees et placees non-seulement sous l'atre, mais dans tous les greniers et dans toutes les caves du palais.

Dame Souriconne etait infiniment trop sage et trop penetrante, pour ne pas decouvrir du premier coup d'oeil la ruse de maitre Drosselmayer. Elle rassembla donc ses sept fils, leurs neveux et ses cousins, pour les prevenir du guet-apens qu'on tramait contre eux. Mais, apres avoir eu l'air de l'ecouter a cause du respect qu'ils devaient a son rang et de la condescendance que commandait son age, ils se retirerent en riant de ses terreurs, et, attires par l'odeur du lard roti, plus forte que toutes les representations qu'on leur pouvait faire, ils se resolurent profiter de la bonne aubaine qui leur arrivait sans qu'ils sussent d'ou.

Au bout de vingt-quatre heures, les sept fils de dame Souriconne, dix-huit de ses neveux, cinquante de ses cousins, et deux cent trente-cinq de ses parents a differents degres, sans compter des milliers de ses sujets, etaient pris dans les souricieres, et avaient ete honteusement executes.

Alors dame Souriconne, avec les debris de sa cour et les restes de son peuple, resolut d'abandonner ces lieux ensanglantes par le massacre des siens. Le bruit de cette resolution transpira et parvint jusqu'au roi. Sa Majeste s'en felicita tout haut, et les poetes de la cour firent force sonnets sur sa victoire, tandis que les courtisans l'egalaient a Sesostris, a Alexandre et Cesar.

La reine seule etait triste et inquiete; elle connaissait dame Souriconne, et elle se doutait bien qu'elle ne laisserait pas la mort de ses fils et de ses proches sans vengeance. En effet, an moment ou la reine, pour faire oublier au roi la faute qu'elle avait commise, preparait pour lui, de ses propres mains, une puree de foie dont il etait fort friand, dame Souriconne parut tout a coup devant elle, et lui dit:

—Tues par ton epoux, sans crainte ni remords,

Mes enfants, mes neveux et mes cousins sont morts;
Mais tremble, madame la reine!
Que l'enfant qu'en ton sein tu portes en ce jour,
Et qui sera bientot l'objet de ton amour,
Soit deja celui de ma haine.

Ton epoux a des forts, des canons, des soldats,
Des mecaniciens, des conseillers d'Etats,
Des ministres, des souricieres.
La reine des souris n'a rien de tout cela;
Mais le ciel lui fit don des dents que tu vois l
Pour devorer les heritieres.

La-dessus, elle disparut, et personne ne l'avait revue depuis. Mais la reine, qui, en effet, s'etait apercue depuis quelques jours qu'elle etait enceinte, fut si epouvantee de cette prediction, qu'elle laissa tomber la puree de foie dans le feu.

Ainsi, pour la seconde fois, dame Souriconne priva le roi d'un de ses mets favoris; ce qui le mit fort en colere et le fit s'applaudir encore davantage du coup d'Etat qu'il avait si heureusement accompli.

Il va sans dire que Christian-Elias Drosselmayer fut renvoye avec une splendide recompense, et rentra triomphant a Nuremberg.

Comment, malgre toutes les precautions prises par la reine, dame Souriconne accomplit sa menace a l'endroit de la princesse Pirlipate.

Maintenant, mes chers enfants, vous savez aussi bien que moi, n'est-ce pas, pourquoi la reine faisait garder avec tant de soin la miraculeuse petite princesse Pirlipate: elle craignait la vengeance de dame Souriconne; car, d'apres ce que dame Souriconne avait dit, il ne s'agissait pas moins, pour l'heritiere de l'heureux petit royaume sans nom, que de la perte de sa vie ou tout au moins de sa beaute; ce qui, assure-t-on, pour une femme, est bien pis encore. Ce qui redoublait surtout l'inquietude de la tendre mere, c'est que les machines de maitre Drosselmayer ne pouvaient absolument rien contre l'experience de dame Souriconne. Il est vrai que l'astronome de la cour, qui etait en meme temps grand augure et grand astrologue, craignant qu'on ne supprimat sa charge comme inutile, s'il ne donnait pas son mot dans cette affaire, pretendit avoir lu dans les astres, d'une maniere certaine, que la famille de l'illustre chat Murr etait seule en etat de defendre le berceau de l'approche de dame Souriconne. C'est pour cela que chacune des six gardiennes fut forcee de tenir sans cesse sur ses genoux un des males de cette famille, qui, au reste, etaient attaches a la cour en qualite de secretaires intimes de legation, et devait, par un grattement delicat et prolonge, adoucir a ces jeunes diplomates le penible service qu'ils rendaient a l'Etat.

Mais, un soir, il y a des jours, comme vous le savez, mes enfants, ou l'on se reveille tout endormi, un soir, malgre tous les efforts que firent les six gardiennes qui se tenaient autour de la chambre, chacune un chat sur ses genoux, et les deux surgardiennes intimes qui etaient assises au chevet de la princesse, elles sentirent le sommeil s'emparer d'elles progressivement. Or, comme chacune absorbait ses propres sensations en elle-meme, se gardant bien de les confier a ses compagnes, dans l'esperance que celles-ci ne s'apercevraient pas de son manque de vigilance, et veilleraient a sa place tandis qu'elle dormirait, il en resulta que les yeux se fermerent successivement, que les mains qui grattaient les matous s'arreterent a leur tour, et que les matous, n'etant plus grattes, profiterent de la circonstance pour s'assoupir.

Nous ne pourrions pas dire depuis combien de temps durait cet etrange sommeil, lorsque, vers minuit, une des surgardiennes intimes s'eveilla en sursaut. Toutes les personnes qui l'entouraient semblaient tombees en lethargie; pas le moindre ronflement; les respirations elles-memes etaient arretees; partout regnait un silence de mort, au milieu duquel on n'entendait que le bruit du ver piquant le bois. Mais que devint la surgardienne intime, en voyant pres d'elle une grande et horrible souris qui, dressee sur ses pattes de derriere, avait plonge sa tete dans le berceau de Pirlipatine, et paraissait fort occupee a ronger le visage de la princesse? Elle se leva en poussant un cri de terreur. A ce cri, tout le monde se reveilla; mais dame Souriconne, car c'etait bien elle, s'elanca vers un des coins de la chambre. Les conseillers intimes de legation se precipiterent apres elles; helas! il etait trop tard: dame Souriconne avait disparu par une fente du plancher. Au meme instant, la princesse Pirlipate, reveillee par toute cette rumeur, se mit a pleurer. A ces cris, les gardiennes et les surgardiennes repondirent par des exclamations de joie.

Dieu soit loue! disaient-elles. Puisque la princesse Pirlipate crie, c'est qu'elle n'est pas morte.

Et alors elles accoururent au berceau; mais leur desespoir fut grand lorsqu'elles virent ce qu'etait devenue cette delicate et charmante creature!

En effet, a la place de ce visage blanc et rose, de cette petite tete aux cheveux d'or, de ces yeux d'azur, miroir du ciel, etait plantee une immense et difforme tete sur un corps contrefait et ratatine. Ses deux beaux yeux avaient perdu leur couleur celeste, et s'epanouissaient verts, fixes et hagards, a fleur de tete. Sa petite bouche s'etait etendue d'une oreille a l'autre, et son menton s'etait couvert d'une barbe cotonneuse et frisee, on ne peut plus convenable pour un vieux polichinelle, mais hideuse pour une jeune princesse.

En ce moment, la reine entra; les six gardiennes ordinaires et les deux surgardiennes intimes se jeterent la face contre terre, tandis que les six conseillers de legation regardaient s'il n'y avait pas quelque fenetre ouverte pour gagner les toits.

Le desespoir de la pauvre mere fut quelque chose d'affreux. On l'emporta evanouie dans la chambre royale.

Mais c'est le malheureux pere dont la douleur faisait surtout peine a voir, tant elle etait morne et profonde. On fut oblig de mettre des cadenas a ses croisees pour qu'il ne se precipitat point par la fenetre, et de ouater son appartement pour qu'il ne se brisat point la tete contre les murs. Il va sans dire qu'on lui retira son epee, et qu'on ne laissa trainer devant lui ni couteau ni fourchette, ni aucun instrument tranchant ou pointu. Cela etait d'autant plus facile qu'il ne mangea point pendant les deux ou trois premiers jours, ne cessant de repeter:

—O monarque infortune que je suis! o destin cruel que tu es!

Peut-etre, au lieu d'accuser le destin, le roi eut-il du penser que, comme tous les hommes le sont ordinairement, il avait et l'artisan de ses propres malheurs, attendu que, s'il avait su manger ses boudins avec un peu de lard de moins que d'habitude, et que, renoncant a la vengeance, il eut laisse dame Souriconne et sa famille sous l'atre, ce malheur qu'il deplorait ne serait point arrive. Mais nous devons dire que les pensees du royal pere de Pirlipate ne prirent aucunement cette direction philosophique.

Au contraire, dans la necessite ou se croient toujours les puissants de rejeter les calamites qui les frappent sur de plus petits qu'eux, il rejeta la faute sur l'habile mecanicien Christian-Elias Drosselmayer. Et, bien convaincu que, s'il lui faisait dire de revenir a la cour pour y etre pendu ou decapite, celui-ci se garderait bien de se rendre a l'invitation, il le fit inviter, an contraire, a venir recevoir un nouvel ordre que Sa Majeste avait cree, rien que pour les hommes de lettres, les artistes et les mecaniciens.

Maitre Drosselmayer n'etait pas exempt d'orgueil; il pensa qu'un ruban ferait bien sur sa redingote jaune, et se mit immediatement en route; mais sa joie se changea bientot en terreur: a la frontiere du royaume, des gardes l'attendaient, qui s'emparerent de lui, et le conduisirent de brigade en brigade jusqu'a la capitale.

Le roi, qui craignait sans doute de se laisser attendrir, ne voulut pas meme recevoir maitre Drosselmayer lorsqu'il arriva au palais; mais il le fit conduire immediatement pres du berceau de Pirlipate, faisant signifier au mecanicien que si, de ce jour en un mois, la princesse n'etait point rendue a son etat naturel, il lui ferait impitoyablement trancher la tete.

Maitre Drosselmayer n'avait point de pretention a l'heroisme, et n'avait jamais compte mourir que de sa belle mort, comme on dit; aussi fut-il fort effraye de la menace; mais, neanmoins, se confiant bientot dans sa science, dont sa modestie personnelle ne l'avait jamais empeche d'apprecier l'etendue, il se rassura quelque peu, et s'occupa immediatement de la premiere et de la plus utile operation, qui etait celle de s'assurer si le mal pouvait ceder a un remede quelconque, ou etait veritablement incurable, comme il avait cru le reconnaitre des le premier abord.

A cet effet, il demonta fort adroitement d'abord la tete, puis, les uns apres les autres, tous les membres de la princesse Pirlipate, detacha ses pieds et ses mains pour en examiner plus son aise non-seulement les jointures et les ressorts, mais encore la construction interieure. Mais, helas! plus il penetra dans le mystere de l'organisation pirlipatine, mieux il decouvrit que plus la princesse grandirait, plus elle deviendrait hideuse et difforme; il rattacha donc avec soin les membres de Pirlipate, et, ne sachant plus que faire ni que devenir, il se laissa aller, pres du berceau de la princesse, qu'il ne devait plus quitter jusqu'a ce qu'elle eut repris sa premiere forme, a une profonde melancolie.

Deja la quatrieme semaine etait commencee, et l'on en etait arrive au mercredi, lorsque, selon son habitude, le roi entra pour voir s'il ne s'etait pas opere quelque changement dans l'exterieur de la princesse, et, voyant qu'il etait toujours le meme, s'ecria, en menacant la mecanicien de son sceptre:

—Christian-Elias Drosselmayer, prends garde a toi! tu n'as plus que trois jours pour me rendre ma fille telle qu'elle etait; et, si tu t'entetes a ne pas la guerir, c'est dimanche prochain que tu seras decapite.

Maitre Drosselmayer, qui ne pouvait guerir la princesse, non point par entetement, mais par impuissance, se mit a pleurer amerement, regardant, avec ses yeux noyes de larmes, la princesse Pirlipate, qui croquait une noisette aussi joyeusement que si elle eut ete la plus jolie fille de la terre. Alors, a cette vue attendrissante, le mecanicien fut, pour la premiere fois, frapp du gout particulier que la princesse avait, depuis sa naissance, manifeste pour les noisettes, et de la singuliere circonstance qui l'avait fait naitre avec des dents. En effet, aussitot sa transformation, elle s'etait mise a crier, et elle avait continu de se livrer a cet exercice jusqu'au moment ou, trouvant une aveline sous sa main, elle la cassa, en mangea l'amande, et s'endormit tranquillement. Depuis ce temps-la, les deux surgardiennes intimes avaient eu le soin d'en bourrer leurs poches, et de lui en donner une ou plusieurs aussitot qu'elle faisait la grimace.

—O instinct de la nature! eternelle et impenetrable sympathie de tous les etres crees! s'ecria Christian-Elias Drosselmayer, tu m'indiques la porte qui mene a la decouverte de tes mysteres; j'y frapperai, et elle s'ouvrira!

A ces mots, qui surprirent fort le roi, le mecanicien se retourna et demanda a Sa Majeste la faveur d'etre conduit a l'astronome de la cour; le roi y consentit, mais a la condition que ce serait sous bonne escorte. Maitre Drosselmayer eut sans doute mieux aime faire cette course seul; cependant, comme, dans cette circonstance, il n'avait pas le moins du monde son libre arbitre, il lui fallut souffrir ce qu'il ne pouvait empecher, et traverser les rues de la capitale escorte comme un malfaiteur.

Arrive chez l'astrologue, maitre Drosselmayer se jeta dans ses bras, et tous deux s'embrasserent avec des torrents de larmes, car ils etaient connaissances de vieille date, et s'aimaient fort; puis ils se retirerent dans un cabinet ecarte, et feuilleterent ensemble une quantite innombrable de livres qui traitaient de l'instinct, des sympathies, des antipathies, et d'une foule d'autres choses non moins mysterieuses. Enfin, la nuit etant venue, l'astrologue monta sur sa tour, et, aide de maitre Drosselmayer, qui etait lui-meme fort habile en pareille matiere, decouvrit, malgre l'embarras des lignes qui s'entre-croisaient sans-cesse, que, pour rompre le charme qui rendait Pirlipate hideuse, et pour qu'elle redevint aussi belle qu'elle l'avait ete, elle n'avait qu'une chose a faire: c'etait de manger l'amande de la noisette Krakatuk, laquelle avait une enveloppe tellement dure, que la roue d'un canon de quarante-huit pouvait passer sur elle sans la rompre. En outre, il fallait que cette coquille fut brisee en presence de la princesse par les dents d'un jeune homme qui n'eut jamais ete rase, et qui n'eut encore porte que des bottes. Enfin, l'amande devait etre presentee par lui a la princesse, les yeux fermes, et, les yeux fermes toujours, il devait alors faire sept pas a reculons et sans trebucher. Telle etait la reponse des astres.

Drosselmayer et l'astronome avaient travaille sans relache, durant trois jours et trois nuits, a eclaircir toute cette mysterieuse affaire. On en etait precisement au samedi soir, et le roi achevait son diner et entamait meme le dessert, lorsque le mecanicien, qui devait etre decapite le lendemain au point du jour, entra dans la salle a manger royale, plein de joie et d'allegresse, annoncant qu'il avait enfin trouve le moyen de rendre a la princesse Pirlipate sa beaute perdue. A cette nouvelle, le roi le serra dans ses bras avec la bienveillance la plus touchante, et demanda quel etait ce moyen.

Le mecanicien fit part au roi du resultat de sa consultation avec l'astrologue.

—Je le savais bien, maitre Drosselmayer, s'ecria le roi, que tout ce que vous en faisiez, ce n'etait que par entetement. Ainsi, c'est convenu; aussitot apres le diner, on se mettra l'oeuvre. Ayez donc soin, tres-cher mecanicien, que, dans dix minutes, le jeune homme non rase soit la, chausse de ses bottes, et la noisette Krakatuk a la main. Surtout veillez a ce que, d'ici la, il ne boive pas de vin, de peur qu'il ne trebuche en faisant, comme une ecrevisse, ses sept pas en arriere; mais, une fois l'operation achevee, dites-lui que je mets ma cave a sa disposition et qu'il pourra se griser tout a son aise.

Mais, au grand etonnement du roi, maitre Drosselmayer parut consterne en entendant ce discours; et, comme il gardait le silence, le roi insista pour savoir pourquoi il se taisait et restait immobile a sa place, au lieu de se mettre en course pour executer ses ordres souverains. Mais le mecanicien, se jetant genoux:

—Sire, dit-il, il est bien vrai que nous avons trouve le moyen de guerir la princesse, et que ce moyen consiste a lui faire manger l'amande de la noisette Krakatuk, lorsqu'elle aura et cassee par un jeune homme a qui on n'aura jamais fait la barbe, et qui, depuis sa naissance, aura toujours porte des bottes; mais nous ne possedons ni le jeune homme ni la noisette; mais nous ne savons pas ou les trouver, et, selon toute probabilite, nous ne trouverons que bien difficilement la noisette et le casse-noisette.

A ces mots, le roi, furieux, brandit son sceptre au-dessus de la tete du mecanicien, en s'ecriant:

—Eh bien, va donc pour la mort!

Mais la reine, de son cote, vint s'agenouiller pres de Drosselmayer, et fit observer a son auguste epoux qu'en tranchant la tete au mecanicien, on perdait jusqu'a cette lueur d'espoir que l'on conservait en le laissant vivre; que toutes les probabilites etaient que celui qui avait trouve l'horoscope trouverait la noisette et le casse-noisette; qu'on devait d'autant plus croire a cette nouvelle prediction de l'astrologue, qu'aucune de ses predictions ne s'etait realisee jusque-la, et qu'il fallait bien que ses predictions se realisassent un jour, puisque le roi, qui ne pouvait se tromper, l'avait nomme son grand augure; qu'enfin la princesse Pirlipate, ayant trois mois peine, n'etait point en age d'etre mariee, et ne le serait probablement qu'a l'age de quinze ans, que, par consequent, maitre Drosselmayer et son ami l'astrologue avaient quatorze ans et neuf mois devant eux pour chercher la noisette Krakatuk et le jeune homme qui devait la casser; que, par consequent encore, on pouvait accorder a Christian-Elias Drosselmayer un delai, au bout duquel il reviendrait se remettre entre les mains du roi, qu'il fut ou non possesseur du double remede qui devait guerir la princesse: dans le premier cas, pour etre decapite sans misericorde; dans le second, pour etre recompense genereusement.

Le roi, qui etait un homme tres-juste, et qui, ce jour-l surtout, avait parfaitement dine de ses deux mets favoris, c'est-a-dire d'un plat de boudin et d'une puree de foie, preta une oreille bienveillante a la priere de sa sensible et magnanime epouse, il decida donc qu'a l'instant meme le mecanicien et l'astrologue se mettraient a la recherche de sa noisette et du casse-noisette, recherche pour laquelle il leur accordait quatorze ans et neuf mois; mais cela, a la condition qu' l'expiration de ce sursis, tous deux reviendraient se remettre en son pouvoir, pour, s'ils revenaient les mains vides, qu'il fut fait d'eux selon son bon plaisir royal.

Si, au contraire, ils rapportaient la noisette Krakatuk, qui devait rendre a la princesse Pirlipate sa beaute primitive, ils recevraient, l'astrologue, une pension viagere de mille thalers et une lunette d'honneur, et le mecanicien, une epee de diamants, l'ordre de l'Araignee d'or, qui etait le grand ordre de l'Etat, et une redingote neuve.

Quant au jeune homme qui devait casser la noisette, le roi en etait moins inquiet, et pretendait qu'on parviendrait toujours se le procurer au moyen d'insertions reiterees dans les gazettes indigenes et etrangeres.

Touche de cette magnanimite, qui diminuait de moitie la difficulte de sa tache, Christian-Elias Drosselmayer engagea sa parole qu'il trouverait la noisette Krakatuk, ou qu'il reviendrait, comme un autre Regulus, se remettre entre les mains du roi.

Le soir meme, le mecanicien et l'astrologue quitterent la capitale du royaume pour commencer leurs recherches.

Comment le mecanicien et l'astrologue parcoururent les quatre parties du monde et en decouvrirent une cinquieme, sans trouver la noisette Krakatuk.

Il y avait deja quatorze ans et cinq mois que l'astrologue et le mecanicien erraient par les chemins, sans qu'ils eussent rencontre vestige de ce qu'ils cherchaient. Ils avaient visit d'abord l'Europe, puis ensuite l'Amerique, puis ensuite l'Afrique, puis ensuite l'Asie; ils avaient meme decouvert une cinquieme partie du monde, que les savants ont appelee depuis la Nouvelle-Hollande, parce qu'elle avait ete decouverte par deux Allemands; mais, dans toute cette peregrination, quoiqu'ils eussent vu bien des noisettes de differentes formes et de differentes grosseurs, ils n'avaient pas rencontre la noisette Krakatuk. Ils avaient cependant, dans une esperance, helas! infructueuse, passe des annees a la cour du roi des dattes et du prince des amandes; ils avaient consulte inutilement la celebre academie des singes verts, et la fameuse societe naturaliste des ecureuils; puis enfin ils en etaient arrives a tomber, ecrases de fatigue, sur la lisiere de la grande foret qui borde le pied des monts Himalaya, en se repetant, avec decouragement, qu'ils n'avaient plus que cent vingt-deux jours pour trouver ce qu'ils avaient cherche inutilement pendant quatorze ans et cinq mois.

Si je vous racontais, mes chers enfants, les aventures miraculeuses qui arriverent aux deux voyageurs pendant cette longue peregrination, j'en aurais moi-meme pour un mois au moins a vous reunir tous les soirs, ce qui finirait certainement par vous ennuyer. Je vous dirai donc seulement que Christian-Elias Drosselmayer, qui etait le plus acharne a la recherche de la fameuse noisette, puisque de la fameuse noisette dependait sa tete, s'etant livre a plus de fatigues et s'etant expose a plus de dangers que son compagnon, avait perdu tous ses cheveux, l'occasion d'un coup de soleil recu sons l'equateur, et l'oeil droit, a la suite d'un coup de fleche que lui avait adresse un chef caraibe; de plus, sa redingote jaune, qui n'etait deja plus neuve lorsqu'il etait parti d'Allemagne, s'en allait litteralement en lambeaux. Sa situation etait donc des plus deplorables, et cependant, tel est chez l'homme l'amour de la vie, que, tout deteriore qu'il etait par les avaries successives qui lui etaient arrivees, il voyait avec une terreur toujours croissante le moment d'aller se remettre entre les mains du roi.

Cependant, le mecanicien etait homme d'honneur; il n'y avait pas a marchander avec une aussi solennelle que l'etait la sienne. Il resolut donc, quelque chose qu'il put lui en couter, de se remettre en route des le lendemain pour l'Allemagne. En effet, il n'y avait pas de temps a perdre, quatorze ans et cinq mois s'etaient ecoules, et les deux voyageurs n'avaient plus que cent vingt-deux jours, ainsi que nous l'avons dit, pour revenir dans la capitale du pere de la princesse Pirlipate.

Christian-Elias Drosselmayer fit donc part a son ami l'astrologue de sa genereuse resolution, et tous deux deciderent qu'ils partiraient le lendemain matin.

En effet, le lendemain, au point du jour, les deux voyageurs se remirent en route, se dirigeant sur Bagdad; de Bagdad, ils gagnerent Alexandrie; a Alexandrie, ils s'embarquerent pour Venise; puis, de Venise, ils gagnerent le Tyrol, et, du Tyrol, ils descendirent dans le royaume du pere de Pirlipate, esperant tout doucement, au fond du coeur, que ce monarque serait mort, ou, tout au moins, tombe en enfance.

Mais, helas! il n'en etait rien: en arrivant dans la capitale, le malheureux mecanicien apprit que le digne souverain, non-seulement n'avait perdu aucune de ses facultes intellectuelles, mais encore qu'il se portait mieux que jamais; il n'y avait donc aucune chance pour lui,—a moins que la princesse Pirlipate ne se fut guerie toute seule de sa laideur, ce qui n'etait pas possible, ou que le coeur du roi ne se fut adouci, ce qui n'etait pas probable,—d'echapper au sort affreux qui le menacait.

Il ne s'en presenta pas moins hardiment a la porte du palais; car il etait soutenu par cette idee qu'il faisait une action heroique, et demanda a parler au roi.

Le roi, qui etait un prince tres-accessible et qui recevait tous ceux qui avaient affaire a lui, ordonna a son grand introducteur de lui amener les deux etrangers.

Le grand introducteur fit alors observer a Sa Majeste que ces deux etrangers avaient fort mauvaise mine, et etaient on ne peut plus mal vetus. Mais le roi repondit qu'il ne fallait pas juger le coeur par le visage, et que l'habit ne faisait pas le moine.

Sur quoi, le grand introducteur, ayant reconnu la realite de ces deux proverbes, s'inclina respectueusement et alla chercher le mecanicien et l'astrologue.

Le roi etait toujours le meme, et ils le reconnurent tout d'abord; mais ils etaient si changes, surtout le pauvre Christian-Elias Drosselmayer, qu'il furent obliges de se nommer.

En voyant revenir d'eux-memes les deux voyageurs, le roi eprouva un mouvement de joie; car il etait convenu qu'ils ne reviendraient pas s'ils n'avaient pas trouve la noisette Krakatuk; mais il fut bientot detrompe, et le mecanicien, en se jetant a ses pieds, lui avoua que, malgre les recherches les plus consciencieuses et les plus assidues, son ami l'astrologue et lui revenaient les mains vides.

Le roi, nous l'avons dit, quoique d'un temperament un peu colerique, avait le fond du caractere excellent; il fut touche de cette ponctualite de Christian-Elias Drosselmayer a tenir sa parole, et il commua la peine de mort qu'il avait portee contre lui en celle d'une prison eternelle. Quant a l'astrologue, il se contenta de l'exiler.

Mais, comme il restait encore trois jours pour que les quatorze ans et neuf mois de delai accordes par le roi fussent ecoules, maitre Drosselmayer, qui avait au plus haut degre dans le coeur l'amour de la patrie, demanda au roi la permission de profiter de ces trois jours pour revoir une fois encore Nuremberg.

Cette demande parut si juste au roi, qu'il la lui accorda sans y mettre aucune restriction.

Maitre Drosselmayer, qui n'avait que trois jours a lui, resolut de mettre le temps a profit, et, ayant trouve par bonheur des places a la malle-poste, il partit a l'instant meme.

Or, comme l'astrologue etait exile, et qu'il lui etait aussi egal d'aller a Nuremberg qu'ailleurs, il partit avec le mecanicien.

Le lendemain, vers les dix heures du matin, ils etaient Nuremberg. Comme il ne restait a maitre Drosselmayer d'autre parent que Christophe-Zacharias Drosselmayer, son frere, lequel etait un des premiers marchands de jouets d'enfant de Nuremberg, ce fut chez lui qu'il descendit.

Christophe-Zacharias Drosselmayer eut une grande joie de revoir ce pauvre Christian qu'il croyait mort. D'abord, il n'avait pas voulu le reconnaitre, a cause de son front chauve et de son emplatre sur l'oeil; mais le mecanicien lui montra sa fameuse redingote jaune, qui, toute dechiree qu'elle etait, avait encore conserve en certains endroits quelque trace de sa couleur primitive, et, a l'appui de cette premiere preuve, il lui cita tant de circonstances secretes, qui ne pouvaient etre connues que de Zacharias et de lui, que le marchand de joujoux fut bien forc de se rendre a l'evidence.

Alors, il lui demanda quelle cause l'avait eloigne si longtemps de sa ville natale, et dans quel pays il avait laisse ses cheveux, son oeil, et les morceaux qui manquaient a sa redingote.

Christian-Elias Drosselmayer n'avait aucun motif de faire un secret a son frere des evenements qui lui etaient arrives. Il commenca donc par lui presenter son compagnon d'infortune; puis, cette formalite d'usage accomplie, il lui raconta tous ses malheurs, depuis A jusqu'a Z, et termina en disant qu'il n'avait que quelques heures a passer avec son frere, attendu que, n'ayant pas pu trouver la noisette Krakatuk, il allait entrer le lendemain dans une prison eternelle.

Pendant tout ce recit de son frere, Christophe-Zacharias avait plus d'une fois secoue les doigts, tourne sur un pied et fait claquer sa langue. Dans toute autre circonstance, le mecanicien lui eut sans doute demande ce que signifiaient ces signes; mais il etait si preoccupe, qu'il ne vit rien, et que ce ne fut que lorsque son frere fit deux fois hum! hum! et trois fois oh! oh! oh! qu'il lui demanda ce que signifiaient ces exclamations.

—Cela signifie, dit Zacharias, que ce serait bien le diable... Mais non... Mais si...

—Que ce serait bien le diable?... repeta le mecanicien.

—Si... continua le marchand de jouets d'enfant.

—Si... Quoi? demanda de nouveau maitre Drosselmayer.

Mais, au lieu de lui repondre, Christophe-Zacharias, qui, sans doute, pendant toutes ces demandes et ces reponses entrecoupees, avait rappele ses souvenirs, jeta sa perruque en l'air et se mit a danser en criant:

—Frere, tu es sauve! Frere, tu n'iras pas en prison! Frere, ou je me trompe fort, ou c'est moi qui possede la noisette Krakatuk.

Et, sur ce, sans donner aucune autre explication a son frere ebahi, Christophe-Zacharias s'elanca hors de l'appartement, et revint un instant apres, rapportant une boite dans laquelle etait une grosse aveline doree qu'il presenta au mecanicien.

Celui-ci, qui n'osait croire a tant de bonheur, prit en hesitant la noisette, la tourna et la retourna de toute facon, l'examinant avec l'attention que meritait la chose, et, apres l'examen, declara qu'il se rangeait a l'avis de son frere, et qu'il serait fort etonne si cette aveline n'etait pas la noisette Krakatuk; sur quoi, il la passa a l'astrologue, et lui demanda son opinion.

Celui-ci examina la noisette avec non moins d'attention que ne l'avait fait maitre Drosselmayer, et, secouant la tete, il repondit:

—Je serais de votre avis et, par consequent, de celui de votre frere, si la noisette n'etait pas doree; mais je n'ai vu nulle part dans les astres que le fruit que nous cherchons dut etre revetu de cet ornement. D'ailleurs, comment votre frere aurait-il la noisette Krakatuk?

—Je vais vous expliquer la chose, dit Christophe, et comment elle est tombee entre mes mains, et comment il se fait qu'elle ait cette dorure qui vous empeche de la reconnaitre, et qui effectivement ne lui est pas naturelle.

Alors, les ayant fait asseoir tous deux, car il pensait fort judicieusement qu'apres une course de quatorze ans et neuf mois, les voyageurs devaient etre fatigues, il commenca en ces termes:

—Le jour meme ou le roi t'envoya chercher, sous pretexte de te donner la croix, un etranger arriva a Nuremberg, portant un sac de noisettes qu'il avait a vendre; mais les marchands de noisettes du pays, qui voulaient conserver le monopole de cette denree, lui chercherent querelle, justement devant la porte de ta boutique. L'etranger alors, pour se defendre plus facilement, posa a terre son sac de noisettes, et la bataille allait son train, a la grande satisfaction des gamins et des commissionnaires, lorsqu'un chariot pesamment charge passa justement sur le sac de noisettes. En voyant cet accident, qu'ils attribuerent a la justice du ciel, les marchands se regarderent comme suffisamment venges, et laisserent l'etranger tranquille. Celui-ci ramassa son sac, et, effectivement, toutes les noisettes etaient ecrasees, a l'exception d'une seule, qu'il me presenta en souriant d'une facon singuliere, et m'invitant l'acheter pour un zwanziger neuf de 1720, disant qu'un jour viendrait ou je ne serais pas fache du marche que j'aurais fait, si onereux qu'il put me paraitre pour le moment. Je fouillai ma poche, et fut fort etonne d'y trouver un zwanziger tout pareil a celui que demandait cet homme. Cela me parut une coincidence si singuliere, que je lui donnai mon zwanziger; lui, de son cote, me donna la noisette, et disparut.

<<Or, je mis la noisette en vente, et, quoique je n'en demandasse que le prix qu'elle m'avait coute, plus deux kreutzers, elle resta exposee pendant sept ou huit ans sans que personne manifestat l'envie d'en faire l'acquisition. C'est alors que je la fis dorer pour augmenter sa valeur; mais j'y depensai inutilement deux autres zwanzigers, la noisette est restee jusqu'aujourd'hui sans acquereur. En ce moment l'astronome, entre les mains duquel la noisette etait restee, poussa un cri de joie. Tandis que maitre Drosselmayer ecoutait le recit de son frere, il avait, a l'aide d'un canif, gratte delicatement la dorure de la noisette, et, sur un petit coin de la coquille, il avait trouve grave en caracteres chinois le mot KRAKATUK. Des lors il n'y eut plus de doute, et l'identite de la noisette fut reconnue.

Comment, apres avoir trouve la noisette Krakatuk, le mecanicien et l'astrologue trouverent le jeune homme qui devait la casser.

Christian-Elias Drosselmayer etait si presse d'annoncer an roi cette bonne nouvelle, qu'il voulait reprendre la malle-poste l'instant meme; mais Christophe-Zacharias le pria d'attendre au moins jusqu'a ce que son fils fut rentre: or, le mecanicien acceda d'autant plus volontiers a cette demande, qu'il n'avait pas vu son neveu depuis tantot quinze ans, et qu'en rassemblant ses souvenirs, il se rappela que c'etait, au moment ou il avait quitte Nuremberg, un charmant petit bambin de trois ans et demi, que lui, Elias, aimait de tout son coeur.

En ce moment, un beau jeune homme de dix-huit ou dix-neuf ans entra dans la boutique de Christophe-Zacharias, et s'approcha de lui en l'appelant son pere.

En effet, Zacharias, apres l'avoir embrasse, le presenta a Elias, en disant au jeune homme:

—Maintenant, embrasse ton oncle.

Le jeune homme hesitait; car l'oncle Drosselmayer, avec sa redingote en lambeaux, son front chauve et son emplatre sur l'oeil, n'avait rien de bien attrayant. Mais, comme son pere vit cette hesitation et qu'il craignait qu'Elias n'en fut blesse, il poussa son fils par derriere, si bien que le jeune homme, tant bien que mal, se trouva dans les bras du mecanicien.

Pendant ce temps, l'astrologue fixait les yeux sur le jeune homme, avec une attention continue qui parut si singuliere celui-ci, qu'il saisit le premier pretexte pour sortir, se trouvant mal a l'aise d'etre regarde ainsi.

Alors l'astrologue demanda a Zacharias sur son fils quelques details que celui-ci s'empressa de lui donner avec une prolixit toute paternelle.

Le jeune Drosselmayer avait, en effet, comme sa figure l'indiquait, dix-sept a dix-huit ans. Des sa plus tendre jeunesse, il etait si drole et si gentil, que sa mere s'amusait le faire habiller comme les joujoux qui etaient dans la boutique, c'est-a-dire tantot en etudiant, tantot en postillon, tantot en Hongrois, mais toujours avec un costume qui exigeait des bottes; car, comme il avait le plus joli pied du monde, mais le mollet un peu grele, les bottes faisaient valoir la qualite et cachaient le defaut.

—Ainsi, demanda l'astrologue a Zacharias, votre fils n'a jamais porte que des bottes?

Elias ouvrit de grands yeux.

—Mon fils n'a jamais porte que des bottes, reprit le marchand de jouets d'enfant; et il continua: A l'age de dix ans, je l'envoyai a l'universite de Tubingen, ou il est reste jusqu'a l'age de dix-huit ans, sans contracter aucune des mauvaises habitudes de ses autres camarades, sans boire, sans jurer, sans se battre. La seule faiblesse que je lui connaisse, c'est de laisser pousser les quatre ou cinq mauvais poils qu'il a au menton, sans vouloir permettre qu'un barbier lui touche le visage.

—Ainsi, reprit l'astrologue, votre fils n'a jamais fait sa barbe?

Elias ouvrait des yeux de plus en plus grands.

—Jamais, repondit Zacharias.

—Et, pendant ses vacances de l'universite, continua l'astrologue, a quoi passait-il son temps?

—Mais, dit le pere, il se tenait dans la boutique avec son joli petit costume d'etudiant, et, par pure galanterie, cassait les noisettes des jeunes filles qui venaient acheter des joujoux dans la boutique, et qui, a cause de cela, l'appelaient Casse-Noisette.

—Casse-Noisette? s'ecria le mecanicien.

—Casse-Noisette? repeta a son tour l'astrologue.

Puis tous deux se regarderent, tandis que Zacharias les regardait tous deux.

—Mon cher Monsieur, dit l'astrologue a Zacharias, j'ai l'idee que votre fortune est faite.

Le marchand de joujoux, qui n'avait pas ecoute ce pronostic avec indifference, voulut en avoir l'explication; mais l'astrologue remit cette explication au lendemain matin.

Lorsque le mecanicien et l'astrologue rentrerent dans leur chambre, l'astrologue se jeta au cou de son ami, en lui disant:

—C'est lui! nous le tenons!

—Vous croyez? demanda Elias avec le ton d'un homme qui doute, mais qui ne demande pas mieux que d'etre convaincu.

—Pardieu! si je le crois; il reunit toutes les qualites, ce me semble.

—Recapitulons.

—Il n'a jamais porte que des bottes.

—C'est vrai.

—Il n'a jamais ete rase.

—C'est encore vrai.

—Enfin, par galanterie on plutot par vocation, il se tenait dans la boutique de son pere pour casser les noisettes des jeunes filles, qui ne l'appelaient que Casse-Noisette.

—C'est encore vrai.

—Mon cher ami, un bonheur n'arrive jamais seul. D'ailleurs, si vous doutez encore, allons consulter les astres.

Ils monterent, en consequence, sur la terrasse de la maison, et, ayant tire l'horoscope du jeune homme, ils virent qu'il etait destine a une grande fortune.

Cette prediction, qui confirmait toutes les esperances de l'astrologue, fit que le mecanicien se rendit a son avis.

—Et maintenant, dit l'astrologue triomphant, il n'y a plus que deux choses qu'il ne faut pas negliger.

—Lesquelles? demanda Elias.

—La premiere, c'est que vous adaptiez, a la nuque de votre neveu, une robuste tresse de bois qui se combine si bien avec la machoire, qu'elle puisse en doubler la force par la pression.

—Rien de plus facile, repondit Elias, et c'est l'abc de la mecanique.

—La seconde, continua l'astrologue, c'est, en arrivant a la residence, de cacher avec soin que nous avons amene avec nous le jeune homme destine a casser la noix Krakatuk; car j'ai dans l'idee que, plus il y aura de dents cassees et de machoires demontees, en essayant de briser la noisette Krakatuk, plus le roi offrira une precieuse recompense a qui reussira ou tant d'autres auront echoue.

—Mon cher ami, repondit le mecanicien, vous etes un homme plein de sens. Allons nous coucher.

Et, a ces mots, ayant quitte la terrasse et etant redescendus dans leur chambre, les deux amis se coucherent, et, enfoncant leurs bonnets de coton sur leurs oreilles, s'endormirent plus paisiblement qu'ils ne l'avaient encore fait depuis quatorze ans et neuf mois.

Le lendemain, des le matin, les deux amis descendirent chez Zacharias, et lui firent part de tous les beaux projets qu'ils avaient formes la veille. Or, comme Zacharias ne manquait pas d'ambition, et que, dans son amour-propre paternel, il se flattait que son fils devait etre une des plus fortes machoires d'Allemagne, il accepta avec enthousiasme la combinaison qui tendait a faire sortir de sa boutique non-seulement la noisette, mais encore le casse-noisette.

Le jeune homme fut plus difficile a decider. Cette tresse qu'on devait lui appliquer a la nuque, en remplacement de la bourse elegante qu'il portait avec tant de grace, l'inquietait surtout particulierement. Cependant l'astrologue, son oncle et son pere lui firent de si belles promesses, qu'il se decida. En consequence, comme Elias Drosselmayer s'etait mis a l'oeuvre l'instant meme, la tresse fut bientot achevee et vissee solidement a la nuque de ce jeune homme plein d'esperance. Hatons-nous de dire, pour satisfaire la curiosite de nos lecteurs, que cet appareil ingenieux reussit parfaitement bien, et que, des le premier jour, notre habile mecanicien obtint les plus brillants resultats sur les noyaux d'abricot les plus durs et sur les noyaux de peche les plus obstines.

Ces experiences faites, l'astrologue, le mecanicien et le jeune Drosselmayer se mirent immediatement en route pour la residence. Zacharias eut bien voulu les accompagner; mais, comme il fallait quelqu'un pour garder sa boutique, cet excellent pere se sacrifia et demeura a Nuremberg.

Fin de l'histoire de la princesse Pirlipate.

Le premier soin du mecanicien et de l'astrologue, en arrivant la cour, fut de laisser le jeune Drosselmayer a l'auberge, et d'aller annoncer au palais que apres l'avoir cherchee inutilement dans les quatre parties du monde, ils avaient enfin trouve la noix Krakatuk a Nuremberg; mais de celui qui la devait casser, comme il etait convenu entre eux, ils n'en dirent pas un mot.

La joie fut grande au palais. Aussitot le roi envoya chercher le conseiller intime, surveillant de l'esprit public, lequel avait la haute main sur tous les journaux, et lui ordonna de rediger pour le Moniteur royal une note officielle que les redacteurs des autres gazettes seraient forces de repeter, et qui portait en substance que tous ceux qui se croiraient d'assez bonnes dents pour casser la noisette Krakatuk n'avaient qu'a se presenter au palais, et, l'operation faite, recevraient une recompense considerable.

C'est dans une circonstance pareille seulement qu'on peut apprecier tout ce qu'un royaume contient de machoires. Les concurrents etaient en si grand nombre, qu'on fut oblig d'etablir un jury preside par le dentiste de la couronne, lequel examinait les concurrents, pour voir s'ils avaient bien leurs trente-deux dents, et si aucune de ces dents n'etait gatee.

Trois mille cinq cents candidats furent admis a cette premiere epreuve, qui dura huit jours, et qui n'offrit d'autre resultat qu'un nombre indefini de dents brisees et de mandibules demises.

Il fallut donc se decider a faire un second appel. Les gazettes nationales et etrangeres furent couvertes de reclames. Le roi offrait la place de president perpetuel de l'Academie et l'ordre de l'Araignee d'or a la machoire superieure qui parviendrait briser la noisette Krakatuk. On n'avait pas besoin d'etre lettr pour concourir.

Cette seconde epreuve fournit cinq mille concurrents. Tous les corps savants d'Europe envoyerent leurs representants a cet important congres. On y remarquait plusieurs membres de l'Academie francaise, et, entre autres, son secretaire perpetuel, lequel ne put concourir, a cause de l'absence de ses dents, qu'il s'etait brisees en essayant de dechirer les oeuvres de ses confreres.

Cette seconde epreuve, qui dura quinze jours, fut, helas! plus desastreuse encore que la premiere. Les delegues des societes savantes, entre autres, s'obstinerent, pour l'honneur du corps auquel ils appartenaient, a vouloir briser la noisette; mais ils y laisserent leurs meilleures dents.

Quant a la noisette, sa coquille ne portait pas meme la trace des efforts qu'on avait faits pour l'entamer.

Le roi etait au desespoir; il resolut de frapper un grand coup, et, comme il n'avait pas de descendant male, il fit publier, par une troisieme insertion dans les gazettes nationales et etrangeres, que la main de la princesse Pirlipate etait accordee et la succession au trone acquise a celui qui briserait la noisette Krakatuk. Le seul article qui fut obligatoire, c'est que, cette fois, les concurrents devaient etre ages de seize vingt-quatre ans.

La promesse d'une pareille recompense remua toute l'Allemagne. Les candidats arriverent de tous les coins de l'Europe; et il en serait meme venu de l'Asie, de l'Afrique et de l'Amerique, ainsi que de cette cinquieme partie du monde qu'avaient decouverte Elias Drosselmayer et son ami l'astrologue, si, le temps ayant ete limite, les lecteurs n'eussent judicieusement reflechi qu'au moment ou ils lisaient la susdite annonce, l'epreuve etait en train de s'accomplir ou meme etait deja accomplie.

Cette fois, le mecanicien et l'astrologue penserent que le moment etait venu de produire le jeune Drosselmayer, car il n'etait pas possible au roi d'offrir un prix plus haut que celui qu'il etait arrive a mettre, une recompense plus belle que celle qu'il en etait venu a offrir. Seulement, confiants dans le succes, quoique, cette fois, une foule de princes aux machoires royales ou imperiales se fussent presentes, ils ne se presenterent au bureau des inscriptions (on est libre de confondre avec celui des inscriptions et belles-lettres), qu'au moment ou il allait se fermer, de sorte que le nom de Nathaniel Drosselmayer se trouva porte sur la liste le 11,375e et dernier.

Il en fut de cette fois-ci comme des autres, les 11,374 concurrents de Nathaniel Drosselmayer furent mis hors de combat, et le dix-neuvieme jour de l'epreuve, a onze heures trente-cinq minutes du matin, comme la princesse accomplissait sa quinzieme annee, le nom de Nathaniel Drosselmayer fut appele.

Le jeune homme se presenta accompagne de ses parrains, c'est-a-dire du mecanicien et de l'astrologue.

C'etait la premiere fois que ces deux illustres personnages revoyaient la princesse depuis qu'ils avaient quitte son berceau, et, depuis ce temps, il s'etait fait de grands changements en elle; mais, il faut le dire avec notre franchise d'historien, ce n'etait point a son avantage: lorsqu'ils la quitterent, elle n'etait qu'affreuse; depuis ce temps, elle etait devenue effroyable.

En effet, son corps avait fort grandi, mais sans prendre aucune importance. Aussi ne pouvait-on comprendre comment ces jambes greles, ces hanches sans force, ce torse tout ratatine, pouvaient soutenir la monstrueuse tete qu'ils supportaient. Cette tete se composait des memes cheveux herisses, des memes yeux verts, de la meme bouche immense, du meme menton cotonneux que nous avons dit; seulement, tout cela avait pris quinze ans de plus.

En apercevant ce monstre de laideur, le pauvre Nathaniel frissonna et demanda au mecanicien et a l'astrologue s'ils etaient bien surs que l'amande de la noisette Krakatuk dut rendre la beaute a la princesse, attendu que, si elle demeurait dans l'etat ou elle se trouvait, il etait dispose a tenter l'epreuve, pour la gloire de reussir ou tant d'autres avaient echoue, mais laisser l'honneur du mariage et le profit de la succession au trone a qui voudrait bien les accepter. Il va sans dire que le mecanicien et l'astrologue rassurerent leur filleul, lui affirmant que, la noisette une fois cassee, et l'amande une fois mangee, Pirlipate redeviendrait a l'instant meme la plus belle princesse de la terre.

Mais, si la vue de la princesse Pirlipate avait glace d'effroi le coeur du pauvre Nathaniel, il faut le dire en l'honneur du pauvre garcon, sa presence a lui avait produit un effet tout contraire sur le coeur sensible de l'heritiere de la couronne, et elle n'avait pu s'empecher de s'ecrier en le voyant:

—Oh! que je voudrais bien que ce fut celui-ci qui cassat la noisette.

Ce a quoi la surintendante de l'education de la princesse repondit:

—Je crois devoir faire observer a Votre Altesse qu'il n'est point d'habitude qu'une jeune et jolie princesse comme vous etes dise tout haut son opinion en ces sortes de matieres.

En effet, Nathaniel etait fait pour tourner la tete a toutes les princesses de la terre. Il avait une petite polonaise de velours violet a brandebourgs et a boutons d'or, que son oncle lui avait fait faire pour cette occasion solennelle, une culotte pareille, de charmantes petites bottes, si bien vernies et si bien collantes, qu'on les aurait crues peintes. Il n'y avait que cette malheureuse queue de bois vissee a sa nuque, qui gatait un peu cet ensemble; mais, en lui mettant des rallonges, l'oncle Drosselmayer lui avait donne la forme d'un petit manteau, et cela pouvait, a la rigueur, passer pour un caprice de toilette, ou pour quelque mode nouvelle que le tailleur de Nathaniel tachait, vu la circonstance, d'introduire tout doucement a la cour.

Aussi, en voyant entrer le charmant petit jeune homme, ce que la princesse avait eu l'imprudence de dire tout haut, chacune des assistantes se le dit tout bas, et il n'y eut pas une seule personne, pas meme le roi et la reine, qui ne desirat dans le fond de l'ame que Nathaniel sortit vainqueur de l'entreprise dans laquelle il etait engage.

De son cote, le jeune Drosselmayer s'approcha avec une confiance qui redoubla l'espoir qu'on avait en lui. Arrive devant l'estrade royale, il salua le roi et la reine, puis la princesse Pirlipate, puis les assistante; apres quoi, il recut du grand maitre des ceremonies la noisette Krakatuk, la prit delicatement entre l'index et le pouce, comme fait un escamoteur d'une muscade, l'introduisit dans sa bouche, donna un violent coup de poing sur la tresse de bois, et CRIC! CRAC! brisa la coquille en plusieurs morceaux.

Puis, aussitot, il debarrassa adroitement l'amande des filaments qui y etaient attaches, et la presenta a la princesse, en lui tirant un gratte-pied aussi elegant que respectueux, apres quoi il ferma les yeux et commenca a marcher a reculons. Aussitot la princesse avala l'amande, et, a l'instant meme, o miracle! le monstre difforme disparut, et fut remplace par une jeune fille d'une angelique beaute. Son visage semblait tissu de flocons de soie roses comme les roses et blancs comme les lis; ses yeux etaient d'etincelant azur, et ses boucles abondantes formees par des fils d'or retombaient sur ses epaules d'albatre. Aussitot les trompettes et les cymbales sonnerent a tout rompre. Les cris de joie du peuple repondirent au bruit des instruments. Le roi, les ministres, les conseillers et les juges, comme lors de la naissance de Pirlipate, se mirent a danser a cloche-pied, et il fallut jeter de l'eau de Cologne au visage de la reine, qui s'etait evanouie de ravissement.

Ce grand tumulte troubla fort le jeune Nathaniel Drosselmayer, qui, on se le rappelle, avait encore, pour achever sa mission, faire les sept pas en arriere; pourtant il se maitrisa avec une puissance qui donna les plus hautes esperances pour l'epoque o il regnerait a son tour, et il allongeait precisement la jambe pour achever son septieme pas, quand, tout a coup, la reine des souris perca le plancher, piaulant affreusement, et vint s'elancer entre ses jambes; de sorte qu'au moment ou le futur prince royal reposait le pied a terre, il lui appuya le talon en plein sur le corps, ce qui le fit trebucher de telle facon, que peu s'en fallut qu'il ne tombat.

O fatalite! Au meme instant, le beau jeune homme devin aussi difforme que l'avait ete avant lui la princesse: ses jambes s'amincirent, son corps ratatine pouvait a peine soutenir son enorme et hideuse tete, ses yeux, devinrent verts, hagards et fleur de tete; enfin sa bouche se fendit jusqu'aux oreilles, et sa jolie petite barbe naissante se changea en une substance blanche et molle, que plus tard on reconnut etre du coton.

Mais la cause de cet evenement en avait ete punie en meme temps qu'elle le causait. Dame Souriconne se tordait sanglante sur le plancher: sa mechancete n'etait donc pas restee impunie. En effet, le jeune Drosselmayer l'avait pressee si violemment contre le plancher avec le talon de sa botte, que la compression avait ete mortelle. Aussi, tout en se tordant, dame Souriconne criait de toute la force de sa voix agonisante:

Krakatuk! Krakatuk! o noisette si dure,
C'est a toi que je dois le trepas que j'endure.
Hi... hi... hi... hi...
Mais l'avenir me garde une revanche prete:

Mon fils me vengera sur toi, Casse-Noisette!
Pi... pi... pi... pi...

Adieu la vie,
Trop tot ravie!
Adieu le ciel,
Coupe de miel!
Adieu le monde,
Source feconde...
Ah! je me meurs!
Hi! pi pi! couic!!!

Le dernier soupir de dame Souriconne n'etait peut-etre pas tres-bien rime; mais, s'il est permis de faire une faute de versification, c'est, on en conviendra, en rendant le dernier soupir!

Ce dernier soupir rendu, on appela le grand feutrier de la cour, lequel prit dame Souriconne par la queue et l'emporta, s'engageant a la reunir aux malheureux debris de sa famille, qui, quinze ans et quelques mois auparavant, avaient ete enterres dans un commun tombeau.

Comme, au milieu de tout cela, personne que le mecanicien et l'astrologue ne s'etait occupe de Nathaniel Drosselmayer, la princesse, qui ignorait l'accident qui etait arrive, ordonna que le jeune heros fut amene devant elle; car, malgre la semonce de la surintendante de son education, elle avait hate de le remercier. Mais, a peine eut-elle apercu le malheureux Nathaniel, qu'elle cacha sa tete dans ses deux mains, et que, oubliant le service qu'il lui avait rendu, elle s'ecria:

—A la porte, a la porte, l'horrible Casse-Noisette! a la porte! a la porte! a la porte!

Aussitot le grand marechal du palais prit le pauvre Nathaniel par les epaules et le poussa sur l'escalier.

Le roi, plein de rage de ce qu'on avait ose lui proposer un casse-noisette pour gendre, s'en prit a l'astrologue et au mecanicien, et, au lieu de la rente de dix mille thalers et de la lunette d'honneur qu'il devait donner au premier, au lieu de l'epee en diamant, du grand ordre royal de l'Araignee d'or et de la redingote jaune qu'il devait donner au second, il les exila hors de son royaume, ne leur donnant que vingt-quatre heures pour en franchir les frontieres. Il fallut obeir.

Le mecanicien, l'astrologue et le jeune Drosselmayer, devenu casse-noisette, quitterent la capitale et traverserent la frontiere. Mais, a la nuit venue, les deux savants consulterent de nouveau les etoiles et lurent dans la conjonction des astres que, tout contrefait qu'il etait, leur filleul n'en deviendrait pas moins prince et roi, s'il n'aimait mieux toutefois rester simple particulier, ce qui serait laisse a son choix; et cela arriverait quand sa difformite aurait disparu; et sa difformite disparaitrait, quand il aurait commande en chef un combat, dans lequel serait tue le prince que, apres la mort de ses sept premiers fils, dame Souriconne avait mis au monde avec sept tetes, et qui etait le roi actuel des souris; enfin, lorsque, malgre sa laideur, Casse-Noisette serait parvenu a se faire aimer d'une jolie dame.

En attendant ces brillantes destinees, Nathaniel Drosselmayer, qui etait sorti de la boutique paternelle en qualite de fils unique, y rentra en qualite de casse-noisette.

Il va sans dire que son pere ne le reconnut aucunement et que, lorsqu'il demanda a son frere le mecanicien et a son ami l'astrologue ce qu'etait devenu son fils bien-aime, les deux illustres personnages repondirent, avec cet aplomb qui caracterise les savants, que le roi et la reine n'avaient pas voulu se separer du sauveur de la princesse, et que le jeune Nathaniel etait reste a la cour, comble de gloire et d'honneur.

Quant au malheureux Casse-Noisette, qui sentait tout ce que sa position avait de penible, il ne souffla pas le mot, attendant de l'avenir le changement qui devait s'operer en lui. Cependant, nous devons avouer que, malgre la douceur de son caractere et la philosophie de son esprit, il gardait, au fond de son enorme bouche, une de ses plus grosses dents a l'oncle Drosselmayer, qui, l'etant venu chercher au moment ou il y pensait le moins, et l'ayant seduit par ses belles promesses, etait la seule et unique cause du malheur epouvantable qui lui etait arrive.

Voila, mes chers enfants, l'histoire de la noisette Krakatuk et de la princesse Pirlipate, telle que la raconta le parrain Drosselmayer a la petite Marie, et vous savez pourquoi l'on dit maintenant d'une chose difficile:

<<C'est une dure noisette a casser.

L'oncle et le neveu

Si quelqu'un de mes jeunes lecteurs ou quelqu'une de mes jeunes lectrices s'est jamais coupe avec du verre, ce qui a du leur arriver aux uns ou aux autres dans leurs jours de desobeissance, ils doivent savoir, par experience, que c'est une coupure particulierement desagreable en ce qu'elle ne finit pas de guerir. Marie fut donc forcee de passer une semaine entiere dans son lit, car il lui prenait des etourdissements aussitot qu'elle essayait de se lever; enfin elle se retablit tout a fait et put sautiller par la chambre comme auparavant.

Ou l'on est injuste envers notre petite heroine, ou l'on comprendra facilement que sa premiere visite fut pour l'armoire vitree: elle presentait un aspect des plus charmants: le carreau casse avait ete remis, et derriere les autres carreaux, nettoyes scrupuleusement par mademoiselle Trudchen, apparaissaient neufs, brillants et vernisses, les arbres, les maisons et les poupees de la nouvelle annee. Mais, au milieu de tous les tresors de son royaume enfantin, avant toutes choses, ce que Marie apercut, ce fut son casse-noisette, qui lui souriait du second rayon ou il etait place, et cela avec des dents en aussi bon etat qu'il en avait jamais eu. Tout en contemplant avec bonheur son favori, une pensee qui s'etait deja plus d'une fois presentee a l'esprit de Marie revint lui serrer le coeur. Elle songea que tout ce que parrain Drosselmayer avait raconte etait non pas un conte, mais l'histoire veritable des dissensions de Casse-Noisette avec feu la reine des souris et son fils le prince regnant: des lors elle comprenait que Casse-Noisette ne pouvait etre autre que le jeune Drosselmayer de Nuremberg, l'agreable mais ensorcele neveu du parrain; car, que l'ingenieux mecanicien de la cour du roi, pere de Pirlipate, fut autre que le conseiller de medecine Drosselmayer, de ceci elle n'en avait jamais doute, du moment o elle l'avait vu dans la narration apparaitre avec sa redingote jaune; et cette conviction s'etait encore raffermie, quand elle lui avait successivement vu perdre ses cheveux par un coup de soleil, et son oeil par un coup de fleche, ce qui avait necessit l'invention de l'affreux emplatre, et l'invention de l'ingenieuse perruque de verre, dont nous avons parle au commencement de cette histoire.

—Mais pourquoi ton oncle ne t'a-t-il pas secouru, pauvre Casse-Noisette? se disait Marie en face de l'armoire vitree, et tout en regardant son protege, et en pensant que, du succes de la bataille, dependait le desensorcellement du pauvre petit bonhomme, et son elevation au rang de roi du royaume des poupees, si pretes, du reste, a subir cette domination, que, pendant tout le combat, Marie se le rappelait, les poupees avaient obei Casse-Noisette comme des soldats a un general; et cette insouciance du parrain Drosselmayer faisait d'autant plus de peine a Marie, qu'elle etait certaine que ces poupees, auxquelles, dans son imagination, elle pretait le mouvement et la vie, vivaient et remuaient reellement.

Cependant, a la premiere vue du moins, il n'en etait pas ainsi dans l'armoire, car tout y demeurait tranquille et immobile; mais Marie, plutot que de renoncer a sa conviction interieure, attribuait tout cela a l'ensorcellement de la reine des souris et de son fils; elle entra si bien dans ce sentiment, qu'elle continua bientot, tout en regardant Casse-Noisette, de lui dire tout haut ce qu'elle avait commence de lui dire tout bas.

—Cependant, reprit-elle, quand bien meme vous ne seriez pas en etat de vous remuer, et empeche, par l'enchantement qui vous tient, de me dire le moindre petit mot, je sais tres-bien, mon cher monsieur Drosselmayer, que vous me comprenez parfaitement, et que vous connaissez a fond mes bonnes intentions a votre egard; comptez donc sur mon appui si vous en avez besoin. En attendant, soyez tranquille; je vais bien prier votre oncle de venir a votre aide, et il est si adroit, qu'il faut esperer que, pour peu qu'il vous aime un peu, il vous secourra.

Malgre l'eloquence de ce discours, Casse-Noisette ne bougea point; mais il sembla a Marie qu'un soupir passa tout doucement travers l'armoire vitree, dont les glaces se mirent a resonner bien bas, mais d'une facon si miraculeusement tendre, qu'il semblait a Marie qu'une voix douce comme une petite clochette d'argent disait:

—Chere petite Marie, mon ange gardien, je serai a toi; Marie, moi!

Et, a ces paroles mysterieusement entendues, Marie, a travers le frisson qui courut par tout son corps, sentit un bien-etre singulier s'emparer d'elle.

Cependant le crepuscule etait arrive. Le president entra avec le conseiller de medecine Drosselmayer. Au bout d'un instant, mademoiselle Trudchen avait prepare la table a the, et toute la famille etait rangee autour de la table, causant gaiement. Quant a Marie, elle avait ete chercher son petit fauteuil, et s'etait assise silencieusement aux pieds du parrain Drosselmayer; alors, dans un moment ou tout le monde faisait silence, elle leva ses grands yeux bleus sur le conseiller de medecine, et, le regardant fixement an visage:

—Je sais maintenant, dit-elle, cher parrain Drosselmayer, que mon casse-noisette est ton neveu le jeune Drosselmayer de Nuremberg. Il est devenu prince et roi du royaume des poupees, comme l'avait si bien predit ton compagnon l'astrologue; mais tu sais bien qu'il est en guerre ouverte et acharnee avec le roi des souris. Voyons, cher parrain Drosselmayer, pourquoi n'es-tu pas venu a son aide quand tu etais en chouette, a cheval sur la pendule? et maintenant encore, pourquoi l'abandonnes-tu?

Et, a ces mots, Marie raconta de nouveau, au milieu des eclats de rire de son pere, de sa mere et de mademoiselle Trudchen, toute cette fameuse bataille dont elle avait ete spectatrice. Il n'y eut que Fritz et le parrain Drosselmayer qui ne sourcillerent point.

—Mais ou donc, dit le parrain, cette petite fille va-t-elle chercher toutes les sottises qui lui passent par l'esprit?

—Elle a l'imagination tres-vive, repondit sa mere, et, au fond, ce ne sont que des reves et des visions occasionnes par sa fievre.

—Et la preuve, dit Fritz, c'est qu'elle raconte que mes hussards rouges ont pris la fuite; ce qui ne saurait etre vrai, a moins qu'ils ne soient d'abominables poltrons, auquel cas, sapristi! ils ne risqueraient rien, et je les bousculerais d'une belle facon!

Mais, tout en souriant singulierement, le parrain Drosselmayer prit la petite Marie sur ses genoux, et lui dit avec plus de douceur qu'auparavant:

—Chere enfant, tu ne sais pas dans quelle voie tu t'engages en prenant aussi chaudement les interets de Casse-Noisette: tu auras beaucoup a souffrir, si tu continues a prendre ainsi parti pour le pauvre disgracie; car le roi des souris, qui le tient pour le meurtrier de sa mere, le poursuivra par tous les moyens possibles. Mais, en tous cas, ce n'est pas moi, entends-tu bien, c'est toi seule qui peux le sauver: sois ferme et fidele, et tout ira bien.

Ni Marie ni personne ne comprit rien au discours du parrain; il y a plus, ce discours parut meme si etrange au president, qu'il prit sans souffler le mot la main du conseiller de medecine, et, apres lui avoir tate le pouls:

—Mon bon ami, lui dit-il comme Bartholo a Basile, vous avez une grande fievre, et je vous conseille d'aller vous coucher.

La capitale

Pendant la nuit qui suivit la scene que nous venons de raconter, comme la lune, brillant de tout son eclat, faisait glisser un rayon lumineux entre les rideaux mal joints de la chambre, et que, pres de sa mere, dormait la petite Marie, celle-ci fut reveillee par un bruit qui semblait venir du coin de la chambre, mele de sifflements aigus et de piaulements prolonges.

—Helas! s'ecria Marie, qui reconnut ce bruit pour l'avoir entendu pendant la fameuse soiree de la bataille; helas! voil les souris qui reviennent Maman, maman, maman!

Mais, quelques efforts qu'elle fit, sa voix s'eteignit dans sa bouche. Elle essaya de se sauver; mais elle ne put remuer ni bras ni jambes, et resta comme clouee dans son lit; alors, en tournant ses yeux effrayes vers le coin de la chambre ou l'on entendait le bruit, elle vit le roi des souris qui se grattait un passage a travers le mur, passant, par le trou qui allait s'elargissant, d'abord une de ses tetes, puis deux, puis trois, puis enfin ses sept tetes, ayant chacune sa couronne, et qui, apres avoir fait plusieurs tours dans la chambre, comme un vainqueur qui prend possession de sa conquete, s'elanca d'un bond sur la table, qui etait placee a cote du lit de la petite Marie. Arrive la, il la regarda de ses yeux brillants comme des escarboucles, sifflotant et grincant des dents, tout en disant:

—Hi hi hi! il faut que tu me donnes tes dragees et tes massepains, petite fille, ou sinon, je devorerai ton ami Casse-Noisette.

Puis, apres avoir fait cette menace, il s'enfuit de la chambre par le meme trou qu'il avait fait pour entrer.

Marie etait si effrayee de cette terrible apparition, que, le lendemain, elle se reveilla tonte pale et le coeur tout serre, et cela avec d'autant plus de raison, qu'elle n'osait raconter, de peur qu'on ne se moquat d'elle, ce qui lui etait arrive pendant la nuit. Vingt fois le recit lui vint sur les levres, soit vis-a-vis de sa mere, soit vis-a-vis de Fritz; mais elle s'arreta, toujours convaincue que ni l'un ni l'autre ne la voudrait croire; seulement, ce qui lui parut le plus clair dans tout cela, c'est qu'il lui fallait sacrifier au salut de Casse-Noisette ses dragees et ses massepains; en consequence, elle deposa, le soir du meme jour tout ce qu'elle en possedait sur le bord de l'armoire.

Le lendemain, la presidente dit:

—En verite, je ne sais, pas d'ou viennent les souris qui ont tout a coup fait irruption chez nous; mais regarde, ma pauvre Marie, continua-t-elle en amenant la petite fille au salon, ces mechantes betes ont devore toutes les sucreries.

La presidente faisait une erreur, c'est *gate* qu'elle aurait d dire; car ce gourmand de roi des souris, tout en ne trouvant pas les massepains de son gout, les avait tellement grignotes, qu'on fut oblige de les jeter.

Au reste, comme ce n'etait pas non plus les bonbons que Marie preferait, elle n'eut pas un bien vif regret du sacrifice qu'avait exige d'elle le roi des souris; et, croyant qu'il se contenterait de cette premiere contribution dont il l'avait frappee, elle fut fort satisfaite de penser qu'elle avait sauv Casse-Noisette a si bon marche.

Malheureusement, sa satisfaction ne fut pas longue; la nuit suivante, elle se reveilla en entendant piauler et siffloter ses oreilles.

Helas! c'etait encore le roi des souris, dont les yeux etincelaient plus horriblement que la nuit precedente, et qui, de sa meme voix entremelee de sifflements et de piaulements, lui dit:

—Il faut que ta me donnes tes poupees en sucre et en biscuit, petite fillette, ou sinon, je devorerai ton ami Casse-Noisette.

Et, la-dessus, le roi des souris s'en alla tout en sautillant et disparut par son trou.

Le lendemain, Marie, fort affligee, s'en alla droit a l'armoire vitree, et, arrivee la elle jeta un regard melancolique sur ses poupees en sucre et en biscuit; et certes, sa douleur etait bien naturelle, car jamais on n'avait vu plus friandes petites figures que celles que possedait la petite Marie.

—Helas! dit-elle en se tournant vers le casse-noisette, cher monsieur Drosselmayer, que ne ferais-je pas pour vous sauver! Cependant, vous en conviendrez, ce qu'on exige de moi est bien dur.

Mais, a ces paroles, Casse-Noisette prit un air si lamentable, que Marie, qui croyait toujours voir les machoires du roi des souris s'ouvrir pour le devorer, resolut de faire encore ce sacrifice pour sauver le malheureux jeune homme. Le soir meme, elle mit donc les poupees de sucre et de biscuit sur le bord de l'armoire, comme la veille elle y avait mis les dragees et les massepains. Baisant cependant, en maniere d'adieu, les uns apres les autres, ses bergers, ses bergeres et leurs moutons, cachant derriere toute la troupe un petit enfant aux joues arrondies qu'elle aimait particulierement.

—Ah! c'est trop fort! s'ecria le lendemain la presidente; il faut decidement que d'affreuses souris aient etabli leur domicile dans l'armoire vitree, car toutes les poupees de la pauvre Marie sont devorees,

A cette nouvelle, de grosses larmes sortirent des yeux de Marie; mais presque aussitot elles se secherent, firent place a un doux sourire, car interieurement elle se disait:

—Qu'importent bergers, bergeres et moutons, puisque Casse-Noisette est sauve!

—Mais, dit Fritz, qui avait assiste d'un air reflechi a toute la conversation, je te rappellerai, petite maman, que le boulanger a un excellent conseiller de legation gris, que l'on pourrait envoyer chercher, et qui mettra bientot fin a tout ceci en croquant les souris les unes apres les autres, et, apres les souris, dame Souriconne elle-meme, et le roi des souris comme madame sa mere.

—Oui, repondit la presidente; mais ton conseiller de legation, en sautant sur les tables et les cheminees, me mettra eu morceaux mes tasses et mes verres.

—Ah! ouiche! dit Fritz, il n'y a pas de danger; le conseiller de legation du boulanger est un gaillard trop adroit pour commettre de pareilles bevues, et je voudrais bien pouvoir marcher sur le bord des gouttieres et sur la crete des toits avec autant d'adresse et de solidite que lui.

—Pas de chats dans la maison! pas de chats ici! s'ecria la presidente, qui ne pouvait pas les souffrir.

—Mais, dit le president, attire par le bruit, il y a quelque chose de bon a prendre dans ce qu'a dit M. Fritz: ce serait, au lieu d'un chat, d'employer des souricieres.

—Pardieu! s'ecria Fritz, cela tombe a merveille, puisque c'est parrain Drosselmayer qui les a inventees.

Tout le monde se mit a rire, et, comme, apres perquisitions faites dans la maison, il fut reconnu qu'il n'y existait aucun instrument de ce genre, on envoya chercher une excellente souriciere chez parrain Drosselmayer, laquelle fut amorcee d'un morceau de lard, et tendue a l'endroit meme ou les souris avaient fait un si grand degat la nuit precedente.

Marie se coucha donc dans l'espoir que, le lendemain, le roi des souris se trouverait pris dans la boite, ou ne pouvait manquer de le conduire sa gourmandise. Mais, vers les onze heures du soir, et comme elle etait dans son premier sommeil, elle fut reveillee par quelque chose de froid et de velu qui sautillait sur ses bras et sur son visage; puis, au meme instant, ce piaulement et ce sifflement qu'elle connaissait si bien retentit a ses oreilles. L'affreux roi des souris etait la sur son traversin, les yeux scintillant d'une flamme sanglante, et ses sept gueules ouvertes, comme s'il etait pret a devorer la pauvre Marie.

—Je m'en moque, je m'en moque, disait le roi des souris, je n'irai pas dans la petite maison, et ton lard ne me tente pas; je ne serai pas pris: je m'en moque. Mais il faut que tu me donnes tes livres d'images et ta petite robe de soie; autrement, prends-y garde, je devorerai ton Casse-Noisette.

On comprend qu'apres une telle exigence, Marie se reveilla le lendemain l'ame pleine de douleur et les yeux pleins de larmes. Aussi sa mere ne lui apprit-elle rien de nouveau lorsqu'elle lui dit que la souriciere avait ete inutile, et que le roi des souris s'etait doute de quelque piege. Alors, comme la presidente sortait pour veiller aux apprets du dejeuner, Marie entra dans le salon, et, s'avancant en sanglotant vers l'armoire vitree:

—Helas! mon bon et cher monsieur Drosselmayer, dit-elle, o donc cela s'arretera-t-il? Quand j'aurai donne au roi des souris mes jolis livres d'images a dechirer, et ma belle petite robe de soie, dont l'enfant Jesus m'a fait cadeau le jour de Noel, mettre en morceaux, il ne sera pas content encore, et tous les jours m'en demandera davantage; si bien que, lorsque je n'aurai plus rien a lui donner, peut-etre me devorera-t-il a votre place. Helas! pauvre enfant que je suis, que dois-je donc faire, mon bon et cher monsieur Drosselmayer? que dois-je donc faire? Et tout en pleurant, et tout en se lamentant ainsi, Marie s'apercut que Casse-Noisette avait au cou une tache de sang. Du jour o Marie avait appris que son protege etait le fils du marchand de joujoux et le neveu du conseiller de medecine, elle avait cess de le porter dans ses bras, et ne l'avait plus ni caresse ni embrasse, et sa timidite a son egard etait si grande, qu'elle n'avait pas meme ose le toucher du bout du doigt. Mais en ce moment, voyant qu'il etait blesse, et craignant que sa blessure ne fut dangereuse, elle le sortit doucement de l'armoire, et se mit a essuyer avec son mouchoir la tache de sang qu'il avait au cou. Mais quel fut son etonnement lorsqu'elle sentit tout a coup que Casse-Noisette commencait a se remuer dans sa main! Elle le reposa vivement sur son rayon; alors sa bouche s'agita de droite et de gauche, ce qui la fit paraitre plus grande encore, et, force de mouvements, finit a grand'peine par articuler ces mots:

—Ah! tres-chere demoiselle Silberhaus, excellente amie a moi, que ne vous dois-je pas, et que de remerciements n'ai-je pas vous faire! Ne sacrifiez donc pas pour moi vos livres d'images et votre robe de soie; procurez-moi seulement une epee, mais une bonne epee, et je me charge du reste.

Casse-Noisette voulait en dire plus long encore; mais ses paroles devinrent inintelligibles, sa voix s'eteignit tout a fait, et ses yeux, un moment animes par l'expression de la plus douce melancolie, devinrent immobiles et atones. Marie n'eprouva aucune terreur; au contraire, elle sauta de joie, car elle etait bienheureuse de pouvoir sauver Casse-Noisette, sans avoir a lui faire le sacrifice de ses livres d'images et de sa robe de soie. Une seule chose l'inquietait, c'etait de savoir ou elle trouverait cette bonne epee que demandait le petit bonhomme; Marie resolut alors de s'ouvrir de son embarras a Fritz, que, part sa forfanterie, elle savait etre un obligeant garcon. Elle l'amena donc devant l'armoire vitree, lui raconta tout ce qui lui etait arrive avec Casse-Noisette et le roi des souris, et finit par lui exposer le genre de service qu'elle attendait de lui. La seule chose qui impressionna Fritz dans ce recit, fut d'apprendre que bien reellement ses hussards avaient manque de coeur au plus fort de la bataille; aussi demanda-t-il a Marie si l'accusation etait bien vraie, et, comme il savait la petite fille incapable de mentir, sur son affirmation, il s'elanca vers l'armoire, et fit a ses hussards un discours qui parut leur inspirer une grande honte. Mais ce ne fut pas tout: pour punir tout le regiment dans la personne de ses chefs, il degrada les uns apres les autres tous les officiers, et defendit expressement aux trompettes de jouer pendant un an la marche des *Hussards de la garde*; puis, se retournant vers Marie:

—Quant a Casse-Noisette, dit-il, qui me parait un brave garcon, je crois que j'ai son affaire: comme j'ai mis hier a la reforme, avec sa pension, bien entendu, an vieux major de cuirassiers qui avait fini son temps de service, je presume qu'il n'a plus besoin de son sabre, lequel etait une excellente lame.

Restait a trouver le major; on se mit a sa recherche, et on le decouvrit mangeant la pension que Fritz lui avait faite, dans une petite auberge perdue, au coin le plus recule du troisieme rayon de l'armoire. Comme l'avait pense Fritz, il ne fit aucune difficulte de rendre son sabre, qui lui etait devenu inutile et qui fat, a l'instant meme, passe au cou de Casse-Noisette.

La frayeur qu'eprouvait Marie l'empecha de s'endormir la nuit suivante; aussi etait-elle si bien eveillee, qu'elle entendit sonner les douze coups de l'horloge du salon. A peine la vibration du dernier coup eut-elle cesse, que de singulieres rumeurs retentirent du cote de l'armoire, et qu'on entendit un grand cliquetis d'epees, comme si deux adversaires acharnes en venaient aux mains. Tout a coup l'un des deux combattants fit *couic!*

—Le roi des souris! s'ecria Marie pleine de joie et de terreur a la fois.

Rien ne bougea d'abord; mais bientot on frappa doucement, bien doucement a la porte, et une petite voix flutee fit entendre ces paroles:

—Bien chere demoiselle Silberhaus, j'apporte une joyeuse nouvelle; ouvrez-moi donc, je vous en supplie.

Marie reconnut la voix du jeune Drosselmayer; elle passa en toute hate sa petite robe et ouvrit lestement la porte. Casse-Noisette etait la, tenant son sabre sanglant dans sa main droite, et une bougie dans sa main gauche. Aussitot qu'il apercut Marie, il flechit le genou devant elle et dit:

—C'est vous seule, o Madame, qui m'avez anime du courage chevaleresque que je viens de deployer, et qui avez donne a mon bras la force de combattre l'insolent qui osa vous menacer: ce miserable roi des souris est la, baigne dans son sang. Voulez-vous, o Madame, ne pas dedaigner les trophees de la victoire, offerts de la main d'un chevalier qui vous sera devou jusqu'a la mort?

Et, en disant cela, Casse-Noisette tira de son bras gauche les sept couronnes d'or du roi des souris, qu'il y avait passees en guise de bracelets, et les offrit a Marie, qui les accepta avec joie.

Alors Casse-Noisette, encourage par cette bienveillance, se releva et continua ainsi:

—Ah! ma chere demoiselle Silberhaus, maintenant que j'ai vaincu mon ennemi, quelles admirables choses ne pourrais-je pas vous faire voir si vous aviez la condescendance de m'accompagner seulement pendant quelques pas. Oh! faites-le, faites-le, ma chere demoiselle, je vous en supplie!

Marie n'hesita pas un instant a suivre Casse-Noisette, sachant combien elle avait de droits a sa reconnaissance, et etant bien certaine qu'il ne pouvait avoir aucun mauvais dessein sur elle.

—Je vous suivrai, dit-elle, mon cher monsieur Drosselmayer; mais il ne faut pas que ce soit bien loin, ni que le voyage dure bien longtemps, car je n'ai pas encore suffisamment dormi.

—Je choisirai donc, dit Casse-Noisette le chemin le plus court, quoiqu'il soit le plus difficile.

Et, a ces mots, il marcha devant, et Marie le suivit.

Le royaume des poupees

Tous deux arriverent bientot devant une vieille et immense armoire situee dans un corridor tout pres de la porte, et qui servait de garde-robe. La, Casse-Noisette s'arreta, et Marie remarqua, a son grand etonnement, que les battants de l'armoire, ordinairement si bien fermes, etaient tout grands ouverts, de facon qu'elle voyait a merveille la pelisse de voyage de son pere, qui etait en peau de renard, et qui se trouvait suspendue en avant de tous les autres habits; Casse-Noisette grimpa fort adroitement le long des lisieres, et, en s'aidant des brandebourgs jusqu'a ce qu'il put atteindre a la grande houppe qui, attachee par une grosse ganse, retombait sur le dos de cette pelisse, Casse-Noisette en tira aussitot un charmant escalier de bois de cedre, qu'il dressa de facon a ce que sa base touchat la terre et a ce que son extremite superieure se perdit dans la manche de la pelisse.

—Et maintenant, ma chere demoiselle, dit Casse-Noisette, ayez la bonte de me donner la main et de monter avec moi.

Marie obeit; et a peine eut-elle regarde par la manche, qu'une etincelante lumiere brilla devant elle, et qu'elle se trouva tout a coup transportee au milieu d'une prairie embaumee, et qui scintillait comme si elle eut ete toute parsemee de pierres precieuses.

—O mon Dieu! s'ecria Marie tout eblouie, ou sommes-nous donc, mon cher monsieur Drosselmayer?

—Nous sommes dans la plaine du sucre candi, Mademoiselle; mais nous ne nous y arreterons pas, si vous le voulez bien, et nous allons tout de suite passer par cette porte.

Alors, seulement, Marie apercut en levant les yeux une admirable porte par laquelle on sortait de la prairie. Elle semblait etre construite de marbre blanc, de marbre rouge et de marbre brun; mais, quand Marie se rapprocha, elle vit que toute cette porte n'etait formee que de conserves a la fleur d'orange, de pralines et de raisin de Corinthe; c'est pourquoi, a ce que lui apprit Casse-Noisette, cette porte etait appelee la porte des Pralines.

Cette porte donnait sur une grande galerie supportee par des colonnes en sucre d'orge, sur laquelle galerie six singes vetus de rouge faisaient une musique, sinon des plus melodieuses, du moins des plus originales. Marie avait tant de hate d'arriver, qu'elle ne s'apercevait meme pas qu'elle marchait sur un pave de pistaches et de macarons, qu'elle prenait tout bonnement pour du marbre. Enfin, elle atteignit le bout de la galerie, et a peine fut-elle en plein air, qu'elle se trouva environnee des plus delicieux parfums, lesquels s'echappaient d'une charmante petite foret qui s'ouvrait devant elle. Cette foret, qui eut ete sombre sans la quantite de lumieres qu'elle contenait, etait eclairee d'une facon si resplendissante, qu'on distinguait parfaitement les fruits d'or et d'argent qui etaient suspendus aux branches ornees de rubans et de bouquets et pareilles a de joyeux maries.

—O mon cher monsieur Drosselmayer, s'ecria Marie, quel est ce charmant endroit, je vous prie?

—Nous sommes dans la foret de Noel, Mademoiselle, dit Casse-Noisette, et c'est ici qu'on vient chercher les arbres auxquels l'enfant Jesus suspend ses presents.

—Oh! continua Marie, ne pourrais-je donc pas m'arreter ici un instant? On y est si bien et il y sent ai bon!

Aussitot Casse-Noisette frappa entre ses deux mains, et plusieurs bergers et bergeres, chasseurs et chasseresses sortirent de la foret, si delicats et si blancs, qu'ils semblaient de sucre raffine. Ils apportaient un charmant fauteuil de chocolat incruste d'angelique, sur lequel ils disposerent un coussin de jujube, et inviterent fort poliment Marie a s'y asseoir. A peine y fut-elle, que, comme cela se pratique dans les operas, les bergers et les bergeres, les chasseurs et les chasseresses prirent leurs positions, et commencerent a danser un charmant ballet accompagne de cors, dans lesquels les chasseurs soufflaient d'une facon tres-male, ce qui colora leur visage de maniere que leurs joues semblaient faites de conserves de roses. Puis, le pas fini, ils disparurent tous dans un buisson.

—Pardonnez-moi, chere demoiselle Silberhaus, dit alors Casse-Noisette en tendant la main a Marie, pardonnez-moi de vous avoir offert un si chetif ballet; mais ces marauds-la ne savent que repeter eternellement le meme pas qu'ils ont deja fait cent fois, Quant aux chasseurs, ils ont souffle dans leurs cors comme des faineants, et je vous reponds qu'ils auront affaire a moi. Mais laissons la ces droles, et continuons la promenade, si elle vous plait.

—J'ai cependant trouve tout cela bien charmant, dit Marie se rendant a l'invitation de Casse-Noisette, et il me semble, mon cher monsieur Drosselmayer, que vous etes injuste pour nos petite danseurs.

Casse-Noisette fit une moue qui voulait dire: "Nous verrons, et votre indulgence leur sera comptee." Puis ils continuerent leur chemin, et arriverent sur les bords d'une riviere qui semblait exhaler tous les parfums qui embaumaient l'air.

—Ceci, dit Casse-Noisette sans meme attendre que Marie l'interrogeat, est la riviere Orange. C'est une des plus petites du royaume; car, excepte sa bonne odeur, elle ne peut etre comparee au fleuve Limonade, qui se jette dans la mer du Midi qu'on appelle la mer de Punch, ni au lac Orgeat, qui se jette dans la mer du Nord, qu'on appelle la mer de Lait d'amandes.

Non loin de la etait un petit village, dans lequel les maisons, les eglises, le presbytere du cure, tout enfin etait brun; seulement, les toits en etaient dores, et les murailles resplendissaient incrustees de petits bonbons roses, bleus et blancs.

—Ceci est le village de Massepains, dit Casse-Noisette; c'est un gentil bourg, comme vous voyez, situe sur le ruisseau de Miel. Les habitants en sont assez agreables a voir; seulement, on les trouve sans cesse de mauvaise humeur, attendu qu'ils ont toujours mal aux dents. Mais, chere demoiselle Silberhaus, continua Casse-Noisette, ne nous arretons pas, je vous prie, a visiter tous les villages et toutes les petites villes de ce royaume. A la capitale, a la capitale!

Casse-Noisette s'avanca alors tenant toujours Marie par la main, mais plus lestement qu'il ne l'avait fait encore; car Marie, pleine de curiosite, marchait cote a cote avec lui, legere comme un oiseau. Enfin, au bout de quelque temps, un parfum de roses se repandit dans l'air, et tout, autour d'eux, prit une couleur rose. Maria remarqua que c'etait l'odeur et le reflet d'un fleuve d'essence de rose qui roulait ses petits flots avec une charmante melodie. Sur les eaux parfumees, des cygnes d'argent, ayant au cou des colliers d'or, glissaient lentement en chantant entre eux les plus delicieuses chansons, a ce point que cette harmonie, qui les rejouissait fort, a ce qu'il parait, faisait sautiller autour d'eux des poissons de diamant.

—Ah! s'ecria Marie, voila le joli fleuve que parrain Drosselmayer voulait me faire a Noel, et moi, je suis la petite fille qui caressait les cygnes.

Le voyage

Casse-Noisette frappa encore une fois dans ses deux mains; alors le fleuve d'essence de rose se gonfla visiblement, et, de ses flots agites, sortit un char de coquillages couvert de pierreries etincelant au soleil, et traine par des dauphins d'or. Douze charmants petits Maures, avec des bonnets en ecailles de dorade et des habits en plumes de colibri, sauterent sur le rivage, et porterent doucement Marie d'abord, et ensuite Casse-Noisette, dans le char, qui se mit a cheminer sur l'eau.

C'etait, il faut l'avouer, une ravissante chose, et qui pourrait se comparer au voyage de Cleopatre remontant le Cydnus, que de voir Marie sur son char de coquillages, embaumee de parfums, flottant sur des vagues d'essence de rose, s'avancant trainee par des dauphins d'or, qui relevaient la tete et lancaient en l'air des gerbes brillantes de cristal rose qui retombaient en pluie diapree de toutes les couleurs de l'arc-en-ciel. Enfin, pour que la joie penetrat par tous les sens, une douce harmonie commencait de retentir, et l'on entendait de petites voix argentines qui chantaient:

> <<Qui donc vogue ainsi sur le fleuve d'essence de rose? Est-ce la fee Mab ou la reine Titania? Repondez, petits poissons qui scintillez sous les vagues, pareils a des eclairs liquides; repondez, cygnes gracieux qui glissez a la surface de l'eau; repondez, oiseaux aux vives couleurs qui traversez l'air comme des fleurs volantes.

Et, pendant ce temps, les douze petits Maures qui avaient saut derriere le char de coquillages secouaient en cadence leurs petite parasols garnis de sonnettes, a l'ombre desquels ils abritaient Marie, tandis que celle-ci, penchee sur les flots, souriait au charmant visage qui lui souriait dans chaque vague qui passait devant elle.

Ce fut ainsi qu'elle traversa le fleuve d'essence de rose et s'approcha de la rive opposee. Puis, lorsqu'elle n'en fut plus qu'a la longueur d'une rame, les douze Maures sauterent, les uns a l'eau, les autres sur le rivage, et, faisant la chaine, ils porterent, sur un tapis d'angelique tout parseme de pastilles de menthe, Marie et Casse-Noisette.

Restait a traverser un petit bosquet, plus joli peut-etre encore que la foret de Noel, tant chaque arbre brillait et etincelait de sa propre essence. Mais ce qu'il y avait de remarquable surtout, c'etaient les fruits pendus aux branches, et qui n'etaient pas seulement d'une couleur et d'une transparence singulieres, les les uns jaunes comme des topazes, les autres rouges comme des rubis, mais encore d'un parfum etrange.

—Nous sommes dans le bois des Confitures, dit Casse-Noisette, et au dela de cette lisiere est la capitale.

Et, en effet, Marie ecarta les dernieres branches, et resta stupefaite en voyant l'etendue, la magnificence et l'originalit de la ville qui s'elevait devant elle, sur une pelouse de fleurs. Non-seulement les murs et les clochers resplendissaient des plus vives couleurs, mais encore, pour la forme des batiments, il n'y avait point a esperer d'en rencontrer de pareils sur la terre. Quant aux remparts et aux portes, ils etaient entierement construits avec des fruits glaces qui brillaient an soleil de leur propre couleur, rendue plus brillante encore par le sucre cristallise qui les recouvrait! A la porte principale, et qui fut celle par laquelle ils firent leur entree, des soldats d'argent leur presenterent les armes, et un petit homme, enveloppe d'une robe de chambre de brocart d'or, se jeta au cou de Casse-Noisette en lui disant:

—Oh! cher prince, vous voila donc enfin! Soyez le bienvenu Confiturembourg.

Marie s'etonna un peu du titre pompeux qu'on donnait Casse-Noisette; mais elle fut bientot distraite de son etonnement par une rumeur formee d'une telle quantite de voix qui jacassaient en meme temps, qu'elle demanda a Casse-

Noisette s'il y avait, dans la capitale du royaume des poupees, quelque emeute ou quelque fete.

—Il n'y a rien de tout cela, chere demoiselle Silberhaus, repondit Casse-Noisette; mais Confiturembourg est une ville joyeuse et peuplee qui fait grand bruit a la surface de la terre; et cela se passe tous les jours, comme vous allez le voir pour aujourd'hui; seulement, donnez-vous la peine d'avancer, voil tout ce que je vous demande.

Marie, poussee a la fois par sa propre curiosite et par l'invitation si polie de Casse-Noisette, hata sa marche, et se trouva bientot sur la place du grand marche, qui avait un des plus magnifiques aspects qui se put voir. Toutes les maisons d'alentour etaient en sucreries, montees a jour, avec galeries sur galeries; et, au milieu de la place, s'elevait, en forme d'obelisque, une gigantesque brioche, du milieu de laquelle s'elancaient quatre fontaines de limonade, d'orangeade, d'orgeat et de sirop de groseille. Quant aux bassins, ils etaient remplis d'une creme si fouettee et si appetissante, que beaucoup de gens tres bien mis, et qui paraissaient on ne peut plus comme il faut, en mangeaient publiquement a la cuiller. Mais ce qu'il y avait de plus agreable et de plus recreatif a la fois, c'etaient de charmantes petites gens qui se coudoyaient et se promenaient par milliers, bras dessus bras dessous, riant, chantant et causant pleine voix, ce qui occasionnait ce joyeux tumulte que Marie avait entendu. Il y avait la, outre les habitants de la capitale, des hommes de tous les pays: Armeniens, Juifs, Grecs, Tyroliens, officiers, soldats, predicateurs, capucins, bergers et polichinelles; enfin toute espece de gens, de bateleurs et de sauteurs, comme on en rencontre dans le monde.

Bientot le tumulte redoubla a l'entree d'une rue qui donnait sur la place, et le peuple s'ecarta pour laisser passer un cortege. C'etait le Grand Mogol qui se faisait porter sur un palanquin, accompagne de quatre-vingt-treize grands de son royaume et sept cents esclaves; mais, en ce moment meme, il se trouva, par hasard, que, par la rue parallele, arriva le Grand Sultan cheval, lequel etait accompagne de trois cents janissaires. Les deux souverains avaient toujours ete quelque peu rivaux et, par consequent, ennemis; ce qui faisait que les gens de leurs suites se rencontraient rarement sans que cette rencontre amenat quelque rixe. Ce fut bien autre chose, on le comprendra facilement, quand ces deux puissants monarques se trouverent en face l'un de l'autre; d'abord, ce fut une confusion du milieu de laquelle essayerent de se tirer les gens du pays; mais bientot on entendit les cris de fureur et de desespoir: un jardinier qui se sauvait avait abattu, avec le manche de sa beche, la tete d'un bramine fort considere dans sa caste, et le Grand Sultan lui-meme avait renverse de son cheval un polichinelle alarme qui avait pass entre les jambes de son quadrupede; le brouhaha allait en augmentant, quand l'homme a la robe de chambre de brocart, qui, la porte de la ville, avait salue Casse-Noisette du titre de prince, grimpa d'un seul elan tout en haut de la brioche, et, ayant sonne trois fois d'une cloche claire, bruyante et argentine, s'ecria trois fois:

—Confiseur! confiseur! confiseur!

Aussitot le tumulte s'apaisa; les deux corteges embrouilles se debrouillerent; on brossa le Grand Sultan qui etait couvert de poussiere; on remit la tete au bramine, en lui recommandant de ne pas eternuer de trois jours, de peur qu'elle ne se decollat; puis, le calme retabli, les allures joyeuses recommencerent, et chacun revint puiser de la limonade, de l'orangeade et du sirop de groseille a la fontaine, et manger de la creme a pleines cuillers dans ses bassins.

—Mais, mon cher monsieur Drosselmayer, dit Marie, quelle est donc la cause de l'influence exercee sur ce petit peuple par ce mot trois fois repete:

<<Confiseur, confiseur, confiseur?

—Il faut vous dire, Mademoiselle, repondit Casse-Noisette, que le peuple de Confiturembourg croit, par experience, a la metempsycose, et est soumis a l'influence superieure d'un principe appele confiseur, lequel principe lui donne, selon son caprice, et en le soumettant a une cuisson plus ou moins prolongee, la forme qui lui plait. Or, comme chacun croit toujours sa forme la meilleure, il n'y a jamais personne qui se soucie d'en changer; voila d'ou vient l'influence magique de ce mot *confiseur*, sur les Confiturembourgeois, et comment ce mot, prononce par le bourgmestre, suffit pour apaiser le plus grand tumulte, comme vous venez de le voir: chacun, a l'instant meme, oublie les choses terrestres, les cotes enfoncees et les bosses la tete; puis, rentrant en lui-meme, se dit: <<Mon Dieu! qu'est-ce que l'homme, et que ne peut-il pas devenir?

Tout en causant ainsi, on etait arrive en face d'un palais repandant une lueur rose et surmonte de cent tourelles elegantes et aeriennes; les murs en etaient parsemes de bouquets de violettes, de narcisses, de tulipes et de jasmins qui rehaussaient de couleurs variees le fond rose sur lequel il se detachait. La grande coupole du milieu etait parsemee de milliers d'etoiles d'or et d'argent.

—Oh! mon Dieu, s'ecria Marie, quel est donc ce merveilleux edifice?

—C'est le palais des Massepains, repondit Casse-Noisette, c'est-a-dire l'un des monuments les plus remarquables de la capitale du royaume des poupees.

Cependant, toute perdue qu'elle etait dans son admiration contemplative, Marie ne s'en apercut pas moins que la toiture d'une des grandes tours manquait entierement, et que des petits bonshommes de pain d'epice, montes sur un echafaudage de cannelle, etaient occupes a la retablir. Elle allait questionner Casse-Noisette sur cet accident, lorsque, provenant son intention:

—Helas! dit-il, il y a peu de temps que ce palais a ete menac de grandes degradations, si ce n'est d'une ruine entiere. Le geant Bouche-Friande mordit legerement cette tour, et il avait meme deja commence de grignoter la coupole, lorsque les Confiturembourgeois vinrent lui apporter en tribut un quartier de la ville, nomme Nougat, et une grande portion de la foret Angelique; moyennant quoi, il consentit a s'eloigner, sans avoir fait d'autres degats que celui que vous voyez.

Dans ce moment, on entendit une douce et charmante musique.

Les portes du palais s'ouvrirent d'elles-memes, et douze petits pages en sortirent, portant dans leurs mains des brins d'herbe aromatique, allumes en guise de flambeaux; leurs tetes etaient composees d'une perle; six d'entre eux avaient le corps fait de rubis et six autres d'emeraudes, et avec cela ils trottaient fort joliment sur deux petits pieds d'or ciseles avec le plus grand soin et dans le gout de Benvenuto Cellini.

Ils etaient suivis de quatre dames de la taille tout au plus de mademoiselle Clairchen, sa nouvelle poupee, mais si splendidement vetues, si richement parees, que Marie ne put meconnaitre en elles les princesses royales de Confiturembourg. Toutes quatre, en apercevant Casse-Noisette, s'elancerent a son cou avec la plus tendre effusion, s'ecriant en meme temps et d'une seule voix:

—O mon prince! mon excellent prince! ... O mon frere! mon excellent frere!

Casse-Noisette paraissait fort touche; il essuya les nombreuses larmes qui coulaient de ses yeux, et, prenant Marie par la main il dit pathetiquement, en s'adressant aux quatre princesses:

—Mes cheres soeurs, voici mademoiselle Marie Silberhaus que je vous presente; c'est la fille de M. le president Silberhaus, de Nuremberg, homme fort considere dans la ville qu'il habite. C'est elle qui a sauve ma vie; car, si, au moment ou je venais de perdre la bataille, elle n'avait pas jete sa pantoufle an roi des souris, et si, plus tard, elle n'avait pas eu la bonte de me preter le sabre d'un major mis a la retraite par son frere, je serais maintenant couche dans le tombeau, ou, qui pis est encore, devore par le roi des souris. Ah! chere demoiselle Silberhaus, s'ecria Casse-Noisette dans un enthousiasme qu'il ne pouvait plus maitriser, Pirlipate, la princesse Pirlipate, toute fille du roi qu'elle etait, n'etait pas digne de denouer les cordons de vos jolis petits souliers.

—Oh! non, non, bien certainement, repeterent en choeur les quatre princesses.

Et, se jetant au cou de Marie, elles s'ecrierent:

—O noble liberatrice de notre cher et bien-aime prince et frere! o excellente demoiselle Silberhaus!

Et, avec ces exclamations, que leur coeur gonfle de joie ne leur permettait pas de developper davantage, les quatre princesses conduisirent Marie et Casse-Noisette dans l'interieur du palais, les forcerent de s'asseoir sur de charmants petits canapes en bois de cedre et du Bresil, parsemes de fleurs d'or, disant qu'elles voulaient elles-memes preparer leur repas. En consequence, elles allerent chercher une quantite de petite vases et de petites ecuelles de la plus fine porcelaine du Japon, des cuillers, des couteaux, des fourchettes, des casseroles et autres ustensiles de cuisine tout en or et en argent; apporterent les plus beaux fruits et les plus delicieuses sucreries que Marie eut jamais vus, et commencerent a se tremousser de telle facon, que Marie vit bien que les princesses de Confiturembourg s'entendaient merveilleusement a faire la cuisine. Or, comme Marie s'entendait aussi tres-bien a ces sortes de choses, elle souhaitait interieurement de prendre une part active a ce qui se passait; alors, comme si elle eut pu deviner le voeu interieur de Marie, la plus jolie des quatre soeurs de Casse-Noisette lui tendit un petit mortier d'or et lui dit:

—Chere liberatrice de mon frere, pilez-moi, je vous prie, de ce sucre candi.

Marie s'empressa de se rendre a l'invitation, et, tandis qu'elle frappait si gentiment dans le mortier, qu'il en sortait une melodie charmante, Casse-Noisette se mit a raconter dans le plus grand detail toutes ses aventures; mais, chose etrange, il semblait a Marie, pendant ce recit, que peu a peu les mots du jeune Drosselmayer, ainsi que le bruit du mortier, n'arrivaient plus qu'indistinctement a son oreille; bientot, elle se vit enveloppee comme d'une legere vapeur; puis la vapeur se changea en une gaze d'argent, qui s'epaissit de plus en plus autour d'elle, et qui peu a peu lui deroba la vue de Casse-Noisette et des princesses ses soeurs. Alors des chants etranges, qui lui rappelaient ceux qu'elle avait entendus sur le fleuve d'essence de rose, se firent entendre meles au murmure croissant des eaux; puis il sembla a Marie que les vagues passaient sous elle et la soulevaient en se gonflant. Elle sentit qu'elle montait haut, plus haut, bien plus haut, plus haut encore, et prrrrrrrrou! et, paff! qu'elle tombait d'une hauteur qu'elle ne pouvait mesurer.

Conclusion

On ne fait pas une chute de quelques mille pieds sans se reveiller; aussi Marie se reveilla, et, en se reveillant, se retrouva dans son petit lit. Il faisait grand jour, et sa mere etait pres d'elle, lui disant:

—Est-il possible d'etre aussi paresseuse que tu l'es? Voyons, reveillons-nous; habillons-nous bien vite, car le dejeuner nous attend.

—Oh! chere petite mere, dit Marie eu ouvrant ses grands yeux etonnes, ou donc m'a conduit cette nuit le jeune M. Drosselmayer, et quelles admirables choses ne m'a-t-il pas fait voir?

Alors Marie raconta tout ce que nous venons de raconter nous-meme, et, lorsqu'elle eut fini, sa mere lui dit:

—Tu as fait la un bien long et bien charmant reve, chere petite Marie; mais, maintenant que tu es reveillee, il faudrait oublier tout cela, et venir faire ton premier dejeuner.

Mais Marie, tout en s'habillant, persista a soutenir que ce n'etait point un reve, et qu'elle avait bien reellement va tout cela. Sa mere alors alla vers l'armoire, prit Casse-Noisette, qui etait, comme d'habitude, sur son troisieme rayon, rapporta la petite fille, et lui dit:

—Comment peux-tu t'imaginer, folle enfant, que cette poupee, qui est composee de bois et de drap, puisse avoir la vie, le mouvement et la reflexion?

—Mais, chere maman, reprit avec impatience la petite Marie, je sais parfaitement, moi, que Casse-Noisette n'est autre que le jeune M. Drosselmayer, neveu du parrain.

Alors Marie entendit un grand eclat de rire derriere elle.

C'etaient le president, Fritz et mademoiselle Trudchen qui s'en donnaient a coeur joie a ses depens.

—Ah! s'ecria Marie, ne voila-t-il pas que tu te moques aussi de mon Casse-Noisette, cher papa? Il a cependant respectueusement parle de toi, quand nous sommes entres dans le palais de Massepains, et qu'il m'a presentee aux princesses ses soeurs.

Les eclats de rire redoublerent de telle facon, que Marie comprit qu'il lui fallait donner une preuve de la verite de ce qu'elle avait dit, sous peine d'etre traitee comme une folle.

Elle passa alors dans la chambre voisine, et y prit une petite cassette dans laquelle elle avait soigneusement enferme les sept couronnes du roi des souris; puis elle revint en disant:

—Tiens, chere maman, voici cependant les couronnes du roi des souris, que Casse-Noisette m'a donnees la nuit derniere en signe de sa victoire.

La presidente alors, pleine de surprise, prit et regarda ces petites couronnes, qui, en metal inconnu et fort brillant, etaient ciselees avec une finesse dont les mains humaines n'eussent point ete capables. Le president lui-meme ne pouvait cesser de les examiner, et les jugeait si precieuses, que, quelles que fussent les instances de Fritz, qui se dressait sur la pointe des pieds pour les voir, et qui demandait a les toucher, il ne voulut pas lui en confier une seule.

Alors le president et la presidente se mirent a presser Marie de leur dire d'ou venaient ces petites couronnes; mais elle ne pouvait que persister dans ce qu'elle avait dit; et, quand son pere, impatiente de ce qu'il croyait un entetement de sa part, l'eut appelee menteuse, elle se mit a fondre en larmes et s'ecrier:

—Helas! pauvre enfant que je suis, que voulez-vous que je vous dise?

En ce moment, la porte s'ouvrit; le conseiller de medecine parut, et s'ecria a son tour:

—Mais qu'y a-t-il donc? et qu'a-t-on fait a ma filleule Marie, qu'elle pleure, qu'elle sanglote ainsi? Qu'est-ce que c'est? qu'est-ce c'est donc?

Le president instruisit le nouveau venu de tout ce qui etait arrive, et, le recit termine, il lui montra les couronnes; mais peine les eut-il vues, qu'il se mit a rire.

—Ah! ah! dit-il, la plaisanterie est bonne! ce sont les sept couronnes que je portais a la chaine de ma montre, il y a quelques annees, et dont je fis present a ma filleule le jour du deuxieme anniversaire de sa naissance; ne vous le rappelez-vous pas, cher president?

Mais le president et la presidente eurent beau chercher dans leur memoire, ils n'avaient garde aucun souvenir de ce fait; cependant, s'en rapportant a ce que disait le parrain, leurs figures reprirent peu a peu leur expression de bonte ordinaire; ce que voyant Marie, elle s'elanca vers le conseiller de medecine en s'ecriant:

—Mais tu sais tout cela, toi, parrain Drosselmayer; avoue donc que Casse-Noisette est ton neveu, et que c'est lui qui m'a donn ces sept couronnes.

Mais parrain Drosselmayer parut prendre fort mal la chose; son front se plissa, et sa figure s'assombrit de telle facon, que le president, appelant la petite Marie, et la prenant entre ses jambes, lui dit:

—Ecoute-moi, ma chere enfant, car c'est serieusement que je te parle: fais-moi le plaisir, une fois pour toutes, de mettre de cote ces folles imaginations; car, s'il t'arrive encore de dire que ton vilain et informe Casse-Noisette est le neveu de notre ami le conseiller de medecine, je te previens que je jetterai non-seulement M. Casse-Noisette, mais encore toutes les autres poupees, mademoiselle Claire comprise, par la fenetre.

La pauvre Marie n'osa donc plus parler de toutes les belles choses dont son imagination etait remplie; mais mes jeunes lecteurs, et surtout mes jeunes lectrices, comprendront que, lorsqu'on a voyage une fois dans un pays aussi attrayant que le royaume des poupees, et qu'on a vu une ville aussi succulente que Confiturembourg, ne l'eut-on vue qu'une heure, on ne perd pas facilement un pareil souvenir; elle essaya donc de parler a son frere de toute son histoire. Mais Marie avait perdu toute sa confiance du moment ou elle avait ose dire que ses hussards avaient pris la fuite; en consequence, convaincu, sur l'affirmation paternelle, que Marie avait menti, Fritz rendit ses officiers les grades qu'il leur avait enleves, et permit ses trompettes de jouer de nouveau la marche des hussards de la garde, rehabilitation qui n'empecha pas Marie de croire ce qu'il lui plut sur leur courage.

Marie n'osait donc plus parler de ses aventures; cependant, les souvenirs du royaume des poupees l'assiegeaient sans cesse, et, lorsqu'elle arretait son esprit sur ces souvenirs, elle revoyait tout, comme si elle eut ete encore ou dans la foret de Noel, ou sur le fleuve d'essence de rose, ou dans la ville de Confiturembourg; de sorte qu'au lieu de jouer comme auparavant avec ses joujoux, elle s'asseyait immobile et silencieuse, tout ses reflexions interieures, et que tout le monde l'appelait la petite reveuse.

Mais, un jour que le conseiller de medecine, sa perruque de verre posee sur le parquet, sa langue passee dans le coin de sa bouche, les manches de sa redingote jaune retroussee, reparait, a l'aide d'un long instrument pointu, quelque chose qui etait desorganis dans une pendule, il arriva que Marie, qui etait assise pres de l'armoire vitree, et qui, selon son habitude, regardait Casse-Noisette, se plongea si bien dans ses reveries, que, oubliant tout a coup que, non-seulement le parrain Drosselmayer, mais encore sa mere, etaient la, il lui echappa involontairement de s'ecrier:

—Ah! cher monsieur Drosselmayer! si vous n'etiez pas un bonhomme de bois, comme le soutient mon pere, et si vous existiez veritablement, que je ne ferais pas comme la princesse Pirlipate, et que je ne vous delaisserais pas parce que, pour m'obliger, vous auriez cesse d'etre un charmant jeune homme; car je vous aime veritablement, moi, ah!...

Mais a peine venait-elle de pousser ce soupir, qu'il se fit par la chambre un tel tintamarre, que Marie se renversa tout evanouie du haut de sa chaise a terre.

Quand elle revint a elle, Marie se trouvait entre les bras de sa mere, qui lui dit:

—Comment est-il possible qu'une grande fille comme toi, je te le demande, soit assez bete pour se laisser tomber en bas de sa chaise, et cela juste au moment ou le neveu de M. Drosselmayer, qui a termine ses voyages, vient d'arriver a Nuremberg?... Voyons, essuie tes yeux et sois gentille.

En effet, Marie essuya ses yeux, et, les tournant vers la porte, qui s'ouvrait en ce moment, elle apercut le conseiller de medecine, sa perruque de verre sur la tete, son chapeau sous le bras, sa redingote jaune sur le dos, qui souriait d'un air satisfait, et tenait par la main un jeune homme tres-petit, mais fort bien tourne et tout a fait joli.

Ce jeune homme portait une superbe redingote de velours rouge, brode d'or, des bas de soie blancs et des souliers lustres avec le plus beau vernis. Il avait a son jabot un charmant bouquet de fleurs, et etait tres-coquettement frise et poudre, tandis que derriere son dos pendait une tresse nattee avec la plus grande perfection. En outre, la petite epee qu'il avait au cote semblait etre toute de pierres precieuses, et le chapeau qu'il portait sous le bras etait tissu de la plus fine soie.

Les moeurs aimables de ce jeune homme se firent connaitre sur-le-champ; car a peine fut-il entre, qu'il deposa aux pieds de Marie une quantite de magnifiques joujoux, mais principalement les plus beaux massepains et les plus excellents bonbons qu'elle eut manges de sa vie, si ce n'est cependant ceux qu'elle avait goutes dans le royaume des poupees. Quant a Fritz, le neveu du conseiller de medecine, comme s'il eut pu deviner les gouts guerriers du fils du president, il lui apportait un sabre du plus fin damas. Ce n'est pas tout. A table, et lorsqu'on fut arriv au dessert, l'aimable creature cassa des noisettes pour toute la societe; les plus dures ne lui resistaient pas une seconde: de la main droite, il les placait entre ses dents; de la gauche, il tirait sa tresse, et, crac! la noisette tombait en morceaux.

Marie etait devenue fort rouge quand elle avait apercu ce joli petit bonhomme; mais elle devint plus rouge encore lorsque, le diner fini, il l'invita a passer avec lui dans la chambre l'armoire vitree.

—Allez, allez, mes enfants, et amusez-vous ensemble, dit le parrain; je n'ai plus besoin au salon, puisque toutes les horloges de mon ami le president vont bien.

Les deux jeunes gens entrerent au salon; mais a peine le jeune Drosselmayer fut-il seul avec Marie, qu'il mit un genou en terre et lui parla ainsi:

—Oh! mon excellente demoiselle Silberhaus! vous voyez ici vos pieds l'heureux Drosselmayer, a qui vous sauvates la vie cette meme place. Vous eutes, en outre, la bonte de dire que vous ne m'eussiez pas repousse comme l'a fait la vilaine princesse Pirlipate, si, pour vous servir, j'etais devenu affreux. Or, comme le sort qu'avait jete sur moi la reine des souris devait perdre toute son influence du jour ou, malgre ma laide figure, je serais aime d'une jeune et jolie personne, je cessai a l'instant meme d'etre un stupide casse-noisette, et je repris ma forme premiere, qui n'est pas desagreable, comme voua pouvez le voir. Ainsi donc, ma chere demoiselle, si vous etes toujours dans les memes sentiments a mon egard, faites-moi la grace de m'accorder votre main bien-aimee, partagez mon trone et ma couronne, et regnez avec moi sur le royaume des poupees; car, a cette, heure, j'en suis redevenu le roi.

Alors Marie releva doucement le jeune Drosselmayer, et lui dit:

—Vous etes un aimable et bon roi, Monsieur, et, comme vous avez avec cela un charmant royaume, orne de palais magnifiques, et peuple de sujets tres gais, je vous accepte, sauf la ratification de mes parents, pour mon fiance.

La-dessus, comme la porte du salon s'etait ouverte tout doucement, sans que les jeunes gens y fissent attention, tant ils etaient preoccupes de leurs sentiments, le president, la presidente et le parrain Drosselmayer s'avancerent, criant bravo de toutes leurs forces; ce qui rendit Marie rouge comme une cerise, mais ce qui ne deconcerta nullement le jeune homme, lequel s'avanca vers le president et la presidente, et, avec un salut gracieux, leur fit un joli compliment, par lequel il sollicitait la main de Marie, qui lui fut accordee a l'instant.

Le meme jour, Marie fut fiancee au jeune Drosselmayer, a la condition que le mariage ne se ferait que dans un an.

Au bout d'un an, le fiance revint chercher sa femme dans une petite voiture de nacre incrustee d'or et d'argent, trainee par des chevaux qui n'etaient pas plus gros que des moutons, et qui valaient un prix inestimable, vu qu'ils n'avaient pas leurs pareils dans le monde, et il l'emmena dans le palais de Massepains, ou ils furent maries par le chapelain du chateau, et ou vingt-deux mille petites figures, toutes couvertes de perles, de diamants et de pierreries eblouissantes, danserent a leur noce. Si bien qu'a l'heure qu'il est, Marie est encore reine du beau royaume ou l'on apercoit partout de brillantes forets de Noel, des fleuves d'orangeade, d'orgeat et d'essence de rose, des palais diaphanes en sucre plus fin que la neige et plus transparent que la glace; enfin, toutes sortes de choses magnifiques et miraculeuses, pourvu qu'on ait d'assez bons yeux pour les voir.

FIN DE L'HISTOIRE D'UN CASSE-NOISETTE.

L'EGOISTE

Carl avait herite, de son pere, d'une ferme avec ses troupeaux, son betail et ses recoltes; les granges les etables et les buchers regorgeaient de richesses et pourtant, chose etrange dire, Carl ne paraissait rien voir de tout cela; son seul desir etait d'amasser davantage, et il travaillait nuit et jour, comme s'il eut ete le plus pauvre paysan du village. Il etait connu pour etre le moins genereux de tous les fermiers de la contree, et aucun individu, pouvant gagner sa vie ailleurs, n'aurait et travailler chez lui. Son personnel changeait continuellement, parce que ses domestiques, qu'il laissait souffrir de la faim, se decourageaient promptement et le quittaient. Ceci l'inquietait fort peu, car il avait une bonne et aimable soeur. Amil etait une excellente menagere, et s'occupait sans cesse du bien-etre de Carl; quoiqu'elle s'efforcat, de son cote, de compenser la parcimonie de son frere par sa generosite, elle ne pouvait pas grand'chose, car il y regardait de trop pres.

Carl etait si egoiste, qu'il dinait toujours seul, parce qu'il etait alors sur d'avoir son diner bien chaud, et de n'avoir que lui seul a servir; tandis que sa soeur, ayant mange un morceau part, pouvait ensuite s'occuper uniquement de lui. Il donnait pour raison qu'il n'aimait pas a faire attendre, n'etant pas sur de son temps; toutefois, il ne manquait jamais d'arriver exactement a l'heure qu'il avait fixee lui-meme pour son diner. Il est donc bien avere que Carl etait egoiste; c'est une qualit peu enviable.

Amil etait recherchee par un homme tres-bien pose pour faire son chemin dans le monde; neanmoins, Carl lui battait froid, parce qu'il craignait de perdre sa soeur, qui le servait sans exiger de gages. Vous devez comprendre qu'ils n'etaient pas fort bons amis, car le motif de la froideur de Carl etait trop apparent pour ne pas sauter aux yeux des personnes les moins clairvoyantes; mais Carl se moquait bien d'avoir des amis! Il disait toujours qu'il portait ses meilleurs amis dans sa bourse; mais, helas! ces amis-la etaient, au contraire, ses plus grands ennemis.

Un matin qu'en contemplation devant un champ de ble, dont les epis dores se balancaient autour de lui, il calculait ce que ce champ pourrait lui rapporter, Carl sentit tout a coup la terre remuer sous ses pieds.

—Ce doit etre une enorme taupe, se dit-il en reculant, tout pret a assommer la bete, des qu'elle paraitrait.

Mais la terre s'amoncela bientot en masses si impetueuses, que maitre Carl fut renverse, et se trouva fort penaud d'avoir voulu jauger sa recolte.

Son epouvante augmenta considerablement, lorsqu'il vit s'elever de terre, non une taupe, mais un gnome de l'aspect le plus etrange, vetu d'un beau pourpoint cramoisi, avec une longue plume flottant a son bonnet. Le gnome jeta sur Carl un regard qui ne presageait rien de bon.

—Comment vous portez-vous, fermier? dit-il avec un sourire sardonique qui deplut singulierement a Carl.

—Qui etes-vous, au nom du ciel? fit Carl suffoque.

—Je n'ai rien a faire avec le nom du ciel, repliqua le gnome; car je suis un esprit malfaisant.

—J'espere que vous n'avez pas l'intention de me faire du mal? dit humblement Carl.

—En verite, je n'en sais rien! Je me propose seulement de moissonner votre ble cette nuit, au clair de la lune, parce que mes chevaux, quoiqu'ils soient surnaturels, mangent aussi une quantite de ble tout a fait surnaturelle; en general, je recolte chez ceux qui sont le plus en etat de me faire cette offrande.

—Oh! mon cher Monsieur, s'ecria Carl, je suis le fermier le plus pauvre de tout le district; j'ai une soeur a ma charge, et j'ai eprouve de terribles et nombreuses pertes.

—Mais, enfin, vous etes Carl Grippenhausen, n'est-ce pas? dit le gnome.

—Oui, Monsieur, balbutia Carl.

—Ces enormes rangees de tas de ble, qui ressemblent a une petite ville, vous appartiennent-elles, oui on non? dit le gnome.

—Oui, Monsieur, repliqua encore Carl.

—Ce magnifique plant de navets et cette longue suite de terres labourables, ces beaux troupeaux et ce riche betail qui couvrent le flanc de la montagne, sont aussi a vous, je crois?

—Oui, Monsieur, dit Carl d'une voix tremblante, car il etait terrifie de voir combien le gnome avait d'exactes notions sur sa fortune.

—Vous, un pauvre homme? Oh! fi! dit le gnome en menacant du doigt le miserable Carl d'un air de reproche. Si vous continuez a me conter de pareils contes, je ferai en sorte, d'un tour de main, que vos monstrueuses histoires deviennent veritables... Fi! fi! fi!

En prononcant le dernier *fi*, il se rejeta dans la terre, mais le trou ne se ferma pas; en consequence, Carl vocifera ses supplications a tue-tete, criant misericorde a son etrange visiteur, qui ne daigna pas meme lui repondre.

Inquiet et abattu, il s'achemina lentement vers sa maison; comme il en approchait, en traversant le fourre, il apercut le galant de sa soeur causant avec elle par-dessus le mur du jardin. Une pensee lui vint alors a l'esprit; une pensee egoiste, bien entendu. Avant qu'ils eussent pu s'apercevoir de son approche, il se precipita vers eux, et, prenant la main de Wilhelm de la maniere la plus amicale, il l'invita a diner avec lui. O merveille des merveilles!... Il va sans dire que, malgre son extreme surprise, Wilhelm accepta de tres bonne grace. Apres le repas, l'idee lumineuse de Carl vit le jour, a l'etonnement toujours croissant de sa soeur et de Wilhelm. Et que pensez-vous que fut cette idee? Rien autre chose, sinon d'echanger sa grande piece de ble mur, prete a etre coupee, pour une de celles de Wilhelm, ou la moisson etait moins copieuse. Apres un debat tres-empresse de sa part, et de grandes demonstrations de bonne volonte et de gaiete, ce curieux marche fut conclu, et Wilhelm s'en retourna chez lui beaucoup plus riche qu'il n'en etait parti.

Carl se coucha, rassure par le transport qu'il avait fait, au trop confiant Wilhelm, du ble qui devait etre recolte au clair de la lune par le gnome pour nourrir ses chevaux gloutons.

Il ouvrit les yeux des la pointe du jour; car le gnome avait hante son sommeil. Il se hata de s'habiller, et sortit dans les champs pour voir le resultat des travaux nocturnes du gnome: le ble etait debout, agite par la brise matinale.

—Probablement, pensa Carl, j'aurai reve.

Alors il grimpa sur la colline, pour jeter un coup d'oeil sur le champ qu'il avait recu en echange de son ble menace; mais de quelle horreur ne fut-il pas saisi en voyant ce champ presque entierement depouille, et l'affreux petit gnome, achevant sa besogne, en jetant les dernieres gerbes dans un obscur abime creuse profondement en terre.

—Juste ciel! que faites-vous? s'ecria-t-il. Il me semble que vous aviez dit que vous moissonneriez ce champ la-bas?

—J'ai dit, repondit le gnome, que j'allais recolter votre ble, vous; or, a moins que je n'aie mal compris, le champ dont vous parlez est a Wilhelm, n'est-il pas vrai?

—Oui, malheureux que je suis!

Et, tombant a genoux pour implorer le gnome, Carl lui demanda grace; mais celui-ci, nonobstant ses prieres, enleva la derniere gerbe; puis la terre se referma, ne laissant aucune trace qui put signaler l'endroit ou une si abondante recolte avait et engloutie.

—Maintenant, comme vous voyez, j'ai ferme la porte de ma grange, dit le gnome en ricanant. A present, je vais aller me reposer; bonjour, Carl!

Et il s'eloigna d'un air calme et satisfait.

Carl erra ca et la, a moitie fou, oubliant jusqu'a son diner. Enfin, quand la nuit fut venue, il rentra chez lui, et, sans vouloir repondre aux questions affectueuses de sa soeur, il alla se coucher en boudant. Mais il avait a peine pose sa pauvre tete bouleversee sur l'oreiller, qu'une voix vint le reveiller, et lui dit:

—Carl, mon bon ami, me voici venu pour causer un peu avec vous; ainsi reveillez-vous et m'ecoutez.

Il sortit sa tete de dessous les couvertures, et vit que sa chambre etait illuminee par une vive clarte, qui lui montra le gnome assis sur le parquet de la chambre.

—Ah! miserable! s'ecria-t-il, viens-tu me voler mon repos, comme tu m'as vole mon ble? Va-t'en, ou bien j'assouvirai ma vengeance sur toi.

—Allons, allons, dit le gnome en riant, tu raffoles!... Ne sais-tu pas, stupide garcon, que je ne suis qu'une ombre? Autant vaudrait essayer d'etreindre l'air que de tenter de m'etreindre, moi; d'ailleurs, je ne suis venu ici que pour te promettre des richesses sans fin; car vous etes un homme selon mon coeur: n'etes-vous pas personnel et malin a un degre merveilleux? Ecoutez-moi donc, mon bon Carl. Venez me trouver demain au soir, avant le coucher du soleil, et je vous ferai voir un tresor dont l'excessive abondance depasse toute imagination humaine. Debarrassez-vous de votre mesquine ferme; le niais qui aime votre soeur serait une excellente victime, car il a des amis qui l'aideraient a se tirer d'affaire, et a vous en defaire. Le prix qu'il pourrait vous en donner serait de peu d'importance pour vous, et, lorsque je vous aurai fait connaitre le tresor dont je vous parle, vous en viendrez a dedaigner les sommes minimes que vous realisez par les moyens ordinaires. Bonne nuit, faites de jolis reves!

La lumiere s'evanouit et le gnome partit.

—Ah! dit Carl, ah! c'est delicieux! ah!

Et il retomba dans son premier sommeil.

Le jour suivant, tout le monde crut que Carl etait devenu fou; seulement, son naturel interesse prenant le dessus, il ne ceda pas la moindre piece de monnaie du prix convenu avec Wilhelm, qui etait, du reste, trop content de pouvoir entrer en arrangement avec lui; pourtant l'exces de sa surprise le faisait douter de la realite de la transaction. Enfin tout fut pret, et le jour fix pour la noce d'Amil, car Wilhelm l'avait prise, comme de juste, par-dessus le marche, bon ou mauvais, qu'il avait conclu pour la ferme. Carl n'eut pas la patience d'attendre ce jour-la, et, apres avoir embrasse sa soeur, il la laissa entre les mains de quelques parents et partit. Il trouva le gnome assis sur une barriere comme aurait pu le faire l'homme le plus ordinaire.

—Vous etes aussi ponctuel qu'une horloge, Carl, dit-il; j'en suis fort aise, car il faut que nous soyons arrives au pied des montagnes que vous voyez la-bas, avant le lever de la lune.

A ces mots, il descendit d'un bond de son perchoir, et ils poursuivirent leur chemin jusqu'a ce qu'ils fussent arrives au bord d'un lac sur la surface duquel, au profond etonnement de Carl, le gnome se mit a trotter comme si elle eut ete gelee.

—Venez donc, mon ami, dit-il en se tournant vers Carl, qui hesitait a le suivre.

Toutefois, voyant qu'il fallait en passer par la, celui-ci plongea jusqu'au cou, et se dirigea vers l'autre rive, que le gnome avait depuis longtemps atteinte.

Lorsqu'il y arriva a son tour, il se trouvait dans un etat fort desagreable; ses dents claquaient, et l'eau qui decoulait de ses vetements reproduisait a ses pieds en miniature le lac d'ou il sortait.

—Je vous prie, monsieur le gnome, dit-il d'un ton assez aigre, que pareille chose ne se renouvelle point, ou je serais force de renoncer a votre connaissance.

—Renoncer a ma connaissance, dites-vous? fit le gnome en ricanant. Mon cher Carl, cela n'est point en votre pouvoir. Vous avez de votre plein gre plonge dans le lac enchante, ce qui vous attache a moi pour un certain laps de temps. Je vous tiendrais au bout de la plus forte chaine, que je ne serais pas plus sur que vous me suivrez. Ainsi donc, marchez et songez a la recompense.

Carl fut un peu etourdi de ce qu'il entendait; mais il s'apercut bientot que tout etait exactement vrai; car, des que le gnome se remit en marche, il se sentit contraint, par une puissance irresistible, a le suivre. Bientot, ils se trouverent sur le versant d'une montagne tres-escarpee; le gnome glissa le long de cette pente avec la plus parfaite aisance, sans perdre l'equilibre; quant an pauvre Carl, il accomplit cette descente avec beaucoup moins de dignite, et surtout avec une telle impetuosite, que de droite et de gauche de grosses pierres se deplacaient, s'entrechoquaient avec fracas, et degringolaient dans les affreux precipices qui l'environnaient. Ses vetements etaient dans un etat deplorable; les points des coutures cedaient, de grands morceaux de son manteau etaient arraches; car il ne pouvait ralentir un seul instant sa course, afin de se degager des ronces et des epines qui s'attachaient sans cesse lui, retenant des parcelles de sa chair a mesure que la rapidit de sa fuite l'eloignait d'elles. A la fin, il roula comme un paquet au pied de la montagne, ou il trouva le gnome, qui se rejouissait l'odorat en flairant le parfum d'une fleur sauvage.

Carl s'assit un moment pour reprendre sa respiration, et, comme son sang bouillait d'une rage concentree, il s'ecria:

—Brutal gnome! je ne vous suivrai pas un pas de plus, ou vous me porterez; je suis meurtri des pieds a la tete; voyez comme vous m'avez arrange!

—Ah! c'est excellent! fit le gnome sans s'emouvoir. Nous allons voir, mon garcon! Quant a moi, je sois parfaitement a mon aise, et vous vous apercevrez, lorsque vous me connaitrez davantage, que je supporte avec une philosophie admirable les malheurs des autres; venez, Carl, mon bon ami.

Cet horrible *venez* commencait a avoir pour Carl une terrible signification; mais, de meme qu'auparavant, il fut force d'obeir. Il marcha toujours, toujours, jusqu'a ce que ses dents claquassent de froid; il s'apercut alors que le riant et chaud paysage etait devenu aride comme en hiver; et il jugea, d'apres la quantite de pics neigeux se perdant dans les nuages qu'il voyait autour de lui, qu'une grande mer devait etre proche; transi au point de pouvoir a peine se trainer, il conjura le gnome de prendre quelques instants de repos; a la fin, ce dernier s'assit.

—Je ne m'arrete que pour vous obliger, dit-il; mais je crois que l'immobilite prolongee serait pour vous chose dangereuse.

A ces mots, il exhiba une pipe qui paraissait beaucoup trop grande pour avoir jamais pu entrer dans sa poche; il l'alluma, et commenca de fumer tout comme s'il etait installe confortablement au coin du feu, chez Carl. Le pauvre Carl le regarda faire pendant quelque temps, avec ses dents qui s'entrechoquaient, et ses membres endoloris; ensuite, il le pria de lui laisser aspirer une ou deux chaudes bouffees de sa pipe embrasee.

—Je n'oserais pas, Carl: c'est du tabac de demon, beaucoup trop fort pour vous. Chauffez vos doigts a la fumee, si vous pouvez. Je ne puis comprendre ce qui vous manque; moi, je me trouve parfaitement a mon aise; mais vous n'etes pas philosophe!

Carl gemit, et ne repondit rien a l'imperturbable fumeur.

Apres avoir fume tres longtemps, le gnome secoua sur le bout de sa botte les cendres de sa pipe, et dit a Carl, grelottant, avec le sourire le plus affectueux:

—Mon bon ami, vous avez, en verite, bien mauvaise mine! peut-etre ferions-nous bien de nous remettre a marcher.

Il se leva sur-le-champ, et le pauvre Carl le suivit en trebuchant.

—Nous aurons plus chaud tout a l'heure, mon cher ami, fit-il en se tournant vers Carl, qui poussa un grognement sourd en maniere de replique; car il sentait son impuissance a se soustraire a son sort.

Ils eurent, en effet, bientot plus chaud; la glace disparut, la terre etait couverte de verdure, emaillee en profusion de fleurs embaumees; des guirlandes de ceps de vigne, couverts de grappes ravissantes, groupees sur les branches etendues, seduisaient l'oeil. Ils gravirent la montagne peniblement... c'est-a-dire peniblement pour Carl; car, pour le gnome, descendre ou monter etait aussi facile l'un que l'autre. A la fin, la montagne devint aride et dessechee; les cendres craquaient sous leurs pieds, et des vapeurs nauseabondes s'echappaient de la terre crevassee.

—Je serais curieux de savoir ou nous allons maintenant, se dit Carl en grommelant.

Il avait fini par decouvrir que parler a ce demon etait une peine inutile et une perte de temps. Son incertitude ne dura pas longtemps, car les mugissements d'un enorme volcan retentirent bientot a ses oreilles, et des pierres plurent sur sa tete et sur ses epaules. Il se traina de rocher en rocher, expose a chaque instant aux plus grands perils; la terre se derobait sous ses pas d'une maniere effrayante, la famee l'etouffait et l'aveuglait, tandis que l'eternel refrain du gnome: <<Avancez! avancez! auquel il lui etait impossible de resister, achevait de le desesperer. A la fin, il n'eut plus la conscience de ce qu'il faisait; il sentit seulement qu'il tombait sur le versant de la montagne et roulait jusqu'au bas. Un bruyant clapotement, et la sensation de l'eau froide, lui annoncerent qu'il venait de tomber au milieu des vagues de la mer; l'instinct de la conservation le fit s'efforcer de remonter a la surface. En reparaissant a fleur d'eau, il vit le gnome assis sur le tronc d'un arbre immense; les vagues le ballottaient a sa portee.

—Etendez la main, bon gnome! fit-il d'une voix defaillante, je vais enfoncer.

—Bah! repondit le gnome, du courage, mon ami! il faut que vous vous sauviez tout seul; ce petit bout de tronc d'arbre suffit peine a m'empecher de trop me fatiguer. Charite bien ordonnee commence par soi-meme, comme vous savez, c'est le premier point; le second point, c'est vous; je vous conseille donc de nager fort et ferme, dans le cas, bien entendu, ou vous voudriez vous en donner la peine. Votre bail avec moi est fini, a moins que vous ne vouliez le renouveler de bonne volonte, par vos actions ou par vos souhaits; adieu!

Les vagues mugissantes emporterent en un instant le gnome railleur hors de vue, et Carl resta seul a lutter contre les flots. Il nagea donc jusqu'a ce qu'il arrivat en vue du rivage; alors, par bonheur, il apercut quelques debris de bois pourri qui flottaient sur la mer, et semblaient avoir appartenu a une vieille digue; il s'y attacha d'une etreinte desesperee, et se mit a pousser de grands cris, esperant voir arriver, du rivage, son secours. Les cris de Carl a demi submerge finirent par attirer l'attention des enfants d'un pecheur qui jouaient sur la berge; insoucieux du danger, ils pousserent une barque dans l'eau, et se dirigerent vers l'homme qui semblait pres de se noyer. Apres bien des efforts infructueux, ces courageux enfants parvinrent a tirer Carl dans leur bateau.

—Merci! merci! balbutia-t-il en regardant ces enfants, qui n'avaient point hesite a risquer leur vie pour sauver la sienne.

—Ne nous remerciez pas, dit le petit garcon; vous ne savez pas combien nous sommes heureux que le ciel nous ait procur l'occasion de vous delivrer d'une mort certaine; c'est a nous etre reconnaissants chaque fois que nous pouvons faire une bonne action; voila, du moins, ce que nous enseigne notre bon pere.

—Je voudrais que le mien m'eut donne les memes enseignements, pensa Carl.

Il embrassa tendrement les enfants; il n'avait rien antre chose leur donner; car tout son or avait ete perdu au milieu de son voyage aventureux avec le perfide gnome.

Il demanda son chemin, et un petit paysan, un peu plus age que ceux qui l'avaient delivre, offrit de traverser les hautes montagnes avec lui, et de le reconduire jusqu'a sa maison, qui se trouvait a une tres-grande distance, assurait le petit paysan; ce qui confondit Carl de surprise.

Deguenille et les pieds blesses, Carl se mit en route avec son jeune et agile petit guide, qui le soutenait avec la plus vive sollicitude dans les passages difficiles et dans les rudes sentiers de la montagne; Carl se sentait honteux et rougissait en voyant ce simple enfant, sans souci de lui-meme, mettre un si grand espace entre soi et son village, pour obliger un etranger pauvre et souffrant, lui gazouiller ses petites chansons montagnardes pour egayer la longueur du chemin afin qu'il ne sentit ni la fatigue ni les douleurs; et, lorsqu'ils arrivaient quelque endroit bien tranquille, s'asseyant a l'ombre a ses cotes, le jeune paysan etalait le contenu de son bissac, et partageait gaiement ses provisions avec le voyageur.

A la fin, le chemin devint si facile et si directement trace, que le complaisant conducteur de Carl se disposa a le quitter pour retourner chez lui; mais, avant de le faire, il voulait absolument laisser a Carl le contenu de son havresac, de crainte que celui-ci ne souffrit de la faim. Carl ne voulut point y consentir; car, que deviendrait ce faible enfant, s'il le privait de sa nourriture? Tout en persistant dans son refus, il l'embrassa en le remerciant mille fois, et se mit a descendre la montagne.—Carl avait appris a penser aux autres.

Il voyagea bien des jours a travers les vallees, apaisant sa faim avec les mures sauvages des haies, etanchant sa soif dans l'eau vive des ruisseaux; enfin, il arriva pres d'un village compose de chaumieres eparses. La fatigue et le manque de nourriture avaient enerve sa constitution jadis si robuste; il se traina en chancelant, avec l'espoir de trouver quelqu'un qui vint a son secours; mais il ne vit personne, excepte une jolie fille blonde qui etait assise sur le seuil de sa cabane et mangeait du pain trempe dans du lait. Il essaya de s'approcher d'elle; mais, incapable de faire un pas de plus, il tomba par terre tout de son long; l'enfant se leva vivement en voyant choir ainsi presque ses pieds, et en entendant gemir l'etranger have et miserable; elle lui souleva la tete, et sa paleur livide, ainsi que sa maigreur, lui ayant devoile les causes de sa souffrance, elle porta la jatte de lait a ses levres et l'y maintint jusqu'a ce qu'il eut avale tout ce qu'elle contenait avec l'avidite de la faim. Cette enfant, sans penser un seul instant a autre chose qu'a la detresse de Carl mourant d'inanition, avait volontairement et avec joie sacrifie son dejeuner.—Souviens-toi de cela, Carl!—Il s'en souvint, en effet, lorsque, ranime, il se remit en route, le coeur penetre de l'exemple qu'il avait recu.

Il y avait encore un bien long et bien fatigant bout de chemin entre lui et sa maison... Sa maison! ah! le coeur lui manquait quand il se rappelait que ce n'etait plus sa maison; elle appartenait a son ami et a sa soeur, qu'il avait l'un et l'autre traites avec un si froid egoisme jusqu'au dernier moment de leur separation, alors que sa tete etait remplie du mirage des promesses dorees de l'artificieux gnome, alors qu'il s'imaginait posseder bientot des richesses immenses, alors enfin qu'il s'efforcait de mettre, par sa conduite, entre eux et lui, une assez grande distance pour qu'il ne put etre question de rien partager avec eux, quand meme ils viendraient a tomber dans le besoin. Depuis que de nouveaux sentiments, dus aux bontes dont il avait ete l'objet de toutes parts sans l'appat d'aucune recompense, s'emparaient de son coeur, il sentait combien il aurait peu droit de faire appel a leur charite, lui qui s'etait rendu indigne de leur amitie; et il soupirait en songeant a ce qu'il avait ete jadis.

La nuit le surprit dans une lande inculte et desolee, et, pour completer sa misere, la neige se mit a tomber en gros flocons qui l'aveuglaient. Il boutonna etroitement sa redingote en lambeaux, et lutta contre la bourrasque glacee, qui tourbillonnait autour de lui avec une sorte de violence vengeresse. A la fin, la neige glacee s'amoncela sur ses pieds transis, il avanca plus lentement, et sa marche devint de plus en plus penible. L'ouragan redoublant d'impetuosite, il commenca a chanceler; il s'arreta un instant comme aneanti par le vent furieux, puis il s'affaissa et fut bientot a demi enseveli sous une couche de neige.

Un tintement de grelots domina le bruit de la tempete; il annoncait l'approche d'un chariot couvert dont le roulement etait amorti par la neige epaisse, a ce point qu'on eut pu douter de sa presence, si une lanterne, placee a l'interieur, n'eut repandu au loin sa brillante lumiere. La voiture atteignit en peu de minutes l'endroit ou Carl etait etendu; le cheval se cabra l'aspect de cette forme humaine etendue a terre; le voyageur descendit, releva l'etranger gele, et, apres quelques vigoureux efforts, il le deposa sain et sauf dans son chariot, et gagna toute vitesse le plus prochain hameau, dont on apercevait au loin les lumieres. La, des soins actifs rappelerent Carl a la vie, et le premier visage qui s'offrit a ses regards fut celui de son excellent beau-frere Wilhelm, qui n'avait pu reconnaitre, dans le voyageur mourant, isole et deguenille, son frere Carl, si riche et si egoiste; celui-ci, apres une explication de quelques mots, decouvrit qu'il avait voyage, avec le gnome, pendant plus d'une annee, ce qui lui parut inconcevable; toutefois, Wilhelm lui affirma que rien n'etait plus reel, et l'assura en meme temps qu'il etait dispose a le recevoir dans sa maison, et a lui accorder, avec l'oubli complet de ses fautes passees, tout ce que l'affection sincere est toujours prete a donner. Cette assurance fut un baume salutaire pour les blessures physiques et morales de Carl repentant. Wilhelm partit, le laissant reposer ses membres endoloris dans le lit doux et commode des villageois.

Le matin du jour suivant, la honte au visage, Carl s'achemina vers le seuil bien connu de son ancienne demeure; mais son pied avait a peine touche la premiere marche de l'escalier, que sa soeur accourut se jeter dans ses bras et l'embrasser; il cacha sa figure dans le sein de cette genereuse femme et pleura abondamment.

Le gnome, qui n'avait pas cesse de le suivre, avec l'espoir qu'il retomberait en son pouvoir, s'arreta soudain a ce touchant spectacle; et, tandis qu'il les contemplait tous deux d'un air de depit, il devint graduellement de moins en moins visible l'oeil, jusqu'a ce qu'il s'evanouit tout a fait.

Le demon de l'egoisme etait parti pour jamais, et Carl rendit de sinceres actions de graces a Dieu, pour la terrible epreuve qui avait cause ce changement, et lui avait demontre qu'en s'occupant charitablement des interets et du bien-etre des autres, il travaillait pour lui-meme, et concourait le plus efficacement son propre bonheur. Il avait donc, en realite, decouvert un tresor mille fois plus precieux que tout l'or de la terre.

FIN DE L'EGOISTE

NICOLAS LE PHILOSOPHE

Apres avoir servi son maitre pendant sept ans, Nicolas lui dit:

—Maitre, j'ai fait mon temps, je voudrais bien retourner pres de ma mere; donnez-moi mes gages.

—Tu m'as servi fidelement comme intelligence et probite, repondit le maitre de Nicolas; la recompense sera en rapport avec le service.

Et il lui donna un lingot d'or, qui pouvait bien peser cinq ou six livres. Nicolas tira son mouchoir de sa poche, y enveloppa le lingot, le chargea sur son epaule et se mit en route pour la maison paternelle.

En cheminant et en mettant toujours une jambe devant l'autre, il finit par croiser un cavalier qui venait a lui, joyeux et frais, et monte sur un beau cheval.

—Oh! dit tout haut Nicolas, la belle chose que d'avoir un cheval! On monte dessus, on est dans sa selle comme sur un fauteuil, on avance sans s'en apercevoir, et l'on n'use pas ses souliers.

Le cavalier, qui l'avait entendu, lui cria:

—He! Nicolas, pourquoi vas-tu donc a pied?

—Ah! ne m'en parlez point, repondit Nicolas; ca me fait d'autant plus de peine, que j'ai la, sur l'epaule, un lingot d'or qui me pese tellement, que je ne sais a quoi tient que je ne le jette dans le fosse.

—Veux-tu faire un echange? demanda le cavalier.

—Lequel? fit Nicolas.

—Je te donne mon cheval, donne-moi ton lingot d'or.

—De tout mon coeur, dit Nicolas; mais, je vous previens, il est lourd en diable.

—Bon! ce n'est point la ce qui empechera le marche de se faire, dit le cavalier.

Et il descendit de son cheval, prit le lingot d'or, aida Nicolas a monter sur la bete et lui mit la bride en main.

—Quand tu voudras aller doucement, dit le cavalier, tu tireras la bride a toi en disant: <<Oh!>> Quand ta voudras aller vite, tu lacheras la bride en disant: <<Hop!

Le cavalier, devenu pieton, s'en alla avec son lingot; Nicolas, devenu cavalier, continua son chemin avec son cheval.

Nicolas ne se possedait pas de joie en se sentant si carrement assis sur sa selle; il alla d'abord au pas, car il etait assez mediocre cavalier, puis au trot, puis il s'enhardit et pensa qu'il n'y aurait pas de mal a faire un petit temps de galop.

Il lacha donc la bride et fit clapper sa langue en criant:

—Hop! hop!

Le cheval fit un bond, et Nicolas roula a dix pas de lui.

Puis, debarrasse de son cavalier, le cheval partit a fond de train, et Dieu sait ou il se fut arrete, si un paysan qui conduisait une vache ne lui eut barre le chemin.

Nicolas se releva, et, tout froisse, se mit a courir apres le cheval, que le paysan tenait par la bride; mais, tout triste de sa deconfiture, il dit au brave homme:

—Merci, mon ami!... C'est une sotte chose que d'aller a cheval, surtout quand on a une rosse comme celle-ci, qui rue, et, en ruant, vous demonte son homme de maniere a lui casser le cou. Quant a moi, je sais bien une chose, c'est que jamais je ne remonterai dessus. Ah! continua Nicolas avec un soupir, j'aimerais bien mieux une vache; on la suit a son aise par derriere, et l'on a, en outre, son lait par-dessus le marche, sans compter le beurre et le fromage. Foi de Nicolas! je donnerais bien des choses pour avoir une vache comme la votre.

—Eh bien, dit le paysan, puisqu'elle vous plait tant, prenez-la; je consens a l'echanger contre votre cheval.

Nicolas fut transporte de joie: il prit la vache par son licol; le paysan enfourcha le cheval et disparut.

Et Nicolas se remit en route, chassant la vache devant lui, et songeant a l'admirable marche qu'il qu'il venait de faire.

Il arriva a une auberge, et, dans sa joie, il mangea tout ce qu'il avait emporte de chez son maitre, c'est-a-dire un excellent morceau de pain et de fromage; puis, comme il avait deux liards dans sa poche, il se fit servir un demi-verre de biere et continua de conduire sa vache du cote de son village

Vers midi, la chaleur devint etouffante, et, juste en ce moment, Nicolas se trouvait au milieu d'une lande qui avait bien encore deux lieues de longueur.

La chaleur etait si insupportable, que le pauvre Nicolas en tirait la langue de trois pouces hors de la bouche.

—Il y a un remede a cela, se dit Nicolas: je vais traire ma vache et me regaler de lait.

Il attacha la vache a un arbre desseche, et, comme il n'avait pas de seau, il posa a terre son bonnet de cuir; mais, quelque peine qu'il se donnat, il ne put faire sortir une goutte de lait de la mamelle de la bete.

Ce n'etait pas que la vache n'eut point de lait, mais Nicolas s'y prenait mal, si mal, que la bete rua, comme on dit, en *vache*, et, d'un de ses pieds de derriere, lui donna un tel coup a la tete, qu'elle le renversa, et qu'il fut quelque temps a rouler droite et a gauche, sans parvenir a se remettre sur ses pieds.

Par bonheur, un charcutier vint a passer avec sa charrette, ou il y avait un porc.

—Eh! eh! demanda le charcutier, qu'y a-t-il donc, mon ami? es-tu ivre?

—Non pas, dit Nicolas, au contraire, je meurs de soif.

—Cela ne serait pas une raison: nul n'est plus altere qu'un ivrogne; au reste, et a tout hasard, mon pauvre garcon, bois un coup.

Il aida Nicolas a se remettre sur ses pieds et lui presenta sa gourde.

Nicolas l'approcha de sa bouche et y but une large gorgee.

Puis, ayant reprit ses sens:

—Voulez-vous me dire, demanda-t-il au charcutier, pourquoi ma vache ne donne pas de lait?

Le charcutier se garda bien de lui dire que c'etait parce qu'il ne savait point la traire.

—Ta vache est vieille, lui dit-il, et n'est plus bonne a rien.

—Pas meme a tuer? demanda Nicolas.

—Qui diable veux-tu qui mange de la vieille vache? Autant manger de la vache enragee!

—Ah! dit Nicolas, si j'avais un joli petit porc comme celui-ci, a la bonne heure! cela est bon depuis les pieds jusqu'a la tete: avec la chair, on fait du sale; avec les entrailles, on fait des andouillettes; avec le sang, on fait du boudin.

—Ecoute, dit le charcutier, pour t'obliger... mais c'est purement et simplement pour t'obliger... je te donnerai mon porc, si ta veux me donner ta vache.

—Que Dieu te recompense, brave homme! dit Nicolas.

Et, remettant sa vache au charcutier, il descendit le porc de la charrette et prit le bout de la corde pour le conduire.

Nicolas continua sa route en songeant combien tout allait selon ses desirs.

Il n'avait pas fait cinq cents pas, qu'un jeune garcon le rattrapa. Celui-ci portait sous son bras une oie grasse.

Pour passer le temps, Nicolas commenca a parler de son bonheur et des echanges favorables qu'il avait faits.

De son cote, le jeune garcon lui raconta qu'il portait son oie pour festin de bapteme.

—Pese-moi cela par le cou, dit-il a Nicolas. Hein! est-ce lourd! Il est vrai que voila huit semaines qu'on l'engraisse avec des chataignes. Celui qui mordra la-dedans devra s'essuyer la graisse des deux cotes du menton.

—Oui, dit Nicolas en la soupesant d'une main, elle a son poids; mais mon cochon pese bien vingt oies comme la tienne.

Le jeune garcon regarda de tous cotes d'un air pensif, et en secouant la tete:

—Ecoute, dit-il a Nicolas, je ne te connais que depuis dix minutes, mais tu m'as l'air d'un brave garcon; il faut que ta saches une chose, c'est qu'il se pourrait qu'a l'endroit de ton cochon, tout ne fut pas bien en ordre: dans le village que je viens de traverser, on en a vole un au percepteur. Je crains fort que ce ne soit justement celui que tu menes. Ils ont requis la marechaussee et envoye des gens pour poursuivre le voleur, et, tu comprends, ce serait une mauvaise affaire pour toi si l'on te trouvait conduisant ce cochon. Le moins qu'il put t'arriver, ce serait d'etre conduit en prison jusqu'au moment ou l'affaire serait eclaircie.

A ces mots, la peur saisit Nicolas.

—Jesus Dieu! dit-il, tire-moi de ce mauvais pas, mon garcon; tu connais ce pays que j'ai quitte depuis quinze ans, de sorte que tu as plus de defense que moi. Donne-moi ton oie et prends mon cochon.

—Diable! fit le jeune garcon, je joue gros jeu; cependant, je ne puis laisser un camarade dans l'embarras.

Et, donnant son oie a Nicolas, il prit le cochon par la corde, et se jeta avec lui dans un chemin de traverse.

Nicolas continua sa route, debarrasse de ses craintes, et portant gaiement son oie sous son bras.

—En y reflechissant bien, se disait-il, je viens, outre la crainte dont je suis debarrasse, de faire un marche excellent. D'abord, voila une oie qui va me donner un roti delicieux, et qui, tout en rotissant, me donnera une masse de graisse avec laquelle je ferai des tartines pendant trois mois, sans compter les plumes blanches qui me confectionneront un bon oreiller, sur lequel, des demain au soir, je vais dormir sans etre berce. Oh! c'est ma mere qui sera contente, elle qui aime tant l'oie!

Il achevait a peine ces paroles, qu'il se trouva cote a cote avec un homme qui portait un objet enferme dans sa cravate, qu'il tenait pendue a la main.

Cet objet gigottait de telle facon, et imprimait a la cravate de tels balancements, qu'il etait evident que c'etait un animal vivant, et que cet animal regrettait fort sa liberte.

—Qu'avez-vous donc la, compagnon? demanda Nicolas.

—Ou, la? fit le voyageur.

—Dans votre cravate.

—Oh! ce n'est rien, repondit le voyageur en riant.

Puis, regardant autour de lui pour voir si personne n'etait portee d'entendre ce qu'il allait dire:

—C'est une perdrix que je viens de prendre au collet, dit-il; seulement, je suis arrive a temps pour la prendre vivante. Et vous, que portez-vous la?

—Vous le voyez bien, c'est une oie, et une belle, j'espere.

Et, tout fier de son oie, Nicolas la montra au braconnier.

Celui-ci regarda l'oie d'un air de dedain, la prit et la flaira.

—Hum! dit-il, quand comptez-vous la manger?

—Demain au soir, avec ma mere.

—Bien du plaisir! dit en riant le braconnier.

—Je m'en promets, en effet, du plaisir; mais pourquoi riez-vous?

—Je ris, parce que votre oie est bonne a manger aujourd'hui, et encore, encore, en supposant que vous aimiez les oies faisandees.

—Diable! vous croyez? fit Nicolas.

—Mon cher ami, sachez cela pour votre gouverne: quand on achete une oie, on l'achete vivante; de cette facon-la, on la tue quand on veut, et on la mange quand il convient: croyez-moi, si vous voulez tirer de votre oie un parti quelconque, faites-la rotir la premiere auberge que vous rencontrerez sur votre chemin, et mangez-la jusqu'au dernier morceau.

—Non, dit Nicolas; mais faisons mieux: prenez mon oie, qui est morte, et donnez-moi votre perdrix, qui est vivante: je la tuerai demain au matin, et elle sera bonne a manger demain au soir.

—Un autre te demanderait du retour; mais, moi, je suis bon compagnon; quoique ma perdrix soit vivante et que ton oie soit morte, je te donne ma perdrix troc pour troc.

Nicolas prit la perdrix, la mit dans son mouchoir, qu'il noua par les quatre coins, et, presse d'arriver le plus tot possible, il laissa son compagnon entrer dans une auberge pour y manger son oie, et continua sa route a travers le village.

Au bout du village, il trouva un remouleur.

Le remouleur chantait, tout en repassant des couteaux et des ciseaux, le premier couplet d'une chanson que connaissait Nicolas.

Nicolas s'arreta et se mit a chanter le second couplet.

Le remouleur chanta le troisieme.

—Bon! lui dit Nicolas, du moment que vous etes gai, c'est que vous etes content.

—Ma foi, oui! repondit le remouleur; le metier va bien, et, chaque fois que je mets la main a la pierre, il en tombe une piece d'argent. Mais que portez-vous donc la qui fretille ainsi dans votre cravate?

—C'est une perdrix vivante.

—Ah!... Ou l'avez-vous prise?

—Je ne l'ai pas prise, je l'ai eue en echange d'une oie.

—Et l'oie?

—Je l'avais eue en echange d'un cochon.

—Et le cochon?

—Je l'avais en en echange d'une vache.

—Et la vache?

—Je l'avais eue en echange d'un cheval.

—Et le cheval?

—Je l'avais eu en echange d'un lingot d'or.

—Et ce lingot d'or?

—C'etait le prix de mes sept annees de service.

—Peste! vous avez toujours su vous tirer d'affaire!

—Oui, jusqu'aujourd'hui, cela a assez bien marche; seulement, une fois rentre chez ma mere, il me faudrait un etat dans le genre du votre.

—Ah! en effet, c'est un crane etat.

—Est-il bien difficile?

—Vous voyez: il n'y a qu'a faire tourner la meule et en approcher les couteaux ou les ciseaux qu'on veut affuter.

—Oui; mais il faut une pierre.

—Tenez, dit le remouleur en poussant une vieille meule du pied, en voila une qui a rapporte plus d'argent qu'elle ne pese, et cependant elle pese lourd!

—Et ca coute cher, n'est-ce pas, une pierre comme celle-la?

—Dame! assez cher, fit le remouleur; mais, moi, je suis bon garcon: donnez-moi votre perdrix, je vous donnerai ma meule. Ca vous va-t-il?

—Parbleu! est-ce que cela se demande? dit Nicolas; puisque j'aurai de l'argent chaque fois que je mettrai la main a la pierre, de quoi m'inquieterais-je maintenant?

Et il donna sa perdrix au remouleur, et prit la vieille meule que l'autre avait mise au rebut.

Puis, la pierre sous le bras, il partit, le coeur plein de joie et les yeux brillants de satisfaction.

—Il faut que je sois ne coiffe! se dit Nicolas; je n'ai qu' souhaiter pour que mon souhait soit exauce!

Cependant, apres avoir fait une lieue ou deux, comme il etait en marche depuis le point du jour, il commenca, alourdi par le poids de la meule, a se sentir tres fatigue; la faim aussi le tourmentait, ayant mange le matin ses provisions de toute la journee, tant sa joie etait grande, on se le rappelle, d'avoir troque sa vache pour un cheval! A la fin, la fatigue prit tellement le dessus, que, de dix pas en dix pas, il etait forc de s'arreter; la meule aussi lui pesait de plus en plus, car elle semblait s'alourdir au fur et a mesure que ses forces diminuaient.

Il arriva, eu marchant comme une tortue, au bord d'une fontaine ou bouillonnait une eau aussi limpide que le ciel qu'elle refletait; c'etait une source dont on ne voyait pas le fond.

—Allons, s'ecria Nicolas, il est dit que j'aurai de la chance jusqu'au bout; au moment ou j'allais mourir de soif, voila une fontaine!

Et, posant sa meule an bord de la source, Nicolas se mit a plat ventre, et but a sa soif pendant cinq minutes.

Mais, en se relevant, le genou lui glissa; il voulut se retenir la meule, et, en se retenant, il poussa la pierre, qui tomba l'eau et disparut dans les profondeurs de la source.

—En verite! dit Nicolas demeurant un instant a genoux pour prononcer son action de grace, le bon Dieu est reellement bien bon de m'avoir debarrasse de cette lourde et maussade pierre, sans que j'aie le plus petit reproche a me faire.

Et, allege de tout fardeau, les mains et les poches vides, mais le coeur joyeux, il reprit, tout courant, le chemin de la maison de sa mere.

FIN

Milton Keynes UK
Ingram Content Group UK Ltd.
UKHW030736240823
427351UK00010B/403